De gouden vallei

Van dezelfde auteur:

Chadwick-trilogie
Een tijd van verwachting
Een veilig thuis
Met open armen

Een vergeten glimlach
Vervlogen tijden
De vogelkooi
Een week in de winter

Marcia Willett

De gouden vallei

2005 – De Boekerij – Amsterdam

Oorspronkelijke titel: The Golden Cup (Bantam Press)
Vertaling: Nellie Keukelaar-van Rijsbergen
Omslagontwerp/artwork: Hesseling Design, Ede

ISBN 90-225-4221-1

Voor Clare Foss

St Meriadoc: feiten en fictie

Eerst de feiten:

Meriadoc was een rijke man uit Wales die in de vijfde of zesde eeuw leefde. Op een bepaald moment gaf hij al zijn geld aan behoeftige geestelijken en al zijn land aan de armen. Hij deed afstand van zijn rijkdom en de purperen gewaden die hij graag droeg, kleedde zich in vodden, at eenvoudig voedsel en leefde in volkomen armoede. Hij ging naar Cornwall waar hij enkele kerken stichtte. Daarna stak hij over naar Bretagne om zijn godsdienstig werk daar voort te zetten. Hij werd gekozen tot bisschop van Vannes, aanvaardde die functie met grote tegenzin en bleef een leven van onthouding leiden. Tot op de dag van vandaag wordt hij herdacht in Cornwall en Bretagne. De parochiekerk in Camborne is gewijd aan St Martin en St Meriadoc en er bestaat nog steeds een mirakelspel in het Cornish waarin de legendarische tochten van St Meriadoc worden naverteld. Er is ook een basisschool naar hem vernoemd. Zijn naamdag is 7 juni.

> 'Armoede verwijdert zorgen en is de moeder der heiligheid.'
> St Meriadoc

Nu wat informatie over het fictieve gedeelte:

St Meriadoc's Cove, de Saint's Well (er is geen bron die aan de heilige wordt toegeschreven) en Paradise zijn verzonnen, evenals de orthopediepraktijken in Bodmin en Wadebridge. De inham ligt aan de noordkust van Cornwall tussen Com Head en Carnweather Point, kijkt uit over Port Quin Bay en ligt bijna pal ten noorden van Polzeath. Er zijn twee wegen naar de inham. Via de weg vanuit het oosten, die niet meer wordt gebruikt, kom je rechtstreeks bij het landhuis Paradise. De weg vanuit het westen brengt je bij het begin van de inham, voert langs de oude werf en The Row, gaat vervolgens het beekje over, dat bij de bron ontspringt, en splitst zich dan; als je naar links gaat, kom je bij The Lookout en als je naar rechts gaat, kom je bij Paradise.

Proloog

De twee gestalten, die naar elkaar toe bogen onder de kale takken van een oude beuk, waren bijna niet te onderscheiden in het afnemende winterse licht. Ze stonden volkomen stil, een donkergrijze vlek die zich aftekende tegen de hoge granieten muur die de beschutte tuin scheidde van het hellende grasland. Terwijl hij uitkeek over de bevroren wei hoorde hij het gebogen smeedijzeren hek met een metalige klank opengaan. Hij zag een jonge vrouw, die het hek weer zorgvuldig achter zich dichtdeed. Hij rechtte zich. Hij herkende haar omdat hij eerder een glimp van haar had opgevangen toen hij bij het huis had aangebeld. Ze had een zachte omslagdoek om haar schouders en droeg groene rubberlaarzen onder een lange rok van bobbelige stof.

De ezels slenterden met hun kenmerkende tred naar haar toe, waarbij ze hun kop op en neer bewogen. Ze sprak zacht tegen hen, stak haar handen uit en bukte zich, zodat het leek alsof ze een kus op hun zijdezachte snuiten drukte. Hij aarzelde – wilde haar graag roepen om met haar in contact te komen – maar hij durfde niet. In plaats daarvan dacht hij weer aan de eerste keer dat hij haar had gezien, toen ze aan het eind van de gang uit een deur was gekomen, die moeilijk te zien was doordat die in het donker lag. Ze had hem met een strakke, standvastige blik vanonder haar donkere rechte wenkbrauwen aangekeken, had iets in haar armen wat ze tegen haar borst geklemd hield – een boek? een doos? – en ze had alertheid uitgestraald. Ze was blijven staan, had gekeken en geluisterd, en was toen via een andere deur verdwenen, zodat hij alleen achterbleef met de oudere vrouw die erg vriendelijk en meelevend naar hem had geglimlacht.

'Het spijt me heel erg. U kunt mevrouw Trevannion vandaag echt niet spreken. Ze heeft er ook nog eens een gemene infectie aan de luchtwegen bij gekregen. Hadden we maar geweten dat u zou komen.’

‘Maar ik heb mevrouw Trevannion een brief geschreven,’ zei hij snel, niet in staat zijn teleurstelling te verbergen. ‘Ik heb een brief met een foto opgestuurd. Ik denk – hoop – dat ze tijdens de oorlog de zus van mijn grootmoeder heeft gekend. Mijn grootmoeder is in 1946 naar de Verenigde Staten geëmigreerd en toen is het contact verbroken. We waren zo blij toen mijn moeder die trouwfoto vond waar ze met z’n vieren op staan. Er stonden namen op de achterkant dus er is geen twijfel mogelijk: Hubert en Honor Trevannion…’

‘Ze is helaas te ziek om post te beantwoorden. Eerst die gebroken enkel en nu die ademhalingsproblemen.’ Ze had even haar wenkbrauwen gefronst en zijn enthousiasme vriendelijk maar resoluut de kop ingedrukt. ‘Misschien over een week of twee…’

‘Ik ben hier maar een week,’ had hij onthutst gezegd. ‘Ik logeer in Port Isaac. Ik werk tijdelijk in Londen en nu ik hier toch ben, maak ik van de gelegenheid gebruik om de gevonden aanknopingspunten te volgen. Het intrigeert me al heel lang en het was een grote meevaller toen we die foto vonden…’

Opnieuw merkte hij dat ze gereserveerder reageerde toen hij over de foto begon.

‘Ik denk niet dat we u op dit moment kunnen helpen.’

Hij schakelde over op een andere tactiek. ‘Dit is een betoverende kleine vallei, prachtig groen, en verborgen. Paradise. Wat een geweldige naam voor een huis. Je hebt hier in Cornwall vaak van die rare namen: Indian Queens, Lazarus, Jamaica Inn.’ Hij schudde zijn hoofd alsof hij zich er geamuseerd over verbaasde. ‘En dan heb je nog al die huizen die naar heiligen zijn vernoemd, maar Paradise roept een beeld op van een paradijs en zo te zien klopt dat.’

‘Dat vinden wij ook.’

Ze reageerde nietszeggend; hij had net zo goed tegen een muur kunnen praten. Uiteindelijk had hij haar zijn visitekaartje gegeven. Ze had beloofd contact met hem op te nemen, had glimlachend afscheid van hem genomen en had de deur rustig dichtgedaan. De anticlimax was bijna overweldigend en toen hij over de oprit terugliep naar de smalle weg voelde hij zich gek genoeg beledigd en hij bedacht dat ze hem op zijn minst een kopje thee had kunnen aanbieden. Toen hij bij het hek naar de ezels stond te kijken, probeerde hij rationeler te zijn en overtuigde zich ervan dat Honor Trevannion waarschijnlijk ernstig ziek was en dat de oudere en de jongere vrouw zich te veel zorgen over haar welzijn maakten om tijd vrij te maken voor een vreemdeling die onverwacht langskwam en op zoek was naar een voorouder. Hij trok zijn schouders op vanwege de koude avondlucht en liet zijn armen op het hek rusten. De donkere groep aan de andere kant van het grasland was nu bijna niet meer te zien omdat de schemering, die over het gras kroop en tussen de bomen bleef hangen, het schijnsel van de zonsondergang belemmerde en de laatste felle stralen temperde, die schuin vanuit het westen vielen. Hij fronste zijn wenkbrauwen en dacht nog steeds aan het gesprek. Had hij het zich verbeeld dat ze wat gespannen was en niet over de brief en de foto wilde praten? Hij haalde zijn schouders op. Waarschijnlijk had ze geen idee waar hij het over had en had ze te veel aan haar hoofd om belangstelling te hebben voor zijn verhaal.

Hij hoorde opnieuw een metalige klank toen het hek werd dichtgedaan. De jonge vrouw was weggegaan en de ezels waren de kleine open schuur in gelopen. Gefrustreerd, maar nog steeds gedreven door nieuwsgierigheid en vastbesloten dit aanknopingspunt te blijven volgen, was hij verder gelopen naar de verlaten steengroeve waar hij zijn auto had geparkeerd. Vervolgens reed hij weg.

Deel een

1

Het graspad vanaf de weide slingerde tussen heel hoge rododendrons met houtige uitlopers door, die over de harde kale grond liepen en werden ondersteund door diepgewortelde kromme takken. De ruwe spitse bladeren trilden in het kille briesje en langs het pad vielen groepen sneeuwklokjes op in de invallende duisternis. Opeens ging in een kamer boven het licht aan en iemand stond met uitgespreide armen even naar buiten te kijken, waarna de gordijnen vlug werden dichtgedaan en het felle schijnsel werd getemperd.

Tegen de tijd dat de jonge vrouw de achterdeur had bereikt, haar laarzen had uitgetrapt en door de gang naar de grote salon was gelopen, was Mousie weer beneden en stapelde houtblokken op in de open haard.

'Ha, Joss, daar ben je.' Haar stem klonk vreemd opgelucht. 'Ik vroeg me al af waar je was. Ben je bij de ezels geweest om ze klaar te maken voor de nacht?'

'Ik had wat appels meegenomen.' Ze ging op de brede haardrand zitten, krulde haar tenen op in de warme dikke sokken en genoot van de warmte van de vlammen die met gretige gele en oranje tongen aan de grote houtblokken likten. 'Hoe is het met Mutt?'

'Ze ligt rustig te slapen. Ik ga straks thee brengen en dan houd ik haar een tijdje gezelschap. Kom je er ook bij zitten?'

Joss schudde haar hoofd. 'Ik ga later en dan zal ik haar voorlezen. Ze is altijd onrustig na het avondeten en dan heeft ze wat afleiding. Wie was die man net aan de deur? Wat wilde hij?'

Mousie aarzelde alsof het moeite kostte een goed antwoord te formuleren. 'Het was een Amerikaan die op zoek is naar een familielid. Hij dacht dat je grootmoeder zijn oudtante misschien had gekend tijdens de oorlog. Iets in die richting. Hij kwam helaas ongelegen.'

'Kende Mutt haar?'

'Dat heb ik niet aan haar gevraagd,' antwoordde Mousie resoluut. 'Wil je thee?'

'Ik neem straks wel, laat voor mij maar wat in de pot staan.' Joss glimlachte naar de kleine rechte gestalte die een aantal brillen, elk aan een lang koord, op haar coltrui had hangen. 'Ik red het wel in mijn eentje. Je kunt gerust naar huis gaan, Mousie.'

'Dat weet ik, lieverd.' Mousie ontspande zich zichtbaar. De spanning gleed van haar schouders af en de rimpels van bezorgdheid verdwenen. Haar blauwgrijze ogen keken helder en vol genegenheid onder het weerbarstige lichtgrijze haar vandaan. 'Misschien ga ik nog even kijken of ze er rustig bij ligt. Die nieuwe antibiotica...'

Joss grinnikte. 'Je bent onverbeterlijk,' zei ze. 'Dat zal wel komen doordat je jarenlang verpleegster bent geweest en gewend bent de leiding te hebben. Oude gewoontes zijn moeilijk af te leren. Ik ben ook gediplomeerd, hoor. Ik ben dan wel geen échte verpleegster, maar ik kan Mutt optillen en ik kan je verzekeren dat een zachte massage echt zal helpen nu haar voet uit het gips is.'

'En jij weet heel goed dat ik niets tegen orthopedie heb,' zei Mousie vastberaden. 'Ik heb er helemaal geen moeite mee dat jij voor je oma zorgt, maar ik maak me zorgen om die luchtweginfectie. Ze is behoorlijk in de war, al weet ik ook wel dat dat vooral door de bijwerkingen van de antibiotica komt.'

Ze keek weer ongerust. Joss zag het en besloot haar verder niet te plagen. Ze werd zelf ook gespannen.

'Ze heeft tijd nodig,' zei ze. 'Het was een lelijke breuk en die akelige infectie maakt het er niet beter op. Het komt goed, Mousie.' Het klonk bijna alsof ze zelf gerustgesteld wilde worden en Mousie reageerde vlug.

'Natuurlijk komt het goed, lieverd. Gelukkig kun jij af en toe bij haar zijn. Dat is het beste medicijn dat ze kan hebben.' Ze glimlachte ondeugend. Haar gevoel voor humor en haar natuurlijke veerkracht keerden terug. 'En die massage niet te vergeten.'

Toen ze alleen was, trok Joss haar voeten op de haardrand, legde haar kin op haar knieën en dacht aan de knappe Amerikaan. Ze voelde zich tot hem aangetrokken vanwege het enthousiasme dat uit zijn gebaren en gelaatsuitdrukking sprak en ze had al spijt van haar behoedzaamheid. Ze hield zich voor dat ze gemakkelijk een praatje met hem had kunnen maken en hem iets te drinken had kunnen aanbieden. Ze had hem bij het hek zien staan, maar door haar pas verworven terughoudendheid – die totaal niet bij haar paste, maar voortkwam uit zelfbescherming – had ze niet vriendelijk naar hem kunnen roepen. Ze had zich echter verbaasd over Mousies ongebruikelijke voorzichtigheid en de omzichtigheid waarmee ze zijn vragen beantwoordde, hoewel het gezien de omstandigheden niet verbazingwekkend was dat Mousie andere dingen aan haar hoofd had.

Terwijl Joss naar het felle haardvuur keek, zag ze een ander tafereel voor zich: een scène waarin ze op hem af was gestapt en had geglimlacht als reactie op zijn vriendelijke blik. Dan had ze gezegd: 'Tjonge, wat fascinerend. Waar gaat het precies om?' Dan hadden ze misschien samen thee gedronken en had hij de foto van zijn verloren gewaande oudtante laten zien. Ze vond het vervelend dat ze tegenwoordig aldoor op haar hoede moest zijn, dat ze haar mond niet voorbij mocht praten en dat ze zich moest inhouden. Gelukkig kon ze tegenover haar patiënten openhartig blijven en vrijuit spreken.

Dat kwam doordat die zelden naar haar privé-leven informeerden en daardoor hoefde ze niet op te letten. Ze kon nonchalanter op de gevreesde vragen – 'Bent u getrouwd?' of 'Hebt u een vriend?' – reageren als die door patiënten werden gesteld dan wanneer dat gebeurde door mensen van wie ze hield. Relaties met familieleden waren ingewikkelder geworden sinds ze uit de zit-slaapkamer in Wadebridge was verhuisd en op Paradise was komen wonen, terwijl het kleine huis aan het eind van The Row werd opgeknapt. Ze had toch ook niet kunnen voorzien dat een vriendschap uit haar kinderjaren plotseling zou uitgroeien tot een geheime liefdesrelatie?

'De thee is klaar,' riep Mousie, terwijl ze de trap op ging.

Joss liep de gang in en bleef staan om te genieten van de sfeer die er in dit dierbare huis hing. Het was een ideaal, klein, fraai geproportioneerd landhuis met hoge schuiframen. Ze stelde zich soms voor dat ze het dak kon openklappen en naar binnen kon kijken alsof het een poppenhuis was. Ze hoorde nog net Mousies stem geruststellend mompelen achter de gesloten slaapkamerdeur. Joss vroeg zich af of haar grootmoeder de oudtante van de Amerikaan had gekend toen ze allebei nog jong waren. Ze begreep zijn belangstelling voor dit verdwenen familielid en snapte zijn behoefte aan veiligheid die een hechte familieband biedt. Ze voelde zich veel meer thuis in deze kleine vallei van St Meriadoc, waar haar moederskant van de familie al eeuwenlang woonde, dan in het huis van haar ouders in Henley of in het appartement in Londen, waar haar vader een groot deel van de week doorbracht.

Ze zou aan Mousie vragen of ze de foto mocht zien. Ze hoopte dat er een connectie bestond die de jonge man zou helpen bij zijn zoektocht. Terwijl ze nog steeds aan hem dacht, schonk ze thee in en liep met de mok naar de haard.

Boven haalde Mousie het dienblad weg, zag dat Mutt weer sliep en keek om zich heen in de kamer. In de haard brandde een klein vrolijk vuur veilig achter een hoog haardscherm van plaatgaas en een fraai beschilderd kamerscherm was zo neergezet dat de oude vrouw in het bed minder last had van het felle licht van de hoge lamp die op een hangoortafel vlak bij het raam stond. Mousie zat altijd aan deze tafel als ze de wacht hield. Er lagen stapels boeken en kranten op en ook briefpapier en schrijfgerei.

Ze stond nu even met haar rug naar het bed, legde de dikke kranten op een keurige stapel, schoof de losse velletjes van een brief die ze had zitten schrijven op elkaar en stopte ze daarna in het leren vloeiblok. Vervolgens verzamelde ze rondslingerende pennen en een potlood en zette die in een blauw-met-witte keramische pot. Even later haalde ze de foto onder het vloeiblok vandaan en keek ze ernaar. Het was duidelijk een recente kopie van een oude foto en geen afdruk van een negatief, want je zag krassen en vouwen. Toch herkende ze hem meteen, want in 1941 had haar neef Hubert zo'n zelfde foto opgestuurd, helemaal vanuit India naar zijn tante in Portsmouth.

Hij schreef:

Ik ben met afschuw vervuld en het spijt me heel erg om te horen over oom Hugh en het verlies van de HMS Hood. Ik vind het erg fijn dat jullie naar St Meriadoc gaan om dicht bij vader en moeder te zijn... Ik kan haast niet wachten om jullie allemaal voor te stellen aan Honor. Het is een schat. Doe Mousie en Rafe de groeten...

Ze herinnerde zich nog steeds de schrik en het verdriet dat ze had gevoeld toen ze dit nieuws hoorde, zo kort na het overlijden van haar vader. Zolang ze zich kon herinneren had ze een overweldigende liefde voor Hubert gevoeld. Ze wilde vlug opgroeien en stelde zich het heerlijke moment voor waarvan ze zo vaak had gedroomd, het moment waarop hij haar als een volwassene zou beschouwen en zou beseffen dat hij al die tijd van haar had gehouden. Hubert had haar de bijnaam 'Mousie' gegeven en hoewel hij haar had geplaagd, kon hij haar altijd aan het lachen maken: Hubert was uniek. Ze had naar het gezicht gekeken van de vrouw die onlangs met Hubert was getrouwd en dromerig onder de leuke, malle hoed vandaan keek, die scheef over één oog stond, en ze had haar in stilte en vol bitterheid gehaat. Terwijl de oorlog voortduurde, kwam er af en toe nieuws uit India naar St Meriadoc: Honor was bevallen van een zoon, Bruno, en drie jaar later van een dochter, Emma. Mousie was zeventien toen ze bericht kregen dat Hubert een overtocht naar Engeland probeerde te boeken voor zijn vrouw en kinderen in een poging hen te beschermen tegen de rellen en de beroering die de afscheiding met zich meebracht. Hij was van plan hen achterna te reizen zodra zijn ontslag later datzelfde jaar zou volgen, maar enkele dagen voordat zijn gezin zou vertrekken, overleed Hubert aan de gevolgen van een voedselvergiftiging en Honor – die van Hubert de bijnaam Mutt had gekregen – en de kinderen waren alleen naar Paradise gekomen.

Mousie schoof de foto terug onder het vloeiblok en keek weer naar het bed. Mutt lag op haar zij en keek haar kalm en intelligent aan. Mousie verborg de lichte schok die deze overgangen van koortsige verwarring naar korte momenten van helderheid veroorzaakten en glimlachte.

'De thee zal inmiddels wel koud zijn,' zei ze. 'Zal ik nieuwe zetten?'

Mutt schudde zacht haar hoofd op het kussen. Mousie liep terug naar het bed en ging in de lage gestoffeerde stoel zitten, zodat ze bijna op gelijke hoogte met de zieke vrouw in het hoge bed was.

'Arme Mousie.' De woorden waren nauwelijks verstaanbaar en Mousie moest naar voren buigen om ze te kunnen horen. 'Wat ben ik toch lastig.'

'Dat ben je helemaal niet.' Ze pakte Mutts slappe, uitgestoken hand en hield die liefdevol tussen haar eigen handen. 'Het gaat iedere dag wat beter. Joss komt straks voorlezen.'

Het was even stil, terwijl de haardblokken in een zachte explosie van as en vlammen in elkaar zakten en er schaduwen over het plafond dansten.

'Gek, hè,' mompelde Mutt, 'dat we allebei verpleegster zijn?'

'Dat is allemaal de schuld van Hubert,' antwoordde Mousie luchtig. 'Je weet dat hij mijn grote held was in mijn kinderjaren. Toen hij eenmaal dokter was, was ik vastbesloten verpleegster te worden. Ik ben altijd erg blij geweest dat hij voor zijn dood heeft geweten dat ik aan mijn opleiding was begonnen. Het was net of dat ons op een of andere manier verbond.'

Mutt bewoog onrustig, ging op haar rug liggen en probeerde overeind te komen.

'Ik ga maar weer slapen,' zei ze.

Hoewel niets op koorts duidde, was het rustige moment voorbij. Mousie keek even peinzend naar haar. Daarna zette ze de handbel naast Mutt op de sprei en ging stilletjes weg.

2

Vanuit de portiekkamer, die zo werd genoemd omdat hij recht boven de voordeur lag, keek je in zuidelijke richting uit over de geheime beschutte tuin, de weg en de heuvelachtige, met gaspeldoorns omzoomde kleine velden verderop. Onder het raam groeide een stevige wisteria, zodat aan het begin van de zomer de geur van de grijsblauwe bloemen door het open raam naar binnen zweefde. Mutt had een rieten stoel zo neergezet dat ze op juniavonden verrukt naar de exotische karmozijnrode en witte bloemen van de rododendrons kon kijken en de volle felgele maan boven de meidoorns verderop op de heuvel kon zien opkomen.

Toen ze later die avond de kamer binnen kwam, vond Joss het kalme, elegante comfort prettig, hoewel ze haar eigen kamer aan de achterkant van het huis eigenlijk mooier vond. Haar kamer keek uit op het noorden, zodat je de hoge ruwe kliffen kon zien. 's Nachts kon ze het rusteloze, ritmische zwoegen van de golven horen, die met vingers van schuim naar de weerstand biedende rotsen prikten en eraan trokken, stiekem de grotten binnenvielen en bij het terugtrekken grijs zanderig schalie meenamen. Dikke fluwelen gordijnen sloten nu de koude vriesnacht buiten en in de kamer van haar grootmoeder was het rustig. Het was net een klein ruimteschip dat onafhankelijk door een stil universum zoefde.

Ze keek naar het bed en de bewegingloze vrouw. De angst sloeg haar opeens om het hart en ze liep vlug naar haar toe. Mutt opende haar ogen toen Joss zich over haar heen boog, haar magere pols voelde en de lichte, snelle hartslag controleerde. Ze trok een scheef gezicht, omdat ze vermoedde waar haar kleindochter bang voor was geweest en dreef er de spot mee.

'Ik ben er nog, hoor,' mompelde ze.

'Ja.' Joss slaakte stilletjes een zucht van verlichting.

Ze glimlachten en toonden hun grote, bijzondere liefde voor elkaar, die vanaf het begin kenmerkend was geweest voor hun vriendschap. Mutts slappe hand kneep wat harder in de warme hand van Joss. Niets mocht haar plannen voor dit geliefde kleinkind in de war schoppen: zij was de natuurlijke erfgenaam van Paradise. Joss en zij hadden altijd een team gevormd, soms ten koste van de middelste generatie, en hadden samen plezier gemaakt. Joss drukte zacht haar lippen op de magere hand en glimlachte naar haar grootmoeder.

'Het is bijna tijd voor uw medicijnen,' zei ze, 'of wilt u eerst gemasseerd worden?'

'Hm.' Mutt accepteerde het aanbod meteen. Ze herkende het als een teken van liefde dat tegelijkertijd verlichting bood. Dankzij haar had Joss dit vak geleerd – Mutt had haar kant gekozen toen Joss' vader klaarstond met zijn vooroordelen en ze was haar financieel te hulp geschoten – en daar plukte ze nu de vruchten van. 'Hoorde ik daarnet de telefoon?'

'Ja.' Joss legde haar voorzichtig anders neer, zodat ze het onderste gedeelte van Mutts rug en ruggengraat kon masseren. 'Mijn moeder komt morgen.' Ze pakte een flesje van het nachtkastje, druppelde wat olie op haar handpalmen, liet de olie even warm worden en begon toen kundig, voorzichtig en zelfverzekerd de spieren en zachte weefsels te kneden. 'Ze logeert bij Bruno in The Lookout, maar ze komt zo gauw mogelijk hierheen om u op te zoeken.'

Aan Mutts gezicht was niet te zien of ze dit een prettig vooruitzicht vond, want ze concentreerde zich ergens anders op.

'Was er eerder iemand aan de deur?'

Joss aarzelde. Ze vroeg zich af of haar grootmoeder op de hoogte was van de Amerikaan en zijn foto, en besefte dat Mutt de deurbel moest hebben gehoord. Het lag niet in haar aard om te huichelen en ze zag er geen kwaad in eerlijk antwoord te geven.

'Er stond een Amerikaan op de stoep die zijn oudtante probeert op te sporen. Hij dacht dat u haar misschien tijdens de oorlog had gekend.'

Ze draaide haar weer, zodat ze bij het onderbeen kon en ze zag een scheut van pijn over het gezicht van de oude vrouw trekken. Joss hield op en keek haar bezorgd aan.

'Deed dat pijn?'

Mutt schudde haar hoofd, fronste haar wenkbrauwen en begon schokkend te hoesten. Joss hielp haar overeind en sloeg haar arm om de tengere gestalte heen, terwijl ze met haar andere hand een drankje in een plastic maatbekertje goot. Toen de aanval even later over was, hielp Joss haar om voorzichtig te gaan liggen en ze legde een kussen onder het zere been.

'Ik ga mijn handen wassen,' zei ze. 'Ik ben zo terug.'

Toen ze alleen was, rolde Mutt haar hoofd op het kussen om en keek naar de tafel waar Mousie een paar dagen geleden aan had gezeten. Ze had de post opengemaakt en op Mutts verzoek de brieven gelezen omdat Mutt daar zelf te zwak voor was.

'Nee maar!' had Mousie geamuseerd gezegd. 'Dit is een brief van een jonge man die wil weten of je zijn oudtante hebt gekend. Hij heeft een foto bijgesloten.' Het was even stil gebleven en toen ze weer sprak, klonk haar stem anders: zacht en geëmotioneerd. 'Ongelofelijk,' had ze gezegd. 'Ken je deze foto nog, Honor?' Ze was opgestaan en naar het bed gelopen, terwijl ze de foto vasthield.

De schok was erg groot geweest. Ze zag haar eigen jonge vrolijke gezicht, lachend te midden van enkele vrienden, en dacht met een scherpe steek van pijnlijke vreugde terug aan die blijde dag en het verdriet en de angst die erop volgden. Deze gevoelens blokkeerden even iedere rationele gedachte en het duurde dan ook enkele tellen voordat ze weer aan de brief dacht die Mousie had voorgelezen.

'Ik kan hem niet zien,' had ze ongerust geroepen, terwijl Mousie iets anders aan het vertellen was. 'Ik kan het gewoon niet. Het is allemaal te pijnlijk en te lang geleden.' Mousie had haar gekalmeerd, was het met haar eens dat ze nog niet voldoende hersteld was om bezoek te ontvangen en had haar medicijnen gegeven om die vervelende hoest te verlichten waar ze veel last van had. Toen ze later alleen was, was ze voorzichtig uit bed gekomen en trillend en met wankele stappen naar de tafel gelopen, maar ze zag de brief en de foto nergens en ze had bijna niet genoeg kracht gehad om weer in bed te klimmen.

Nu ze lag te wachten totdat Joss terugkwam, schoot haar iets anders te binnen – iets wat dom en geheim was en waar ze al lange tijd niet meer aan had gedacht – en de angst bekroop haar. Haar spieren spanden zich ongewild, alsof ze uit bed wilde komen, maar de medicijnen begonnen aan te slaan, zodat ze slaperig werd. Ze stelde zich voor dat ze weer in India was. Beelden en geluiden verdrongen zich in haar verwarde hoofd: ratelende wielen, het geschreeuw van de voermannen, schuifelende voeten en schelle stemmen, doordringende scherpe geuren, bruine lichamen en felgekleurde bougainville, zacht warm stof en meedogenloze hitte.

Opeens was er het schelle gerinkel van de telefoon. Het geluid klonk gedempt maar aanhoudend in de gang beneden en hield abrupt op toen Mousie opnam. Mutt mompelde en riep iets in haar slaap. Joss, die naast haar zat, sloeg af en toe haar ogen op van het boek en keek naar haar.

'Ik loop te dubben of ik niet op Paradise moet logeren in plaats van bij Bruno,' zei Emma vlug met zachte stem. 'Als Mutt er echt slecht aan toe is door deze verkoudheid moet ik misschien in de buurt zijn, Mousie, maar ik wil me niet opdringen aan Joss. Ik heb het gevoel dat het op dit moment háár territorium is, niet alleen omdat ze er woont terwijl haar kleine huis wordt opgeknapt, maar ook omdat ze in feite de leiding heeft sinds haar oma haar enkel heeft gebroken. Mutt en zij hebben het altijd goed met elkaar kunnen vinden, hè?'

Mousie glimlachte en zag voor zich hoe Emma over de telefoon gebogen stond, terwijl ze met haar vrije hand gebaren maakte: hartelijk, verstrooid, beminnelijk.

'Ga gerust naar Bruno,' verzekerde ze haar. 'Tjonge, het is maar tien minuten hiervandaan en Honors toestand is niet kritiek...' Ze dacht aan de woorden van de dokter en beet op haar lip. 'Hoewel we gezien haar leeftijd rekening moeten houden met het ergste...'

'Dat zegt Raymond nou ook,' viel Emma haar bezorgd in de rede. 'Hij vindt dat ik bij haar moet zijn. Je weet dat hij weinig vertrouwen heeft in Joss. Hij moet niets hebben van alternatieve geneeswijzen en hij vindt dat we te veel op jou steunen.'

Mousies lip krulde. Ze kon zich goed voorstellen dat Raymond Fox graag wilde dat zijn vrouw ter plekke zou zijn in deze kritieke periode.

'Zeg maar dat hij zich geen zorgen over Honor hoeft te maken,' antwoordde ze droog. 'Hij kan erop vertrouwen dat ik in dat soort situaties mijn plaats weet.'

'Ach, Mousie,' zei Emma bijna buiten adem door een combinatie van gêne en pret, 'Raymond bedoelt het niet zo, maar hij draaft soms een beetje door. Ik kijk ernaar uit jullie allemaal weer te zien. Mijn geliefde broer staat niet te juichen dat ik kom. Hij worstelt blijkbaar met een lastige passage van zijn boek en ik kon aan zijn stem horen dat hij helemaal in het verhaal opgaat. Dat is niet erg. Wat afleiding zal hem goeddoen.'

'Jij zegt het.' Mousie voelde even een golf van sympathie voor Bruno. 'Ik vind het erg verstandig van je om Joss hier de leiding te laten houden. Je kunt Raymond verzekeren dat ze zeer kundig is en Honor voelt zich erg op haar gemak en veilig bij haar. Dat is momenteel heel belangrijk.'

'Mousie, je bent een schat. Ik zal het tegen hem zeggen. Het punt is dat hij niet kan accepteren dat ze volwassen is en ze is natuurlijk niet officieel verpleegster, zoals jij, hoewel ik tegen hem blijf zeggen dat ze voortreffelijk werk heeft gedaan. Ze was altijd al zorgzaam en gevoelig, hè? Heel anders dan ik. Mijn vader was natuurlijk dokter en Mutt heeft voor verpleegster geleerd, dus ze zal het wel van hen hebben...'

'Joss doet het prima,' zei Mousie kordaat. 'Raymond kan trots op haar zijn. Ze is naar het ziekenhuis in Truro geweest om Honors röntgenfoto's met de fysiotherapeut te bespreken en ze weet precies wat ze doet. Ze is echt heel kundig.'

'Je bent zo'n steun voor ons,' zei Emma vurig. 'Ik hoop dat ik op tijd ben voor de lunch. Doe iedereen de groeten.'

Mousie legde de hoorn neer, had zoals gewoonlijk na een gesprek met Emma het gevoel dat ze een flink eind had gerend en liep terug naar de salon. Twee kleine comfortabele banken stonden haaks op de open haard en een derde, langere bank vormde de vierde zijde van het vierkant. Ieder vertrek straalde Mutts voorliefde voor rustige, formele elegantie uit en dat was hier en in de kleine salon, waar Mutt ging zitten als ze wilde lezen of werken, het duidelijkst. In de omgeving stond ze bekend om haar prachtige borduurwerk en ze had veel belangrijke opdrachten gekregen. De laatste tijd had ze vanwege haar slechte ogen niet veel werk meer aangenomen, hoewel het wandkleed in het kleine rechthoekige spanraam waar ze iedere avond bij de haard aan werkte, nog steeds half af op de palissanderhouten tafel lag, die achter de lange bank stond waar ze gewoonlijk tijdschriften en boeken op legde.

Mousie ging in de hoek het dichtst bij de haard zitten en bukte zich om haar grote tas open te maken. Voorzichtig haalde ze de foto en de bijbehorende brief eruit en keek naar de vier lachende gezichten: Hubert en zijn vrouw en een ander stel.

De Amerikaan had geschreven:

Het was een dubbel huwelijk omdat ze goed bevriend waren. Mijn grootmoeder herinnerde zich dat beide vrouwen verpleegster waren, maar denkt dat mijn oudoom een bedrijf in India had. Het is allemaal nogal vaag, maar de meisjesnaam van mijn oudtante was Madeleine Grosjean. Ik weet dat de twee zussen een hechte band hadden, maar kort nadat mijn grootmoeder naar de Verenigde Staten was geëmigreerd, kwam er geen nieuws meer uit India. Er is destijds navraag gedaan en daaruit bleek dat Madeleine en haar gezin van de ene op de andere dag waren verdwenen. We denken dat ze misschien bij de onlusten in 1947 zijn omgekomen.

Misschien waren dokter Trevannion en u toen al terug in Engeland. Het zou geweldig zijn als we de waarheid te weten zouden komen en ik hoop dan ook dat u even tijd voor me zult hebben als ik volgend weekend, laten we zeggen zaterdag rond een uur of drie, bij u langskom.

Ze vouwde de brief op, staarde voor zich uit en herinnerde zich Honors komst in St Meriadoc. In 1947 was Huberts moeder al overleden. Zijn vader had een zwakke gezondheid, maar ze hadden zich allemaal ingespannen om ervoor te zorgen dat de reizigers zich thuis zouden voelen. Kleine Bruno, die als twee druppels water op zijn vader leek en versuft was door de gebeurtenissen van de afgelopen twee maanden, en die lieve Emma, die te jong was om te snappen wat er was gebeurd, maar blijmoedig bereid was haar nieuwe familie in de armen te sluiten. Vanaf het eerste moment was Mousie dol op de kinderen geweest, maar niet op Honor... Mousie zuchtte spijtig. Er was altijd een soort barrière tussen hen geweest, een gereserveerdheid die Mousie niet kon doorbreken. Misschien kwam dat wel doordat ze zelf verliefd was geweest op Hubert. Ze had erg haar best gedaan om eroverheen te komen, maar dat was haar nooit gelukt. Ze kon de rare bijnaam die de kinderen gebruikten niet over haar lippen krijgen; voor Mousie bleef ze altijd 'Honor'.

Ze hoorde voetstappen op de trap en stopte de brief en de foto terug in de grote tas. Tegen de tijd dat Joss de deur opendeed, zat Mousie ontspannen en knus bij de haard ogenschijnlijk aandachtig de krant te lezen.

3

Terwijl ze over de bekende weg langs Launceston reed en bij Kennards House afsloeg, wachtend om een glimp van de glinsterende zee in de verte op te vangen, praatte Emma hardop – ze was de radio en haar cassettebandjes zat – en sprak zichzelf moed in: nog een klein stukje, bijna thuis. Hoewel ze erg vroeg was opgestaan, voelde ze zich alert en vol energie. Ze keek ernaar uit haar familie weer te zien, en dan vooral Joss en Bruno.

'En die lieve oude Mutt,' zei ze hardop. Ze was verdrietig en maakte zich zorgen over de gezondheidstoestand van haar moeder; dat kwam doordat ze zich altijd erg nutteloos voelde als er iemand ziek was. Ze was heel anders dan Mousie, die er goed in was mensen te verzorgen en praktische hulp te bieden zonder zelf van streek te raken.

'Ze ziet er vreselijk uit,' had Emma huilend tegen Mousie gezegd, toen ze de vorige keer bij Mutt was geweest. 'Erg kwetsbaar en oud.'

'Ze is ook kwetsbaar en oud,' had Mousie geantwoord, en ze had Emma met haar kenmerkende scherpe en toch komische blik aangekeken, wat Emma altijd geruststellend vond. 'Ze is bijna tachtig en ze is lelijk gevallen. Wat had je dan verwacht?'

'Ze is altijd erg...' Emma zocht naar de juiste woorden, '... onafhankelijk geweest.'

'Dat klopt,' had Mousie droog opgemerkt, 'maar onafhankelijk zijn is lastig als je niet kunt lopen en behoorlijk in de war bent.'

Het punt was, bedacht Emma toen ze door Delabole reed, dat het een grote schok was geweest die vrolijke en vaardige Mutt aan bed gekluisterd en onder de kalmeringsmiddelen te zien. Het was alsof er van het ene op het andere moment een veilig en betrouwbaar referentiepunt was weggevallen en ze merkte dat ze stuurloos ronddobberde. Het stond als een paal boven water dat Mutt van haar kinderen hield, maar soms was ze karig met haar liefde en het vreemde was dat Emma altijd behoefte had aan Mutts waardering. Hoe oud ze ook was, ze straalde als Mutt liefdevol en goedkeurend naar haar dochter lachte.

'Gek, hè?' vroeg Emma huilend door de jaren heen, als ze bij Bruno in The Lookout was en hem in de keuken hielp met koken, waarbij ze hem vooral voor de voeten liep. 'Dan ben ik twintig... drieëndertig... tweeënveertig... en ik wil nog steeds het gevoel hebben dat ze goedkeurt wat ik doe.'

Nu en dan was het een opluchting geweest haar drukke sociale leven achter zich te laten – de dagelijkse ronde door Henley en de uitgebreide diners die ze voor Raymonds zakelijke klanten gaf in het appartement in Londen – en naar Bruno te gaan waar ze – symbolisch gesproken – haar schoenen kon uittrappen en alles kon opbiechten wat haar dwarszat: het was maar goed dat de muren van dat vreemde stenen huis niet konden praten.

Ze reed door St Endellion en even later door Porteath, sloeg rechts af de weg in naar St Meriadoc en zette de auto abrupt stil bij een uitrit. Ze opende het portier, stapte het bleke zonlicht in en genoot van het bekende tafereel. Geschrokken schapen met lammetjes bij zich vluchtten weg over het veld. Hun geblaat weerklonk in de koude heldere lucht, terwijl ze over het ruige open land naar de kliffen keek, die naar het noorden naar Kellan Head liepen en naar het westen naar Rumps Point. Door een paar balken van het hek te beklimmen kon ze in de diepe vallei kijken en ze ontdekte het leien dak van het landhuis dat omringd werd door hoge struiken en bomen. In het westen lag de kleine inham met de werf, die niet meer werd gebruikt, en er stond een rij huizen die samen met The Lookout, hoog op het klif erboven, het landgoed St Meriadoc vormden. Ze besefte dat ze luisterde of ze een leeuwerik hoorde, hoewel ze wist dat het daarvoor nog veel te vroeg in het jaar was. Mutt noemde deze stille geheime vallei 'de gouden kop' naar een regel uit een gedicht van George Meredith over een leeuwerik, dat ze hun had voorgelezen toen ze klein waren. Emma kende nog steeds een paar regels uit haar hoofd:

Hoger en hoger vliegt hij op.
Onze vallei is zijn gouden kop.
De beker vloeit over en hij is de wijn...

Ze had het altijd heerlijk gevonden om de vallei in te kijken als ze van school op weg was naar huis en later als ze uit Londen kwam. Dit tafereel stond in haar geheugen gegrift.

'Waarom wil je in vredesnaam stoppen?' vroeg Raymond Fox ongeduldig in de beginjaren van hun huwelijk als ze op visite gingen. 'We zijn er zo.'

Er bestond geen antwoord op die vraag, hield ze zichzelf voor. In ieder geval geen antwoord dat ze hém kon geven. Bruno begreep dat moment van glorieuze verwachting als je nog even de opwinding kon uitstellen om zelf deel uit te maken van dat tafereel beneden: neerkijken op een belofte die bijna werd vervuld.

'Laat maar,' mompelde ze dan, hem zoals gewoonlijk zijn zin gevend – Raymond was erg volwassen en heel verstandig – en dan stak hij zijn hand uit om op haar hand of knie te kloppen, zonder te merken dat ze automatisch terugdeinsde en zijn lichamelijke aanwezigheid en zijn normen en waarden op dat moment totaal verwierp.

'Malle meid,' zei hij dan met neerbuigende genegenheid, terwijl ze haar handen tussen haar knieën klemde en deed of ze helemaal opging in iets wat ze buiten zag. Enkele tellen later zorgde een oude aangeleerde reflex ervoor dat ze zich schuldig voelde. Dan dacht ze aan zijn goede eigenschappen – een nogal onhandige vriendelijkheid die gekoppeld was aan een aangeboren beschermingsdrang, dat hij in staat was hun het benodigde comfort te bieden terwijl hij hun financiële situatie nauwlettend in de gaten hield – en dan herinnerde ze zich dat Mutt had gezegd dat deze eigenschappen even belangrijk waren als wederzijdse hartstocht. Hij was twaalf jaar ouder dan zij, zag er goed uit en was succesvol. Dat maakte hem in haar onervaren twintigjarige ogen geweldig. Dat hij vastberaden had geprobeerd haar voor zich te winnen was erg vleiend. Nu ze daaraan terugdacht, trok Emma even een lelijk gezicht. Het punt was dat Emma zich buitengesloten had gevoeld sinds Bruno zijn verloving met de broodmagere wildebras Zoë had aangekondigd, een fotomodel dat veel op Juliette Gréco leek. Zoë had de neiging haar toekomstige schoonzus het gevoel te geven dat ze onbeholpen was – onhandig en ongemanierd – en het was prettig dat Raymond in de buurt was om dat gevoel van ontoereikendheid te sussen.

'Je kunt niet met hem trouwen,' had Bruno toonloos gezegd, nadat hij voor het eerst kennis had gemaakt met Raymond. Ze hadden elkaar verontwaardigd aangekeken.

'Mutt mag hem erg graag,' had ze koppig gezegd. 'Ze vindt hem betrouwbaar en evenwichtig.'

'Betrouwbaar?' Bruno had haar vol ongeloof aangekeken en had zijn hoofd geschud. 'Kom op, Emma. Doe me een lol!'

Terwijl ze nog aan de daaropvolgende ruzie dacht, stapte Emma weer in de auto en reed de steile slingerende weg af. Ze remde toen ze bij de werf naast de rij huizen kwam en parkeerde de auto uiteindelijk in de niet meer in bedrijf zijnde steengroeve ertegenover.

Rafe Boscowan keek op van zijn werk toen hij het vrolijke getoeter van de claxon hoorde en liep naar het raam van zijn studeerkamer.

'Het is Emma,' riep hij naar zijn vrouw. 'Ik ga wel.'

Pamela bleef aan de keukentafel zitten, waar ze zorgvuldig groenten aan het schoonmaken was, en er kwam een blik van blijde verwachting op haar gezicht. Ze hoorde dat Rafe onder aan de trap kwam, de deur opendeed en Emma begroette. Pamela draaide zich om op haar stoel toen ze samen binnenkwamen. Ze rook Emma's bloemige parfum, voelde dat zachte handen haar gezicht vastpakten en dat ze op haar wangen werd gekust. Vervolgens gebeurde er even niets en ze wist dat Emma haar van dichtbij opnam.

'Je ziet er goed uit. Mooie trui. Ben je naar de kapper geweest? Leuk, die blonde plukjes.'

Pamela's handen gingen automatisch naar haar hoofd: typisch Emma om de verandering op te merken.

'Vind je het mooi? Rafe zegt dat het leuk staat, maar ik weet niet of ik er wel op kan vertrouwen dat hij de waarheid spreekt. Olivia zei dat ik er slonzig uitzag en toen heb ik besloten een ander kapsel te nemen.'

Rafe en Emma keken elkaar aan: het oudste kind stond niet bekend om haar tact. Pamela glimlachte, terwijl het even stil bleef.

'Niet non-verbaal,' zei ze met de fabelachtige scherpheid die ze door haar blindheid had ontwikkeld. 'Ik weet dat Olivia geen blad voor de mond neemt, maar ze heeft gelijk: ik moet mezelf niet verwaarlozen.'

Emma raakte Pamela's schouder aan. Bij de familie Boscowan werd de waarschuwing 'niet non-verbaal' serieus genomen – omdat het om een gedachtewisseling ging die Pamela niet meer kon volgen – en ze probeerden allemaal om geen misbruik te maken van haar blindheid. Toch stond op Emma's gezicht irritatie te lezen, een gevoel dat Olivia's gedrag vaker bij haar opriep.

'Het staat echt heel leuk,' zei ze. 'Je weet dat ik het zou zeggen als het niet zo was. Dan zou ik meteen met je naar Wadebridge rijden en de kapster op haar vingers blijven kijken totdat het goed zit. Maar dat hoeft dus niet.'

Rafe pakte de plank met schoongemaakte groenten, zodat hij die klein kon snijden, en haalde glazen uit de buffetkast.

'Wil je iets drinken?' vroeg hij. 'Ik heb aan Bruno gevraagd of hij ook langskwam voor een borrel, maar die zal wel niet op de tijd letten. Het leek wel of hij in een andere wereld was. Mousie komt straks. Hoe gaat het met Raymond?'

Hij schonk wijn in, liep met een glas naar de tafel en klemde Pamela's vingers zacht om de steel. Emma liep vrolijk rond: gapte een stukje rauwe wortel dat ze in haar mond stak, bestudeerde de nieuwste foto van Olivia's baby, keek uit het raam en kletste aan één stuk door. De rij huizen stond maar een paar meter bij de kade vandaan en overal in de keuken zag je grijze, waterige weerspiegelingen, zodat de lange lage kamer met het zware balkenplafond en de dikke stenen muren licht en ruim leek. Emma zuchtte tevreden. Zo zag het er vroeger ook uit toen tante Julia de kleine Emma met zelfgemaakte toffees of broodjes met jam en room verwelkomde. Het oude fornuis stond er echter niet meer en de keuken was gemoderniseerd, zodat Pamela er zelfverzekerd en ongehinderd kon rondlopen.

Emma keek naar haar, terwijl Pamela voorzichtig rondliep, laden opentrok en de tafel dekte. Ze moest opeens aan een jongere Pamela denken die moeiteloos snel heen en weer liep, zich bukte om de kleine Olivia op te tillen die bij haar voeten rondkroop en er trots op was dat ze in verwachting was van Joe. Pamela en Rafe hadden

Emma voor de gek gehouden als ze op bezoek kwam: ze hadden dialect gesproken en net gedaan of ze haar eerbiedig groetten. 'De jonge dame van het landhuis Paradise is er,' riep Pamela dan naar Rafe. 'Waar zijn je goede manieren gebleven? Bied de jonkvrouw eens een stoel aan.'

Ze had het nooit erg gevonden. Het gaf haar eerder het gevoel dat ze bijzonder was, hoewel ze heimelijk jaloers was op hun gezellige kameraadschap en op de liefde voor elkaar die ze openlijk toonden. Het was duidelijk dat Pamela's blindheid Rafe en Pamela dichter bij elkaar had gebracht, hun relatie had verdiept en sterker had gemaakt. Toch werd Emma opeens erg treurig toen ze bedacht wat Pamela allemaal was kwijtgeraakt.

De zus van Rafe, Mousie, kwam binnen. Ze stak haar armen uit als welkom en Emma liep dankbaar op haar af en verborg het gevoel van verlies dat haar opeens aanvloog in de warmte van Mousies omhelzing.

4

Bruno kwam uit zijn kleine, met boeken volgestouwde studeerkamer, keek op zijn horloge en trok schuldbewust een lelijk gezicht: het was tien voor halfdrie. Ze hadden natuurlijk al lang gegeten in The Row. Hij troostte zich met de gedachte dat zijn familie het zou snappen en omdat hij opeens merkte dat hij erge honger had, ging hij kijken wat er nog in de koelkast stond. Nellie – het prachtige resultaat van een ongeplande paring tussen een mooie border collie en een knappe golden retriever – lag languit op de koude tegels van de keukenvloer. Ze kwam overeind en keek hem hoopvol aan.

'We eten vandaag iets later,' mompelde Bruno, die een groot halfvol blik hondenvoer, wat eieren en een stuk kaas op de aanrecht legde. 'Sorry.'

Hij was opgetogen over zijn werk van die ochtend en besefte dat hij in een goed humeur was doordat hij erin was geslaagd zijn ideeën, via zijn computer, vast te leggen. Hij had een half hoofdstuk geschreven en was voor de verandering tevreden over het eindresultaat van die perioden van mentale kwelling en de vele minuten die hij over de vloer van zijn overvolle studeerkamer had geijsbeerd.

Mensen die op bezoek kwamen, vroegen vaak verwonderd: 'Waarom werk je hier als je zo'n fantastisch uitzicht hebt?'

Dan keken ze vol ongeloof naar de stenen muren met grote rechthoekige prikborden met daarop foto's, tekeningen, uit glossy's gescheurde pagina's en vergeelde krantenartikelen met opkrullende randen. Allemaal relevant voor het manuscript waaraan hij werkte. Stapels boeken waren al opgerukt tot aan de randen van het verschoten vloerkleed, terwijl de schragentafel, die haaks op het bureau stond, bedekt was met volgekrabbelde stukken papier en notitieblaadjes.

'Een fraai uitzicht leidt ontzettend af als je probeert te werken,' gaf hij dan als antwoord, waarna hij hen aanspoorde terug te gaan naar die geweldige centrale ruimte met het gebogen raam, zodat ze in de grote ronde erker konden staan en onder zich de ijsgroene zee konden zien.

Een voorouder uit de Victoriaanse tijd had het excentrieke The Lookout laten bouwen en Bruno vond het de ideale plek om zijn boeken te schrijven: een serie waarbij hij zich had laten inspireren door zijn eigen familie, fictie waarin historische feiten waren verweven. Het eerste deel ging over een Trevannion die tijdens de burgeroorlog in de zeventiende eeuw aan de kant van de koning had gevochten. Omdat hij twee tot drie jaar per boek nodig had om achtergrondinformatie te verzamelen, schreef hij onder een pseudoniem ook 'broodboeken', zoals hij ze zelf noemde: verhalen over de hedendaagse marine. Het eerste boek, dat hij had geschreven toen hij een jaar of vijfentwintig was en net bij de marine weg was, was onverwacht een succes geworden. Momenteel werd zijn hoofd volledig in beslag genomen door een Trevannion die ingenieur was en samen met de bekende Sir Joseph Bazalgette aan het belangrijkste rioleringsstelsel van Londen had gewerkt.

Het was maar goed dat het geslacht Trevannion in de achttiende en negentiende eeuw zo vruchtbaar was geweest, bedacht Bruno, terwijl hij Nellie eten gaf en kaas raspte. Er waren nog voldoende personen over om hem een paar jaar bezig te houden. Het was ook een geluk dat de huidige Trevannions een oogje toeknepen als hij weer eens niet op tijd kwam. Hij had zijn omelet half op toen Emma binnenstapte.

'Je bent hopeloos,' zei ze, waarbij ze hem liefdevol aankeek. 'Echt. Waar bleef je nou? Mousie zei dat je waarschijnlijk ergens in een riool in Londen zat.'

'Ze had helemaal gelijk.' Hij stond op en boog over tafel heen om haar te omhelzen. 'Sorry.'

Ze bukte zich om Nellies zachte flaporen te aaien en was blij dat ze hier was, op de plek waar ze het meest zichzelf kon zijn. Bruno zag er net zo uit als anders: ontspannen en nonchalant in een donkerbruine ribbroek, een blauwe visserstrui en rafelige zeilschoenen. Vanwege de februarikou droeg hij wollen sokken en hij had een rode zijden shawl om zijn nek geslagen. Hij had de shawl met kerst van Emma gekregen, maar ze vermoedde dat hij hem vandaag alleen maar droeg omdat dit het eerste was wat hij te pakken had gekregen toen hij merkte dat hij het koud had.

'Leuke shawl,' merkte ze luchtig op om hem te testen.

Hij boog zijn hoofd een beetje toen hij het compliment in ontvangst nam. 'Dat vind ik ook,' antwoordde hij vriendelijk. 'Wil je koffie of ga je eerst naar Mutt?'

'Ik ga meteen.' Ze keek opeens ernstiger. 'Hoe gaat het met haar? Mousie praat eromheen. Snap je wat ik bedoel? "We mogen niet vergeten dat ze bijna tachtig is, maar ik weet zeker dat het goed komt." Zo dus.'

Bruno stak het laatste stukje omelet in zijn mond en gaf zijn bord aan Nellie, zodat die het kon schoonlikken. 'Ik ben gisteren vlak na de lunch nog bij haar geweest,' zei hij. 'Meestal ga ik aan het eind van de middag als ik net klaar ben met werken. Ik weet eigenlijk niet wat ik ervan moet denken. Soms is ze helder, maar natuurlijk wel broos, en andere keren is ze warrig. Volgens mij hangt dat sterk af van het moment waarop ze haar medicijnen heeft gekregen. Joss zorgt heel goed voor haar.'

Emma's gezicht klaarde op. 'Ik ben ontzettend blij dat het goed uitpakt. Het is erg fijn voor haar dat ze Mutt kan helpen. Raymond doet nog steeds erg negatief over haar werk en als ze thuis is, draait het steevast uit op ruzie.'

'Er is dus weinig veranderd,' merkte Bruno op. 'En hoe gaat het met mijn zwager?'

Emma haalde haar schouders op. Het was duidelijk dat ze graag uit de school wilde klappen, maar ze vond dat ze haar mond moest houden. Bruno, die uit ervaring wist dat ze haar loyaliteit tijdelijk zou loslaten, besloot dat dit niet het juiste moment was voor ontboezemingen.

Het was er zo'n vervelend tijdstip voor, vond hij. Drie uur in de middag: midden in dat lange saaie stuk tussen de vrolijke loslippigheid die veroorzaakt werd door uitgebreid te lunchen en het natafelen na het avondeten met de wijn nog binnen handbereik, gordijnen dicht en een brandend vuur in de vlakke stenen haard.

'Ga maar naar Mutt,' zei hij, zonder op een antwoord te wachten. 'Blijf er een tijdje en drink uitgebreid thee met Joss. Ik zie je later wel weer.'

Ze aarzelde omdat ze zenuwachtig was over wat ze zou aantreffen op Paradise en wilde het bekende comfort van The Lookout opeens niet verlaten. Hij keek haar nadenkend aan en wist hoe moeilijk ze het vond om Mutts verslechtering sinds de val te accepteren.

'Weet je wat?' zei hij terloops. 'Het is eigenlijk wel goed als ik even ga wandelen. Dat geldt trouwens ook voor Nellie. We lopen wel met je mee over het klifpad. Of wilde je met de auto gaan?'

'Nee, nee.' Ze schudde vlug haar hoofd. 'Dat is prima. Ik houd je toch niet bij je riolen vandaan, hè?'

'Bazalgette heeft ook andere dingen ontworpen, hoor,' zei hij. 'Putney Bridge in Londen bijvoorbeeld. Maak je niet druk. Je leidt me niet af. Ik moet over wat dingen nadenken en dat lukt meestal prima tijdens een wandeling.'

Hij trok zijn jas aan en wisselde zijn zeilschoenen om voor korte zeelaarzen. Daarna gingen ze naar buiten, terwijl Nellie enthousiast voor hen uit rende.

Joss sloeg haar boek dicht, controleerde of Mutt rustig lag te slapen en glipte stilletjes de kamer uit. Ze had stemmen opgevangen, zacht maar toch duidelijk hoorbaar, en had voetstappen op het grind van de oprijlaan onder het raam horen knerpen. Ze wilde niet dat iemand haar oma zou storen nu die eindelijk sliep. Toen ze op de trap de bocht om kwam, zag ze dat haar moeder was binnengekomen en beneden in de gang haar jas uitdeed. Bij het zien van de sombere blik op Emma's gezicht, de licht gefronste wenkbrauwen als teken van bezorgdheid en angst, bleef Joss in de donkere hoek staan, als aan de grond genageld door bekende gemengde gevoelens: grote genegenheid voor haar moeder vermengd met vlagen van irritatie omdat Emma niet voor haar eigen mening durfde uit te komen als die afweek van die van haar echtgenoot. Joss wist niet hoe oud ze was geweest toen ze merkte dat haar vader er een hebzuchtige en ongevoelige moraal op na hield. Ze was er algauw achter dat niemand buiten het gezin mocht meeprofiteren, mocht delen of ook maar iets kreeg van zijn – aanzienlijke – rijkdom. Zijn neerbuigende glimlach smoorde iedere poging tot protest. De grote kolenschopachtige hand, die hij ophief als een schoolmeester die een standje gaf, kon ieder moment een afwijkend standpunt de kop indrukken. Zelfs als het om kerstgeschenken of verjaardagscadeaus ging, wist hij met zijn joviale opmerkingen – 'Wat heeft dat wel niet gekost?' of 'Heeft je moeder echt nóg een shawl nodig?' – de pret te bederven die zij eraan had beleefd om voor het cadeau te sparen en het uit te zoeken.

Toen ze op een keer haar zakgeld aan een zwerver had gegeven, had hij haar langdurig de les gelezen over hoe onverstandig het was om nietsdoen te stimuleren. Een paar dagen later kwam hij met een krantenknipsel over een zwerver die van het geld dat hij bij elkaar bedelde een BMW kon rijden. Hij had haar schoolvrienden vernederd door kritiek te leveren op de overdreven dure buitenlandse vakantiereizen die hun ouders maakten en had later vriendjes weggejaagd door bij een derde of vierde bezoek naar hun banksaldo te vragen. Het was een opluchting als hij op maandagochtend naar het appartement in Londen vertrok, zodat ze vier dagen verlost was van zijn plagerige kritiek.

Ze vermoedde dat het door die paar dagen vrijheid kwam dat haar moeder die kleine vernederingen in het bijzijn van haar goede vrienden en zijn terugkerende preken over zuinigheid aankon. Ze had veel kennissen, had haar bridgeclub en – ondanks zijn lollige kritiek op hoe het werd uitgegeven – had ze een flink bedrag te besteden. Ook toen Joss al op de middelbare school zat, ging Emma nog jarenlang twee ochtenden per week naar de basisschool om kinderen met leesproblemen te helpen en ze was lid van een vrijwilligerscentrale. Emma was van nature vrolijk, maar Joss vond het soms moeilijk te geloven dat ze echt gelukkig was met Raymond.

'Waarom pik je het?' had ze tegen haar moeder geroepen, nadat hij erachter was gekomen dat Emma een heel goede – maar onbetrouwbare – vriendin geld had geleend en Joss getuige was geweest van de daaropvolgende rel. 'Hoe kun je het verdragen dat hij zo gemeen is?'

'Hij is een goede vader voor je,' had ze met haar gebruikelijke loyaliteit geantwoord. 'Ik weet dat hij ongevoelig kan zijn en dat is op jouw leeftijd misschien heel moeilijk te accepteren, maar oordeel niet te streng over hem. Hij heeft ervoor gezorgd dat we ons allebei nergens zorgen over hoeven te maken...'

'Maar aan alles wat hij geeft, hangt een prijskaartje. Hij doet niets voor niets. Hij moet er zelf beter van worden.'

'Zekerheid is erg belangrijk voor hem. Dat zul je wel snappen als je later zelf kinderen hebt. Bovendien zal al zijn bezit op een dag van jou zijn, Joss. Uiteindelijk is het allemaal voor jou.'

'Ik hoef het niet,' had ze kinderachtig geantwoord. 'Ik ga zelf geld verdienen.'

Ze had haar handen flink uit de mouwen gestoken tijdens haar studietijd – ze had geweigerd ook maar een cent van haar vader aan te nemen, die hatelijke opmerkingen over alternatieve geneeswijzen maakte – en had in bars en cafés gewerkt om een extra zakcentje te hebben. Mutt geloofde in haar en was een grote steun geweest tijdens die pijnlijke tienerjaren. Ze had Paradise opengesteld voor Joss en haar jonge vrienden, zodat Joss een toevluchtsoord had, weg van de vernederende kritiek en zwartgallige humor waaraan haar vader hen blootstelde. Zonder de indruk te wekken partij te kiezen ondersteunde en stimuleerde Mutt haar kleindochter en stopte haar zo veel mogelijk geld toe als ze kon missen van haar inkomen dat bestond uit een weduwenpensioen, wat aandelen en de huur die ze ving voor de huizen van The Row. Emma, die ertussenin zat, vroeg zich bezorgd af of haar dochter die baantjes naast haar studie lichamelijk wel zou volhouden en ze had Joss gesmeekt verstandig te zijn.

'Je gaat eraan onderdoor voordat je echt aan het werk kunt,' had ze gezegd. 'Zo te zien ben je doodmoe, lieverd. Negeer hem gewoon. Ondanks al die onzin maakt hij zich zorgen over je. Het komt gewoon doordat hij dingen alleen vanuit zijn eigen standpunt kan bekijken. Als ik je nou eens help...'

'Dat kan niet, mama,' had ze gezegd, en ze had een hekel aan zichzelf toen ze het verdriet op het gezicht van haar moeder zag. 'Je snapt toch wel dat dat niet kan? Ik red het wel. Andere mensen moeten het ook zelf doen. Dat zegt hij toch altijd? Dat mensen voor zichzelf moeten zorgen, de handen uit de mouwen moeten steken, en meer van dat soort kreten.'

Bruno's gulheid was soms een geschenk uit de hemel geweest.

'Mijn moeder heeft zeker lopen klagen,' zei ze een paar keer lomp. Dan keek hij haar met een zuur gezicht aan en moest ze lachen. 'Sorry,' mompelde ze dan. 'Ik kan geen geld van hen aannemen omdat ik weet dat hij neerkijkt op wat ik doe.'

'Pak het geld gewoon aan en doe niet zo moeilijk,' had hij haar aangeraden, terwijl hij een cheque of wat bankbiljetten in haar jaszak of haar tas stopte. 'Ik kan je verzekeren dat ik niet achter de standpunten van mijn zwager sta en ik mag met mijn geld doen wat ik wil.'

'Waarom?' had ze ooit aan hem gevraagd, net als ze dat al eens aan haar moeder had gevraagd. 'Waarom is ze met hem getrouwd, Bruno? Hij is... heel anders dan mijn moeder. Zij is heel hartelijk, aardig en liefdevol en hij is erg berekenend. Wat zag ze in hem?'

Hij had een tijdje gezwegen. 'Je moet bedenken,' had hij uiteindelijk gezegd, 'dat het huwelijk voor vrouwen dertig jaar geleden veel belangrijker was dan nu. Je kunt je haast niet voorstellen hoe erg meisjes onder druk werden gezet om te trouwen. Je vader was succesvol, zag er goed uit en was een aantal jaar ouder dan Emma, wat hem nog aantrekkelijker maakte. En Mutt vond hem geschikt. Ze dacht – en dat bleek te kloppen – dat hij voor haar dochter zou zorgen en daarom moedigde ze hem aan. Emma had geen ervaring met mannen en voelde zich behoorlijk gevleid doordat hij zijn zinnen op haar had gezet. Je zou kunnen zeggen dat hij haar overdonderde. Maar weet je, Joss, je kunt geen oordeel vellen over een huwelijk. Hoe dicht je er ook met je neus bovenop zit, je zult nooit snappen waarom het werkt en je zult nooit de miljoenen ragfijne draadjes zien die twee mensen met elkaar verbinden. Emma heeft veel liefde te geven en is erg trouw – aan jullie allebei – en het is niet aan ons om een oordeel over haar te vellen. Maak het niet onnodig moeilijk voor haar.'

Nu ze in de donkere bocht van de trap stond, dacht Joss aan de woorden van Bruno en haar hart ging sneller kloppen van wroeging en liefde.

'Hoi, mam,' zei ze, terwijl ze haastig de trap af liep. 'Heb je een goede reis gehad?'

Emma omhelsde haar dochter hartelijk. 'Geen moeilijkheden,' zei ze. 'Hoe gaat het met Mutt?'

'Ze slaapt. Ik wilde net thee gaan zetten en dan brengen we later wel thee naar boven voor haar. Hoe lang blijf je?'

'O, minstens een paar dagen. Raymond is in het appartement in Londen. Hij heeft vergaderingen en zo. Je ziet er goed uit, Joss. Ik had gedacht dat de spanning je aan te zien zou zijn. Mousie zei dat Mutt veel steun aan je heeft. Heb je nog nieuws?'

De moed zonk Joss in de schoenen. Met deze hoopvolle vraag doelde Emma meestal op haar liefdesleven. Terwijl ze achter haar moeder aan de keuken in liep, dacht ze als afleiding automatisch aan de jonge Amerikaan.

'Weet je,' zei ze langzaam, 'er is gisteren iets geks gebeurd. Er kwam iemand langs die op zoek was naar een familielid. Hij hoopte dat Mutt haar in India had gekend...'

Boven kreunde Mutt. Ze was half wakker, mompelde lang vergeten namen en woelde op haar kussen, waarna ze weer in een onrustige slaap viel.

5

'Wie is Lottie?'

Emma stond met haar rug naar de open haard en bladerde door de nieuwe paperbackeditie van Bruno's laatste roman. Omdat ze geen antwoord op haar vraag kreeg, keek ze in de richting van de doorgang naar de keuken en verhief haar stem een beetje.

'Bruno? Heb je me gehoord? Kennen we iemand die Lottie heet?'

Ze hoorde de ovendeur dichtslaan en de kraan even lopen. Toen Bruno eindelijk verscheen, droogde hij zijn handen af aan een flink versleten handdoek.

'Sorry. Wat zei je? Lottie?' Hij schudde zijn hoofd. 'Hoezo?'

'Mutt had het over een zekere Lottie.' Ze hield het boek omhoog. 'Mooi omslag. Ziet er goed uit, hè? Heel modern en aantrekkelijk. Veel goede recensies op de achterflap.'

Hij pakte de paperback van haar aan. 'Ik ben er erg blij mee,' bekende hij. 'Naar verluidt worden de andere titels in dezelfde stijl uitgevoerd.' Hij zweeg even, draaide het boek rond in zijn handen en keek ernaar. 'Wat zei Mutt dan precies?'

'O, ze sloeg wartaal uit.' Emma trapte tegen een smeulend houtblok en bukte zich om een nieuw blok uit de grote mand naast de haard te pakken. 'Joss zei het ook. Mutt wordt wat warrig van de medicijnen en ik vroeg me af of het iets te maken kon hebben met de Amerikaan die gisteren langs is geweest.'

Bruno legde het boek voorzichtig op de lange tafel, die achter in de kamer tegenover de erker stond.

'Ik weet niets over een Amerikaan,' zei hij. Min of meer werktuigelijk begon hij de tafel op te ruimen om plek te maken om te kunnen eten. 'Wat wilde hij?'

'Joss zei dat hij had geschreven dat hij op zoek was naar een familielid dat misschien in dezelfde periode als vader en Mutt in India was geweest. Hij had een foto meegestuurd van zijn tante, of wat ze ook van hem was, in de hoop dat Mutt haar zou herkennen. Gistermiddag stond hij opeens op de stoep en wilde haar spreken.' Emma, die tevreden was over de vlammen in de haard, ging op de leuning van de bank zitten en begon Nellie te aaien, die loom op haar rug op een oude deken lag, die over een van de verbleekte kussens was gelegd. 'Joss vroeg zich af of zijn bezoek misschien herinneringen had opgeroepen.'

Nellie kreunde van genot. Emma grinnikte en leunde verder naar voren om bij het zachte haar op haar borst te kunnen. 'Wat ben je toch een del,' zei ze tegen Nellie. 'Kijk dan hoe je erbij ligt. Je hebt totaal geen fatsoen. Brave hond.'

'En?' vroeg Bruno na een tijdje.

'Wat?'

'Kende Mutt dat familielid op de foto?'

Emma haalde haar schouders op. 'Mousie houdt de boot een beetje af. Ze heeft de jonge man niet bij Mutt gelaten. Uit het verhaal van Joss maak ik op dat Mousie wel heeft gezegd dat er een brief was gekomen. Misschien heeft ze hem zelfs voorgelezen. Joss zegt dat Mutt de naam Lottie een paar keer in haar slaap heeft geroepen.' Ze fronste haar wenkbrauwen. 'Het klinkt gek, maar de naam komt me bekend voor.'

Ze keek hem hoopvol aan en er lag een rimpel op haar voorhoofd terwijl ze haar hersens pijnigde, maar Bruno schudde zijn hoofd.

'Mij niet,' zei hij beslist. 'Als je voor het eten nog in bad wilt, mag je wel opschieten.'

Toen ze weg was, nadat ze wat spullen bij elkaar had geraapt en een glas wijn had ingeschonken om mee te nemen naar boven, ging Bruno op de bank naast Nellie zitten. Hij stak zijn hand uit naar de zachte zwart-met-witte vacht, maar dat ging automatisch, want hij was er met zijn gedachten niet bij.

Emma is pas drie als ze die vraag voor het eerst stelt. Halverwege de top van het klif en buiten adem van de steile klim gaan ze samen op het sponsachtige, veerkrachtige gras zitten en kijken uit over het zijdeachtige oppervlak van de glooiende zee die onder hen op en neer deint. Ronde roze pollen Engels gras, die naar honing ruiken in de warme zon, klampen zich vast aan de rotsige richels waar meeuwen op een rij bovenop zitten. Een vissersboot tuft naar het noorden in de richting van Port Isaac. Bruno ademt de heerlijke zoute lucht diep in en voelt het koude briesje aan zijn haar trekken. Hij kijkt opzij naar Emma. Ze heeft dun blond haar; het lijkt op een gele suikerspin. De zon schijnt erdoorheen, zodat het lijkt alsof ze een aureool om haar hoofd heeft. Haar mollige vingers plukken aan het gras en ze kijkt strak en nadenkend voor zich uit, een teken dat ze zich iets probeert te herinneren.

'Wie is Lottie?' vraagt ze. 'Lottie.' Ze spreekt de naam uit met twee duidelijke eentonige lettergrepen – 'Lot-tie' – alsof ze de naam op haar tong wil proeven.

Bruno laat zich opeens achterover op het gras vallen. Hij doet zijn ogen dicht, niet alleen tegen de zon, maar ook om de vraag buiten te sluiten. Er werden zo veel vragen gesteld toen ze bijna twee jaar geleden in St Meriadoc aankwamen.

'Lieve help!' riep tante Julia, half geamuseerd en half geschrokken. 'Waarom noemen jullie je moeder "Mutt"? Vindt ze dat zomaar goed?'

Hij raakte in paniek toen de herinneringen aan die laatste afschuwelijke week in India weer bovenkwamen.

En die lieve Mousie glimlachte naar hem – hij is echt dol op Mousie! – en zei: 'Je bent net je vader. Die gaf mensen ook altijd bijnamen. Weet u nog, moeder? Hubert is ermee begonnen mij Mousie te noemen.'

Tot Bruno's opluchting knikt tante Julia, hoewel de naam haar nog steeds niet zint. 'Maar Mutt klinkt erg ordinair,' had ze gemompeld, maar Mutt had gezegd: 'Ach, ik ben er inmiddels aan gewend. Hij vond het woord "moeder" erg moeilijk toen hij klein was. Plaag hem er maar niet mee. Hij heeft het al zwaar genoeg, de kleine lieverd...'

Terwijl hij in de zon ligt, die warm op zijn gezicht schijnt, peutert Emma met haar kleine vingers aan zijn oogleden, die hij stevig heeft dichtgeknepen. Hij rolt bij haar vandaan en tuimelt steeds verder naar beneden. Ze kruipt gierend van pret achter hem aan en is haar vraag vergeten.

De geur van gestoofd fruit dat overkookte uit de steelpan en op het fornuis terechtkwam, bracht Bruno abrupt terug in het heden. Hij vloekte zacht en liep haastig naar de keuken. Nellie bewoog, hief haar kop op om hoopvol te snuffelen en ging met een zucht van teleurstelling weer liggen. Er waren geen heerlijke geuren die haar weglokten van haar comfortabele plek en ze hoorde geen blikopener die aangaf dat er voor haar avondeten werd gezorgd. Bruno, die na kostschool meteen bij de marine was gegaan, had het nooit nodig gevonden zijn kooktalent te ontwikkelen en hij kon alleen pasta, stoofschotels en een heerlijke cassoulet met ganzenvlees klaarmaken. Familie en vrienden wisten precies wat ze konden verwachten en als ze een ander gerecht wilden, moesten ze zelf de ingrediënten meebrengen. Emma had appels bij zich toen ze bij Paradise vandaan kwam – Honor en Mousie hadden die de afgelopen herfst zelf in de boomgaard geplukt en daarna opgeslagen – die ze had geschild, terwijl ze aan één stuk door kletste.

Bruno pakte de steelpan en zette hem vlug op de aanrecht, opende de deur van de oven om te controleren of het nog goed ging met de stoofschotel en keerde de aardappels die ernaast in hun schil op de bakplaat gaar lagen te worden. Alles ging goed. Bruno deed de ovendeur dicht, pakte messen en vorken, maar was er met zijn gedachten niet bij: hij was deels geïrriteerd en deels bezorgd. Het was moeilijk, zo niet onmogelijk, om zich op dit kritieke moment los te maken van de wereld die hij aan het scheppen was en weer binding te krijgen met de realiteit. Deels vond hij het vervelend dat Emma was gekomen en dat hij haar moest vermaken. Hij wilde graag alleen zijn, weer naar zijn studeerkamer gaan om zich te verdiepen in oude documenten en boeken, wilde de losse feiten verweven met overzichtelijker fictieve stukken die leven, kleur en vorm aan het historische gedeelte gaven. Zijn eigen verhaal, dat hij levendig voor zich zag, moest bestaan naast de feiten over een bepaalde periode en er was concentratie voor nodig om de verhaallijn te volgen, terwijl die zich ontwikkelde. Hij moest met grote passen over de kliffen stappen en door stille winterse lanen lopen om het verhaal helder in zijn hoofd te krijgen.

Maar het zou ongemanierd hebben geleken Emma's verzoek af te wijzen nu Mutt ziek was en Mousie het druk had met Mutt verplegen. Bruno bleef staan, zijn handen vol met tegen elkaar aan rinkelende lepels en vorken. Er lag een nadenkende blik op zijn magere, pientere gezicht en hij werd nerveus. Hij vroeg zich af hoe ziek Mutt was. Onrust weekte zijn gedachten nog verder los van de wereld in zijn hoofd, bracht hem naar afgesloten plekken en herinnerde hem aan stemmen die hij lang geleden het zwijgen had opgelegd.

Het gorgelende en spetterende geluid van weglopend badwater en voetstappen in de kleine slaapkamer boven de keuken dwongen hem zich te concentreren op het heden. Tegen de tijd dat Emma verscheen, was de tafel gedekt, waren de kaarsen aangestoken en maakte Bruno een blik hondenvoer open, terwijl Nellie aandachtig toekeek. Emma zuchtte tevreden, vulde haar glas bij uit een fles die op het lange dressoir stond en keek vol genegenheid naar het bekende tafereel. Een modern olieverfschilderij van de haven van Port Isaac – een felblauwe zee en vissersboten met karmozijnrode strepen – hing aan de witgeverfde stenen muur naast een houtskoolschets van The Lookout, die met dikke lijnen was getekend, zodat het vooruitstekende raam goed opviel. Het was net of het huis zich vasthield aan het steile klif. Op een aquarel was een rij huizen te zien, die scheef en dicht op elkaar stonden in een steil steegje met keien dat naar zee liep. Op het eerste gezicht was het een lieflijk tafereel dat aan vroeger deed denken, maar als je beter keek, ontdekte je iets verontrustends aan het schilderachtige plaatje. Onder de hoge puntgevels, spits als heksenhoeden, blonken kleine ramen – sluwe ogen, halfdicht, knipogend naar een gedeeld geheim – en smalle deuren stonden open als monden die openvielen van schrik. Het leek op iets uit een stripboek of een sprookje en net als in alle goede sprookjes lag er een gevoel van dreiging besloten in de mooie eenvoud. Terwijl Emma naar de aquarel keek, had ze het idee dat de grote boze wolf – of de slechte stiefmoeder – net uit het zicht op de loer lag.

Ze huiverde een beetje en keek ergens anders naar, naar de grote ingelijste zwartwitfoto boven het dressoir die tegenover de grote granieten haard hing. Je zag een boulevard in Parijs. Voetgangers liepen om het café op het trottoir heen en er stond een Citroën langs de stoeprand geparkeerd. Het hoofd van de jonge vrouw was iets opzij gedraaid. Ze had haar kin in de lucht gestoken, maar de lange smalle ogen keken recht in de camera, onverschillig en toch uitdagend. Haar elleboog steunde op de kleine smeedijzeren tafel. Ze had een sigaret tussen de vingers van haar neerhangende hand, terwijl haar metgezel, die net buiten beeld was, naar haar toe boog en een koffiekopje vasthield.

Bruno kwam binnen met de stoofschotel, zag waar Emma naar keek en hoopte dat ze niet weer over zijn ex-vrouw zou beginnen.

'We gaan eten,' zei hij vrolijk, terwijl hij min of meer een buiging maakte. 'Wacht, de aardappels nog. Hoe vond je Mousie eruitzien? Met Pamela en Rafe gaat het goed, hè?'

Hij tilde het deksel op, zette een lepel in de lamsstoofschotel en gebruikte een versleten linnen servet om een hete aardappel op haar bord te leggen. De warme kamer leek kleiner te worden, zich naar hen toe te buigen om te luisteren. Emma ging gemakkelijker op haar stoel zitten en was nu in de stemming voor vertrouwelijkheden en roddels.

6

Mousie werd vroeg wakker in haar huisje aan het eind van The Row. De kamer baadde in het trillende zeelicht en ze lag volkomen stil, genietend van het knusse comfort van de warme dekens, kijkend naar de melkblauwe lucht achter het raam. Behalve tijdens wilde nachten, als een noordwesterstorm de zee tot halverwege de kliffen opstuwde en de regen tegen de koude ramen kletterde, vond ze het vreselijk om met de gordijnen dicht te slapen. Soms werd ze plotseling wakker en zag ze de felle witte schittering van een volle maan, die zwarte rechthoeken op haar bed wierp, of ze zag de twinkelende sterren zacht fonkelen, die midden in de zomer 's nachts een voor een aan het firmament verschenen.

Vanochtend kon ze, nadat ze was gaan zitten en een kussen stevig achter haar rug had gezet, voorbij Com Head The Mouls zien, een rotsmassa die op het oppervlak van het vlakke zilverachtige water leek te drijven. Nog wat slaperig liet ze haar gedachten afdwalen naar de verplichtingen en leuke dingen van de dag die voor haar lag: Joss moest naar Wadebridge en had de hele dag patiënten. Ze moest dus meteen na het ontbijt naar Paradise gaan; ze moest van de gelegenheid gebruikmaken om even met Emma alleen te zijn; ze moest een verjaardagskaart schrijven en op de post doen voor Tom, het oudste kind van Olivia; ze moest vlug even naar Polzeath om boodschappen te doen; ze moest eraan denken een afspraak te maken voor de APK-keuring van haar oude Fiat; ze moest bij de ezels gaan kijken. Wat een geluk dat Emma bij Honor kon blijven, terwijl ze die klusjes afhandelde. Arme Emma, ze maakte zich veel zorgen over haar dierbare oude Mutt...

Het was vreemd, vond Mousie, toen ze de dekens dichter om haar schouders trok, dat de komst van de Amerikaan bij haar een sterk gevoel van onrust had opgeroepen. Er was geen enkele reden waarom hij zijn zoektocht moest staken en de foto was inderdaad een belangrijk aanknopingspunt. Het was een grote schok de foto na al die jaren weer te zien en Honor raakte er duidelijk ook door van streek. Ze hoorde haar weer roepen: 'Ik kan hem niet zien. Het is allemaal te pijnlijk en te lang geleden...' Mousie kreeg wroeging.

Waarom had ze Honor nooit bij die gekke bijnaam kunnen noemen? Hoewel ze de eerste was die toegaf dat het echt iets voor Hubert was om die naam te verzinnen en dat het geen kwaad kon als de kinderen haar zo noemden, was er toch iets wat zo'n vertrouwdheid tussen Honor en haar in de weg stond. De schok van het nieuws dat Hubert was overleden en het zien van het verdoofde, verbijsterde gezin had er veel toe bijgedragen dat haar jaloezie ten opzichte van deze mooie vrouw, die zich er niet van bewust was hoe elegant ze was, werd getemperd. Toch herinnerde ze zich dat ze met een heldere, kille blik naar Honor had gekeken en had klaargestaan om haar af te keuren.

Na de lange zeereis lijkt Honor gedesoriënteerd, verward door de thuiskomst in een onbekend huis en ze houdt haar kinderen dicht bij zich.

Het is net of Huberts jonge weduwe van verdriet niet meer kan praten, denkt Mousie, alsof de zorgen haar stom hebben gemaakt.

'Ze praat niet tegen me,' zegt ze tegen haar moeder. 'Niet echt. Ze is niet geïnteresseerd in wat hier gebeurt en het lijkt wel of ze bang is de kinderen uit het oog te verliezen.'

Dat laatste klopt. Emma, die nog twee moet worden, is te jong om veel vrijheid te krijgen, maar Honor laat ook Bruno bijna nergens naartoe gaan als ze er zelf niet bij is, al laat hij aanvankelijk ook niet blijken avontuurlijk te zijn aangelegd.

'Denk aan hoe we zelf waren toen papa net was omgekomen,' adviseert haar moeder haar. 'Het is inmiddels zes jaar geleden, maar weet je nog hoe we ons aan elkaar vastklampten? Ze zijn nog in shock en er is tijd voor nodig om die vreselijke gebeurtenissen te verwerken. Bovendien is alles hier vreemd voor Honor. Voor ons lag dat heel anders. Vanaf dat Rafe en jij klein waren, hadden we St Meriadoc als ons tweede thuis beschouwd. Honor weet alleen wat Hubert haar heeft verteld. Logisch dat ze reageert alsof ze een klap op haar hoofd heeft gekregen. Ik heb met haar te doen.'

Mousie, die zich schaamt voor haar jaloezie, doet nog meer haar best: ze vraagt of Honor mee gaat wandelen en begint over Hubert, maar iedere aanmoediging om over het verleden te praten stuit op verzet. Het lijkt wel alsof Honor het niet kan verdragen te denken aan wat ze heeft verloren. Toch merkt Mousie dat ze langdurig met Huberts fragiele oude vader praat. Tijdens die eerste zomer treft Mousie hen soms in de tuin van Paradise aan waar ze onder de seringen zitten: oom James in zijn oude ligstoel, terwijl Honor met een levendig gezicht een beetje naar hem toe gedraaid zit.

'Hij had zich gespecialiseerd in tropische koortsen,' zegt ze. 'Hij was heel goed. Iedereen was dol op hem...'

Bruno leunt tegen haar knie aan. Hij kijkt blij alsof zijn vader door haar woorden weer tot leven wordt gewekt. Emma waggelt over het zonnige grasveld, plukt madeliefjes met roze randjes uit het gras en dreigt voorover in de vijver te vallen, waar grote oranje en zwarte vissen onder de vijverbeplanting wegschieten. De oude man kijkt naar Honor en er krult een lach om zijn lippen. Alleen aan zijn handen, die hij tegen elkaar aan wrijft alsof hij ze aldoor in onzichtbaar water wast, zie je wat er in hem omgaat. Terwijl Mousie toekijkt, ziet ze dat Bruno de handen van zijn grootvader vastpakt om een einde te maken aan de onophoudelijke rusteloosheid.

Als ze dichterbij komt, lijkt de kleine groep alert te worden. Oom James kijkt naar haar vanonder de zoet ruikende bloemen en Honor trekt Bruno automatisch dicht tegen zich aan. Alleen Emma gaat gewoon door, gilt opgetogen omdat ze zomaar kan rondstappen in de grote tuin na weken op de stoomboot te hebben gezeten en toont haar schat van madeliefjes en smaragdgroene grassprieten.

Mousie hurkt neer, pakt het flodderige boeket aan en knuffelt Emma, terwijl ze haar ogen op het drietal onder de seringen gericht houdt. Honor verbreekt de betovering: ze leunt achterover in haar rieten stoel, slaat haar lange benen over elkaar, brengt haar handen naar haar haar dat ze, net als een zigeunerin, onder een katoenen doek verbergt.

'Hallo, Mousie,' roept Honor. Ze heeft er blijkbaar geen moeite mee de bijnaam te gebruiken en voelt zich er niet ongemakkelijk bij, maar Mousie heeft nog steeds het idee dat ze uitgesloten wordt van hun intimiteit en het komt nooit zover dat ze zich ertoe kan zetten op haar beurt de bijnaam te gebruiken. Dit bezorgt haar om een of andere reden een schuldgevoel en haar enige troost is dat de rest van de familie, met uitzondering van Rafe, die zelf bijna nog een kind is, dat ook niet doet. Alleen Bruno en Emma gebruiken de vrolijke korte naam die hen drieën met het verleden verbindt.

Mousie schrok wakker van het schelle aanhoudende gerinkel van de wekker, kwam uit haar warme bed en liep rillend naar de badkamer. Haar huis was klein en netjes: er waren geen muren weggebroken en geen stukken aangebouwd. Het was precies groot genoeg voor iemand die zo weinig nodig had dat ze moeiteloos tot de franciscanen zou kunnen toetreden. Deze eigenschap was de aanleiding geweest voor de bijnaam die Hubert haar had gegeven toen ze nog een kind was. Haar voorliefde voor kleine gaatjes en vreemde hoekjes in combinatie met haar afschuw voor buitensporigheid – grote porties eten, te veel bezittingen – had hem geïnspireerd. Zijn zoon, die de traditie jaren later voortzette, noemde haar kleine huis The Wainscot, wat 'de lambrisering' betekent.

Mousie grinnikte toen ze een warme broek en een dikke trui aantrok. Bruno leek op Hubert en ze hield veel van hem, maar Bruno was dan ook erg innemend. Mousie zuchtte en betreurde haar neiging tot kritiek leveren, die aanvankelijk haar relatie met Honor had gekenmerkt. Had ze te snel met haar oordeel klaargestaan? Had ze haar haar liefde onthouden?

Door anderen te veroordelen verraden we hen het meest.

De woorden bleven haar bij toen ze klaar was met aankleden en naar beneden ging om te ontbijten, terwijl ze zich nog steeds probeerde te herinneren waar ze die woorden had gelezen.

In het huis ernaast waren Rafe en Pamela druk bezig en vielen elkaar in de rede, terwijl ze het hadden over het opwindende vooruitzicht dat hun zoon George zou komen.

'Hij blijft maar één nacht.' Rafe pakte de ansichtkaart die ze gisteren hadden gekregen en las de woorden nogmaals voor: '*Een bliksembezoek om jullie allemaal weer te zien. Penny en Tasha komen niet mee*. Hopelijk heeft hij een goede reis.' Hij brak eieren in een witte porseleinen kom. 'Gek dat hij alleen komt.'

'Het is best een gedoe voor maar één nacht,' zei Pamela, die haar teleurstelling rationaliseerde en Penny verontschuldigde. 'Met een klein kind moet je veel meenemen. Misschien denkt Penny dat we het fijn vinden hem helemaal voor onszelf te hebben.'

Ze pakte de ansichtkaart en gleed met haar vingers over het glanzende oppervlak, stelde zich de foto van de Dartmoor pony's op Yennadon Down voor, die Rafe had beschreven. Penny stuurde vaak geborduurde kaarten, zodat Pamela de afbeelding kon voelen: een bloem of een klein huis. Dit was een gewone ansichtkaart. Ze legde hem weg en ging koffie zetten, schepte uit potten waar Rafe braille-etiketten op had geplakt, zodat ze met haar vingers kon 'lezen'. Ze wilde dat ze de gezichten van haar kleinkinderen kon zien. Mousie en Rafe deden hun best om de kinderen voor haar te beschrijven. Mousie was er erg goed in, schetste de karakteristieke trekken van elk kind en beschreef hoe het op een ouder of een ander familielid leek, zodat Pamela niet alleen haar eigen kinderen in diverse stadia van ontwikkeling levendig voor zich zag, maar zich ook een beeld kon vormen van de gezichten van de nieuwe leden van haar groeiende familie.

'Olivia ziet er net zo uit als jij op die leeftijd,' zei ze dan, 'en kleine Tom gaat steeds meer op zijn vader lijken. Hij heeft dezelfde, ver uit elkaar staande ogen als Adrian. Joe doet me veel meer aan mijn eigen vader denken dan aan Rafe, hoewel jij die natuurlijk nooit hebt gekend. En George... Tja, George lijkt sprekend op zijn vader, maar dat hebben we altijd al geweten.'

Pamela glimlachte, gaf heimelijk toe dat George altijd al een streepje voor had gehad bij haar en Mousie, en ze kreeg opeens een ingeving.

'Kijk eens of je Joss te pakken kunt krijgen voordat ze naar Wadebridge gaat,' zei ze snel tegen Rafe, terwijl ze de percolator aanzette. 'Misschien vindt ze het leuk om vanavond te komen eten. Zo te ruiken brandt er iets aan. Zit het brood weer vast in de broodrooster?'

Rafe haalde vlug het geroosterde brood uit de broodrooster, verdeelde de roereieren over twee borden, zette de borden op tafel en bukte onderweg automatisch toen hij onder de zware balken door liep. De twee middelste huizen van The Row waren tot één groter huis omgebouwd en na het overlijden van zijn moeder was Rafe teruggverhuisd met zijn jonge vrouw en hun dochtertje. Hij vond dat de rustige schoonheid van St Meriadoc ruimschoots opwoog tegen een hoger salaris en carrièremogelijkheden elders in het land. Pamela, die al in verwachting was van Joe, keek naar het huis, de glinsterende zee en de steile kliffen en gaf hem met oprechte dankbaarheid gelijk.

'Wat aardig van Mutt dat we er zo weinig voor hoeven te betalen,' had ze gezegd. 'De huur is ontzettend laag. Ze zou veel meer geld kunnen vangen als ze het aan vakantiegangers zou verhuren. Ze zou het ook kunnen verkopen.'

Hij had zijn hoofd geschud. 'Waarschijnlijk niet. Ik weet niet hoe oom James het landgoed precies heeft nagelaten, maar ik vermoed dat het, doordat Hubert al was overleden, in een trust voor Bruno en Emma is ondergebracht. Wij komen niet van die kant van de familie. De vrouw van oom James was een zus van mijn moeder en ze hebben ons onderdak geboden in de oorlog nadat mijn vader was overleden. Maar goed, dat verhaal ken je.'

'Het is hier ontzettend mooi,' had ze gezegd. 'Ik vond het heerlijk in Exeter – ja, ik weet dat je twee jaar voorbereidend wetenschappelijk onderwijs niet kunt vergelijken met op een universiteit zitten – maar, Rafe, deze magische vallei is een heerlijke plek voor kinderen om op te groeien.'

'Mutt noemt het "de gouden kop",' had hij tegen haar gezegd, 'wat komt uit een gedicht over een leeuwerik. Wacht maar tot je de leeuweriken bij de Saint's Well hoort.'

Hij keek naar haar terwijl ze geroosterd brood pakte en met haar vingers langs de kleine potjes jam streek om te voelen op welke potje de vorm van een sinaasappel stond – vandaag liever marmelade dan aardbeienjam – en hij voelde een overweldigende liefde voor haar. Hij deed er alles aan haar in staat te stellen zelfstandig te zijn, daarbij de eerdere gevoelsmatige reactie ondrukkend haar te willen beschermen, en hij had algauw manieren bedacht waarop hij haar een deel van de vrijheid kon teruggeven, die haar was ontnomen doordat ze in korte tijd blind was geworden. Ze waren gearmd over de winderige heuvels gelopen, de beschutte lanen ingeslagen en blijven staan, zodat ze de vogels kon herkennen – 'Ik hoor een roodborstje... en er zit ergens een buizerd. Wacht! Ik hoor nog iets. Een geelgors?' – terwijl hij zijn adem inhield en vurig hoopte dat het haar zou lukken. Hij had een geelwitte bloementros kamperfoelie in haar hand gestopt en een rimpel van concentratie zien verschijnen, die was overgegaan in blijde herkenning toen ze het takje tegen haar gezicht hield en de zware geur opsnoof, die herinneringen opriep aan wandelingen op zonnige middagen. Dan renden de kinderen vooruit, terwijl zij in langzamer tempo volgden, genietend van de wilde hagen met de felle schilderachtige kleuren van het late voorjaar: klokjes, koekoeksbloemen en boterbloemen die elkaar verdrongen onder roze meidoornbloesem.

Het lampje van de percolator was rood en hij stond op om koffie in te schenken.

'Gek dat George een kaart heeft gestuurd en niet heeft gebeld.' Haar stem achter hem verwoordde wat hij zelf heimelijk ook al had gedacht.

7

Mutt werd verward en in de greep van angst wakker. De brieven moesten gevonden worden en er was nog iets... Joss boog zich over haar heen en toen Mutt naar haar opkeek, was het net alsof ze haar eigen jonge gezicht zag. Joss had dezelfde rechte wenkbrauwen, de korte rechte neus en de brede goedlachse mond. Die gelaatstrekken zag je allemaal op de foto die Mousie haar had laten zien. Ze zag beelden voor zich: ze kon de zachte dikke zijde van haar rok bijna tussen haar vingers voelen en dan was er die malle hoed die op haar voorhoofd drukte. Hubert spoorde haar aan te lachen: 'Kom op, Mutt. Het is een bruiloft, geen begrafenis!' Ze had het warm en voelde zich verzwakt, maar ondanks dat was ze zich er vaag van bewust dat er gevaar voor Joss en haar dreigde. Ze greep de handen van Joss stevig vast alsof die haar kwam redden of iemand was die ook in het complot zat. 'De brieven.' Haar krakende stem sloeg over. 'Mijn brieven, lieverd.'

De handen van haar kleindochter waren heerlijk koel. Ze had kort bruin haar – dat net onder de oren was afgeknipt en voor haar lichtbruine ogen viel – dat glansde als zeewier. De oude vrouw in het bed werd even stil bij het zien van de frisse, kalme schoonheid van het jonge gezicht, zorgeloos en zonder rimpels, en voelde zich kalmer. Ze ging met haar hoofd op het kussen liggen, probeerde haar gedachten te ordenen en haalde zo diep mogelijk adem, terwijl ze gekweld werd door die vreselijke band van pijn rondom haar borstkas.

Joss keek haar bezorgd aan. Het piepende geluid dat over de lippen van haar grootmoeder kwam en haar bleekheid stonden haar niet aan. Ze wou dat Mousie kwam. Terwijl ze nog steeds Mutts hand vasthield, keek ze herhaaldelijk op haar polshorloge. Toch bleef ze uitwendig kalm en slaagde erin te glimlachen.

'Mousie komt zo,' zei ze opgewekt, alsof Mousie gezellig op visite kwam. 'Wilt u een opkikkertje? Ik denk dat we beter eerst het vervelende gedeelte kunnen afhandelen.'

Ze pakte het kleine maatbekertje met het drankje en hield dat tegen Mutts uitgedroogde lippen. Mutt slikte gehoorzaam, verslikte zich een beetje, leunde ontspannen tegen de arm van Joss en keek haar aandachtig aan. Ze droeg een ruimvallende blouse van zacht bruingrijs ribfluweel en rook heerlijk naar lavendel. Mutt ademde langzamer in en haar paniek nam wat af: ze wist nu waar haar brieven waren. Doordat de pijn tijdelijk werd verlicht, keerde haar zelfverzekerdheid terug en werd ze helderder van geest.

'Wil je iets voor me doen?' Ze keek toe terwijl Joss likeur inschonk. 'Het moet geheim blijven. Het is iets tussen jou en mij. Beloof je dat?'

'Natuurlijk.'

Joss antwoordde automatisch, meer om Mutt gerust te stellen dan zich ergens toe te verplichten, maar de oude vrouw merkte het en kwam moeizaam een beetje overeind. Ze nipte ongeduldig, bijna uit beleefdheid, aan de likeur en hield het glaasje toen met trillende handen bij haar mond vandaan.

'Nee, je moet het echt beloven. Het is belangrijk, Joss.'

Joss zette het glaasje terug op het dienblad. 'Ik zal mijn best doen, Mutt,' zei ze. Ze verbaasde zich erover dat Mutt zo had aangedrongen en was zich ervan bewust dat ze misschien iets beloofde wat ze niet kon waarmaken. 'Mijn moeder komt zo. Kunt u het niet beter...'

'Nee.' Ze schudde heftig haar hoofd. 'Alleen jij mag het weten.'

'Goed, ik zal mijn best doen.' Joss klonk aarzelend. 'Heeft het te maken met de brieven waar u het over had? Moet ik iets voor u op de post doen?'

Ze was zenuwachtig en zag beelden voor zich uit de boeken van Agatha Christie: moest er een brief naar haar advocaat of wilde ze haar testament wijzigen?

'Ga ze zoeken,' mompelde Mutt. 'Je mag het tegen niemand zeggen. Beloof je dat?'

De hand die ze uitstak, was warm en Joss knikte. Het wanhopig aandringen van haar grootmoeder beangstigde haar, evenals deze terugval naar kortademigheid.

'Dat beloof ik,' mompelde ze.

Ze was erg opgelucht toen ze de voordeur hoorde dichtvallen en Mousies stem beneden in de gang hoorde roepen. Ze riep terug en haar grootmoeder deed haar ogen weer open, vocht tegen de bekende verwarring en klampte zich vast aan deze nieuwe troost. Joss had beloofd de brieven te zoeken... maar er was nog iets, ze vergat iets. Mousie kwam de slaapkamer binnen en Joss ging weg.

'Niet vergeten, hè?' fluisterde ze, toen haar kleindochter zich bukte om haar een kus te geven.

'Ik vergeet het echt niet. Maak u niet druk en word gauw beter.'

Mousie en Joss mompelden tegen elkaar en keken naar het bed. In een nieuwe vlaag van ongerustheid vroeg Mutt zich af of Joss het zou verklappen, maar nee, uit de kushand die Joss haar vanuit de deuropening toewierp en uit Mousies hartelijke glimlach bleek dat het om de normale overdracht ging. Mutt liet zich dankbaar weer in de kussens zakken en gaf zich over aan Mousies bekwame verpleegstershanden.

Joss rende min of meer over de oprijlaan, voelde zich ongelukkig en erg ongerust. Deels was ze blij dat Mutt haar niet had verteld waar de brieven lagen: zonder die informatie kon ze niets beginnen, maar ze had het beloofd. Toch was het een grote verantwoordelijkheid om Mutts aanwijzingen op te volgen nu Mutt niet helder van geest was. Mocht ze in deze levensfase van haar grootmoeder iets geheimhouden? Wat kon het zijn dat haar eigen kinderen niet mochten weten?

Joss dwong zichzelf om langzamer te lopen, zich ervan bewust dat ze haar zorgen probeerde te ontvluchten en dit niet deed om zich naar haar werk te haasten. Op de weg zoog ze haar longen vol ijskoude lucht en ze hoorde het ijslaagje op de plassen onder haar voeten kraken. Dit soort weer kwam aan de kust zelden voor en opeens voelde ze zich net zo opgetogen als een kind dat onverwacht sneeuw ziet. De takken van de meidoorn waren bedekt met een laagje rijp en in de greppel zorgde een plotseling wegvluchtend konijn ervoor dat de knisperende broze blaadjes van vorig jaar tot stof verpulverden.

Bij het hek bleef ze staan. Ze klom er een eindje op en zocht in haar grote tas naar de appels die ze bij zich had voor de ezels, Rumpelteazer en Mungojerrie. Dit waren de laatste dieren uit een lange stoet die uit het asiel waren gekomen om hier te genieten van de rust op de wei bij St Meriadoc. De ezels kwamen met dampende adem naar haar toe en knikten met hun zware koppen. Ze sprak zacht tegen hen, aaide hun fluweelachtige snuiten en trok aan hun oren. Ze liet haar tas vallen, zwaaide zichzelf over het hek en stak het grasland over naar de drinkbak. Daar maakte ze het dunne laagje ijs op het drinkwater met de hak van haar laars kapot, terwijl de ezels aan haar jaszakken snuffelden in de hoop meer traktaties te vinden. Ze had een blos op haar wangen doordat ze hen van zich af moest duwen, lachte om hun capriolen en kwam uiteindelijk een stuk opgewekter bij de steengroeve en haar auto aan.

Mutt was koortsig, hield ze zichzelf voor, was er met haar hoofd niet helemaal bij: dom om daar overstuur van te raken. Maar ze had iets beloofd en Mutt rekende op haar. Haar hart kneep samen van liefde en angst.

'Niet doodgaan, Mutt,' mompelde ze kinderlijk. 'Niet doen, hoor.'

Aan de overkant was Rafe verschenen en hij riep haar vanuit de deuropening. Joss draaide zich vlug om, terwijl ze met haar sleutels rommelde.

'George komt,' zei hij. 'Had Pamela dat al verteld? Hij blijft maar één nacht, maar ze vraagt of je vanavond bij ons komt eten.'

Ze knikte, wees op haar horloge, gebaarde dat ze haast had en stapte in de auto. Het was alsof ze in een koelkast zat, maar de motor sloeg aan bij de derde poging. Ze reed voorzichtig St Meriadoc uit, terwijl ze nadacht over deze nieuwe complicatie. Zelfs in deze ijzige kou gloeiden haar wangen en haar hart maakte een sprongetje. Haar liefde voor George was het best bewaarde geheim ter wereld. Alleen George en zij wisten ervan en hoewel ze gevoelsmatig wist dat de liefde wederzijds was, maakte het feit dat hij getrouwd was het onmogelijk er openlijk voor uit te komen. Ze hield ontzettend veel van hem... Joss slaakte even een gil van angst toen ze onvoorzichtig het gaspedaal intrapte waardoor de achterbanden slipten en over een stuk ijs gleden.

Concentreer je, zei ze tegen zichzelf. Vergeet Mutt. Zet George uit je hoofd. Denk aan de ochtend die voor je ligt.

Ze vond het fijn om vroeg op de praktijk te zijn, minstens een halfuur voordat de eerste patiënt kwam of de telefoon begon te rinkelen: zenuwachtige spoedgevallen die graag gauw geholpen wilden worden en hoopten dat ze een gaatje vrij had. Soms waren ze er zo ernstig aan toe dat ze niet naar de praktijk konden komen. Dan moest ze met hen praten en hun advies geven. Ze had algauw geleerd dat het belangrijk was om mensen met pijn gerust te stellen, al vroeg ze zich wel eens af of het ooit zó goed zou gaan dat ze zich een receptioniste kon veroorloven. Ze vond het erg belangrijk dat ongeruste mensen haar meteen aan de telefoon konden krijgen.

Ze deelde de praktijkruimte – ze huurde een behandelkamer en een kleine wachtkamer op de begane grond van een tandartsenpraktijk – en dat had als voordeel dat het er altijd schoon en warm was, dat er ander personeel in het gebouw rondliep en ze had zelfs een gereserveerde plek op het parkeerterrein, wat een groot pluspunt was in de drukke zomermaanden. De veertig pond die ze daar iedere week voor neertelde, was een grote kostenpost, maar ze hoopte dat het drukker zou worden in de praktijk en tot die tijd kon ze de rekeningen deels betalen van het inkomen dat ze ontving door twee dagen per week als assistente van een gevestigde orthopedist in Bodmin te werken.

Wie was vandaag haar eerste patiënt? Joss haalde diep adem en dacht aan mevrouw Tregellis. Langzaamaan leidden de heerlijke troost van werk en haar aangeboren professionaliteit haar gedachten af van George en Mutt, en ze concentreerde zich op de dag die voor haar lag.

Toen Mutt was gewassen en weer rustig op bed lag, ging Mousie naar beneden en belde de huisartsenpraktijk om te vragen of de dokter die dag kon langskomen. Ze was ongerust: kortademigheid en bleekheid konden op hartproblemen duiden. Nadat Joss was vertrokken, was Mutt rustiger geworden en vanzelf in slaap gevallen, maar Mousie vond het beter geen risico te nemen. Joss had de keuken netjes achtergelaten: ze had haar ontbijtspullen afgewassen en op het plastic afdruiprek gezet en de theedoek hing keurig over de stang boven het fornuis. Mousie zette het dienblad neer en vulde de ketel. Terwijl ze wachtte tot het water kookte, stopte ze lakens in de wasmachine, zette hem aan en controleerde vlug of het huis er goed genoeg uitzag voor de komst van Emma.

In de salon hing een trieste, geheimzinnige sfeer alsof onverwacht bezoek midden op de ochtend niet werd gewaardeerd. De as in de lege open haard lag stoffig en grijs in een heldere baan zonlicht. Mousie zag dat de kleine mand met aanmaakhout bijna leeg was, veegde de haard schoon en zorgde ervoor dat die gereed was om vanavond te worden aangestoken. Morgen zou de schoonmaakster van Mutt uit St Endellion komen en het huis grondig onder handen nemen, zodat ze nu tijd had om even rustig een kop koffie te drinken voordat Emma kwam. Eerst ging ze echter even in de kleine salon kijken, die niet meer werd gebruikt sinds Mutt was gestruikeld en haar enkel had gebroken. Ze keek om zich heen naar het grote cilinderbureau, het prachtige bewerkte kamerscherm dat achter twee kleine rechte houten leunstoelen stond, de ovale ingelegde tafel waar naaidozen op stonden en zijde op lag. Mousie moest denken aan een tafereel dat zich hier meer dan veertig jaar geleden had afgespeeld, vlak nadat Rafe was opgeroepen voor militaire dienst en naar Catterick was vertrokken.

Honor staat bij de tafel, sorteert zijde, houdt de gladde strengen omhoog en legt ze op een stuk canvas.

'Nu ben jij aan de beurt, Mousie,' zegt ze.

'Waarvoor?'

'Om je vleugels uit te slaan buiten de vallei.' Honor kijkt haar glimlachend aan. 'Tijd om je te vermaken. Maak jezelf niet onmisbaar.'

'Ik snap niet wat je bedoelt.'

'Echt niet?' Honor trekt even een scheef gezicht. 'Je moet je eigen leven leiden, Mousie, vergeet dat niet. Nu Rafe weg is, zal je moeder nog zwaarder op je leunen en het is beter om daar meteen mee te breken. Je had het laatst toch over een baan in het ziekenhuis in Bristol? Bristol is niet zo ver weg en Julia redt het best zonder jou. Ze heeft oude Dot aan de ene kant als buurvrouw en Jessie aan de andere kant. En ik ben hier op Paradise. We zullen je allemaal ontzettend missen, maar ik zorg wel voor hen, daar hoef je niet over in te zitten.'

'Het lijkt nogal harteloos. Vader is overleden en Rafe is weg...'

'Zeg, Mousie...' Honor laat de strengen zijde vallen en loopt om de tafel heen. 'Je wilt je jeugd toch niet verdoen met naar St Meriadoc rennen op de dagen dat je vrij bent van je werk in het ziekenhuis in Bodmin? Ga ook meteen het huis uit, Mousie.'

Mousie wordt zenuwachtig van haar felheid en begint zich te verdedigen en, alsof ze dat doorheeft, glimlacht Honor.

'Je roest snel vast in gewoontes,' zegt ze, 'en dan is het te laat. Kansen glippen uit je handen en komen niet meer terug. Voor mij ligt het anders. Ik heb me voor de oorlog goed vermaakt. Ik heb in het buitenland gewoond, ben getrouwd geweest en ik heb kinderen met wie ik rekening moet houden. Deze vallei is een stukje paradijs op aarde, dat is absoluut waar, maar je moet een tijdje ergens anders wonen en primitiever leven om het echt te kunnen waarderen. Neem dat maar van mij aan, Mousie...'

Terwijl ze om zich heen keek in het stille vertrek herinnerde Mousie zich dat ze Honors advies had opgevolgd en het was inderdaad een verstandig besluit geweest. Honor had echt voor iedereen gezorgd: ze had Julia's huisje groter laten maken nadat Jessie was overleden en jaren later had ze het oude huisje van Dot aan Mousie aangeboden tegen een belachelijk lage huur.

'Je bent er nu klaar voor om terug te komen,' had ze gezegd. 'Het is nu jouw beurt om naar de tuinen van Paradise te wandelen, Mousie.'

Nu ze daaraan terugdacht, raakte Mousie vreemd ontroerd. Ze deed de deur zacht achter zich dicht en ging koffie zetten.

8

'Daar gaat Joss.' Vanuit het gebogen raam van The Lookout kon Emma The Row, de werf en verderop de zee zien. 'De zon schijnt net op de daken. Raymond zegt altijd dat het zonde is dat je in de winter weinig zon in de vallei krijgt.'

'Ja, ik kan me goed voorstellen dat mijn zwager enkele kliffen wil opblazen en wat bossen wil kappen om een plek aantrekkelijker te maken voor het grote publiek om op die manier snel rijk te worden. Hij waardeert het platteland niet, denkt alleen in termen die projectontwikkelaars bezigen.'

Emma liep de kamer weer in en sloeg haar lange zachte ochtendjas steviger om haar mollige figuur.

'Hij is momenteel inderdaad lastig,' gaf ze toe. 'Hij heeft het steeds over wat hij gaat doen als Mutt... Nou ja, als Mutt doodgaat dus.' Haar bezorgde blik maakte plaats voor afkeer.

'Wat wil hij dan gaan doen?' Bruno zat aan tafel pap te eten uit een grote kom. Er lag een dikke laag slagroom met bruine suiker op en hij genoot er zichtbaar van. 'Hij gaat bijna nooit bij haar op bezoek. Wat maakt het voor hem dan uit?'

Tijdens het ontbijt dacht hij doelbewust niet aan zijn volgende hoofdstuk. Emma had het over de dag die voor hen lag en opnieuw riep de realiteit onrust bij hem op.

'Niet veel,' gaf ze schouderophalend toe. 'Je weet wat ik bedoel. Het is bekend hoe je over Raymond denkt, maar je zou een bovennatuurlijk gebrek aan belangstelling moeten hebben als je nog niet had bedacht wat er zou kunnen gebeuren. Niet dan?'

'Ik zie niet in waarom er iets zou veranderen.' Hij zette de kom voor Nellie neer, zodat ze hem kon uitlikken, en stond op. Bezorgdheid en de overweldigende behoefte terug te gaan naar de wereld in zijn hoofd streden om de overhand en hij voelde zich rusteloos en prikkelbaar. 'Waarom praten we over het overlijden van Mutt? Ze heeft haar enkel gebroken en nu heeft ze er een verkoudheid bij gekregen. Is ze er slecht aan toe? Daar heeft Mousie tegen mij niets over gezegd.'

Emma keek hem nadenkend aan. 'Gek, hè?' merkte ze op. 'We komen al jaren hiernaartoe als we in moeilijkheden zitten, Zoë' – ze knikte even naar de foto 'en ik, en later ook Olivia en Joss. Dan help je ons om de problemen helder in beeld te krijgen en je beurt ons op. Maar nu het om Mutt gaat, lijkt het of je niet wilt accepteren dat ze oud, kwetsbaar en ziek is.'

'Dat is heel iets anders,' antwoordde hij geïrriteerd. 'Ik heb niet om jullie komst gevraagd, hoor! Dit huis was af en toe net een asiel voor gevallen vrouwen. Ik zou het prettig vinden als je me niet afschilderde als een soort filantropische Dr. Pangloss uit *Candide* van Voltaire. Al ben ik het met hem eens dat een mens moet werken om gelukkig te zijn.'

'Krijgen we dat weer.' Emma trok een scheef gezicht. 'Jij bleef altijd maar hameren op dat werken.'

'En ik had gelijk. Als Zoë en jij meer aan je hoofd hadden gehad dan liefdesverhoudingen en geld uitgeven, had ik jullie veel minder vaak hoeven op te beuren of hoe je het ook wilt noemen.'

'Raymond wilde niet dat ik ging werken. Hij vond het prettig als ik beschikbaar was. En Joss was er ook nog...' Haar toon veranderde. 'Dat ligt voor Zoë natuurlijk anders.'

'Laten we het daar niet weer over hebben. Zit Mousie niet op je te wachten?'

Emma barstte in lachen uit. 'Een tien voor subtiliteit, broer. Ja, ik moet inderdaad weg. Ga je ook mee?'

Hij aarzelde. 'Wordt het niet te druk voor Mutt als we allemaal tegelijk komen? Zeg maar dat ik net als anders aan het eind van de middag kom.' Hij fronste zijn wenkbrauwen en voelde zich schuldig.

'Je wilt natuurlijk werken,' gaf ze als verklaring, en ze grijnsde.

Hij grijnsde terug. 'Ik heb geen rijke echtgenoot die me onderhoudt. Alleen een ex-vrouw die denkt dat het nog steeds mijn plicht is haar regelmatig financieel uit de nood te helpen.'

Emma's glimlach verdween en ze voelde de bekende beschermingsdrang. 'Ze heeft geen enkel recht om misbruik te maken van je goedheid. Waarom moet je haar onderhouden? Ze heeft er toch zelf voor gekozen om weg te gaan? En hoe zit het met al die andere minnaars van haar?'

'Laat maar,' zei hij, zijn handen opgeheven, handpalmen naar voren. 'Ik ben in een slecht humeur. Ga je aankleden voordat Mousie belt om te vragen waar je blijft. Mutt ligt waarschijnlijk met smart op je te wachten.'

Nukkig en ontevreden droop ze af, terwijl ze de ceintuur van haar zachte dikke ochtendjas opnieuw vastknoopte. Ze vond het irritant dat Zoë deel uitmaakte van hun leven.

De kamer leek tot rust te komen en groter te worden toen Bruno weer alleen was. Hij ging met zijn handen in zijn zakken in de erker staan en keek naar beneden naar The Row en de verderop liggende golfplatenconstructie van het oude botenhuis. Onder het dak, boven op de scheepshelling, lag zijn oude boot de *Kittiwake*, die voor de oorlog op de werf was gebouwd door een man die ooit in The Lookout had gewoond. De boot had een overnaadse constructie, mahoniehout op eiken, en was bijna vijf meter lang. Hij was nog klein toen Rafe, die toen zelf bijna nog een kind was, hem op deze boot had leren zeilen. Vlakbij op een trailer stond een kleinere zeilboot, de *Enterprise*, die van George was, en Bruno vroeg zich af of er gelegenheid zou zijn om met George te gaan zeilen als hij hier was. Hij keek naar de kust: er lagen zilveren strepen op de spiegelgladde zee en er stond geen zuchtje wind.

Hij dacht aan George: hij had hem afgelopen zomer op een warme middag een keer samen met Joss hoog op de heuvel bij de Saint's Well gezien, terwijl ze naar een leeuwerik luisterden, die hoog boven hen zong. Het was hem opgevallen dat er een soort spanning tussen hen in hing: hoewel ze elkaar niet aanraakten, leken ze naar elkaar toe getrokken te worden. Ze hadden verbluft naar hem geglimlacht, als reizigers die een onbekende groeten – beleefd maar niet bijzonder geïnteresseerd – en hij had opeens begrepen waarom Joss, tot verbazing van de hele familie, nooit een serieuze relatie met een man kreeg.

'Tot straks.' Emma zwaaide vanuit de deuropening. Haar opgewekte humeur was terug. 'Veel plezier in de riolen van Londen.

Nee, Nellie, je mag deze keer niet mee. Het spijt me.'

Ze ging weg. Bruno begon de ontbijtspullen op te ruimen en was blij dat hij voor één keer een discussie over zijn ex-vrouw had weten te voorkomen. Vanaf het begin hadden Zoë en Emma de degens gekruist en doordat hij beide vrouwen trouw wilde blijven, had hij zwaar onder druk gestaan. Hij stapelde de borden op naast de diepe nostalgische gootsteen, stuurde Nellie naar buiten om door de vallei te struinen en liet zijn gedachten terugvloeien naar de natuurlijke kanalen van zijn creativiteit. Nu hij echter naar zijn eigen wereld kon terugkeren, had hij het gevoel dat deze op mysterieuze wijze voor hem gesloten bleef. Hij probeerde de gebruikelijke methoden: riep zijn personages op, plaatste hen doelbewust in andere situaties, probeerde wat openingszinnen om een gesprek op gang te brengen, maar hij dacht alleen aan Zoë: herinnerde zich de eerste keer dat hij met haar naar Paradise was gegaan en haar aan Mutt had voorgesteld. Daarna had hij haar meegenomen naar The Lookout om haar daar rond te leiden.

Hij is drieëntwintig, heeft net zijn studie aan het Brittania Royal Naval College afgerond en volgt nu een aanvullende opleiding. Hij is zich ervan bewust dat hij nog nooit iemand zoals Zoë heeft ontmoet: hij kan zijn ogen niet van haar afhouden. Ze merkt dat hij haar bewondert en overdrijft haar bewegingen een beetje, wiegt met haar heupen in haar strakke zwarte rokje en slaat haar in lange zwarte laarzen gehulde benen over elkaar. Het rechte bobkapsel staat goed bij haar dikke zwarte haar. Zoë draagt altijd zwarte kleding: ze is mondain en zich sterk bewust van haar imago. Ze is minder bekend dan The Shrimp of Twiggy, maar bouwt toch een redelijk dikke portfolio op en er is veel vraag naar haar Juliette Gréco-achtige sensualiteit: een verveeld ogende, broodmagere zwerfjongere met een donkere, uitdagende blik. Naïviteit is haar totaal vreemd.

Ze is onder de indruk van St Meriadoc, dat in een beschutte vallei ligt, en hoewel ze geen toezeggingen doet aan Bruno's familie – ze weigert het aardige onschuldige meisje te spelen om hun een plezier te doen – stijgt hij in haar aanzien vanwege het feit dat hij ooit dit fraaie kleine landgoed zal erven.

'Leuk, schat,' zegt ze, als ze rondloopt in de grote kamer met het gebogen raam en ondertussen een verfrommeld pakje Sobranie-sigaretten uit haar tas haalt. 'Je kunt hier geweldige feesten geven.' Ze schenkt hem even een bewonderende blik: plagend, wat verholen. 'Hier woon je dus.'

Hij loopt vlug naar haar toe om haar sigaret aan te steken met de fraaie Dunhill-aansteker die hij van haar heeft gekregen voor zijn drieëntwintigste verjaardag. Ze glimlacht naar hem. Haar ogen vernauwen zich boven de rook tot spleetjes en taxeren hem. The Lookout staat haar nog meer aan dan het mooie huis: het leent zich voor feesten en veelbelovende weekends, al ligt het wel ver van Londen vandaan.

'Ja,' zegt hij, 'The Lookout is van mij.'

Zo is het altijd geweest. 'Jij mag The Lookout hebben en dan is Paradise voor mij,' zegt Emma, hoewel ze dat allebei niet al te serieus opvatten. In zijn laatste jaar op school is Bruno druk bezig met het opknappen van The Lookout, zodat zijn vrienden kunnen komen logeren. Het is goed de regels van het grote huis achter zich te laten en plezier te maken, en Mutt is vol begrip. Hij mag wat overtollige meubels en afgedankte gordijnen meenemen en ze koopt ook spullen voor hem: net genoeg om het huis in te richten. Hij viert zijn eenentwintigste verjaardag met een feest in The Lookout voor zijn medeofficieren van de marineopleiding en schoolvriendinnen van de zeventienjarige Emma.

'We hebben een keer een feest gehad,' zegt hij terloops tegen Zoë, omdat hij niet wil dat ze denkt dat hij onervaren is. Hij denkt aan die meisjes: ze roken naar Blue Grass van Elizabeth Arden en waren nogal verlegen in hun mooie lange pastelkleurige jurken. Zoë gebruikt een geur die Jicky heet en zou nog niet dood gevonden willen worden in vrolijke felle kleuren. 'We dronken te veel en zijn toen midden in de nacht naar de scheepshelling gelopen om te gaan zwemmen.'

'Leuk,' zegt ze onverschillig. Ze draait zich om bij het raam, drukt haar sigaret uit in een asbak die hij haar haastig voorhoudt en kijkt hem recht aan. 'Wat is er boven?'

Bruno is blij dat hij tijdens het aan wal gaan in Nederland en Zweden ervaring heeft opgedaan, maar het is bijna een opluchting als er een deur wordt dichtgeslagen en hij Emma onder aan de trap hoort roepen. Hij mompelt verontschuldigend, stopt zijn overhemd in zijn broek en gaat haastig naar beneden om haar te begroeten.

'Mutt zei dat je hier was,' zegt ze. 'Ik ben zo benieuwd naar Zoë.'

'Ik liet haar net de bovenverdieping zien,' zegt hij ongemakkelijk. 'Ze is... Je weet wel. Haar neus aan het poederen. O, daar is ze al.'

Zoë komt langzaam de trap af, zich bewust van Emma's gefascineerde blik, en kijkt Bruno met een geheimzinnig lachje recht aan. Terwijl Bruno hen aan elkaar voorstelt, voelt hij van beide kanten vijandschap: Zoë laat Emma merken dat ze in haar ogen onervaren en onbelangrijk is en vindt dat ze op een slecht moment komt. Emma is van haar stuk gebracht door zo veel wereldwijsheid en ook door de nauwelijks verhulde onverschilligheid. Voor het eerst zit Bruno tussen twee vrouwen in – de een roept een sterk lichamelijk verlangen bij hem op en voor de ander voelt hij grote genegenheid en trouw – maar op drieëntwintigjarige leeftijd is er geen strijd.

'Je kunt niet met haar trouwen,' roept Emma. 'Ze past helemaal niet bij je. Verwar het niet met seks.'

Maar hij is wel in de war: hij is perplex, bedwelmd en verdrinkt in zijn gevoelens. Zijn kameraden zijn ontzettend jaloers en zijn trots kent geen grenzen. Zoë wordt uitgekozen om reclame te maken voor een bekend sigarettenmerk en je ziet haar overal: ze kijkt je aan vanaf posters en je komt haar tegen op de glanzende pagina's van populaire tijdschriften. De foto wordt een icoon en telkens als hij hem ziet, voelt hij zich opgewonden en overweldigd. Deze vrouw, door mannen aanbeden en door vrouwen beneden, is van hem. Ze geeft hem de grote ingelijste foto, die in The Lookout hangt, als huwelijkscadeau.

9

'Mutt ziet er vandaag beter uit,' zei Emma hoopvol. 'Vind je ook niet, Mousie? Ik weet niet hoe het komt, maar ze lijkt rustiger en ze is verrassend helder.'

Ze stond te strijken, was druk bezig lakens te persen en vervolgens met vlugge, minimale bewegingen op te vouwen. Mousie zat aan de keukentafel groenten schoon te maken, die ze in kleine stukjes sneed om soep van te koken. Ze deed de groenten in een schaal en verzamelde het afval om dat op de composthoop te gooien. Hoewel ze doorhad dat Emma haar diagnose vooral op hoop baseerde, was ze geneigd haar toch gelijk te geven. Na die eerdere aanval van kortademigheid en zweten was Mutt inderdaad minder gespannen. Ze sliep ook vaster.

'Dat komt door de antibiotica,' zei ze, ook al had ze het gevoel dat het meer was dan dat: het was alsof er een last van haar schouders was gevallen en Mutt zich voor het eerst in dagen echt kon ontspannen. Eigenlijk voor het eerst sinds de brief en de foto waren gekomen... Deze onwelkome gedachte had hetzelfde effect als een plotselinge schok en Mousie keek peinzend naar Emma die zorgvuldig een nachthemd van Mutt aan het strijken was.

'Heeft Joss over die Amerikaan verteld?' vroeg ze luchtig.

'Ja.' Emma stopte even met haar werk, zette het strijkijzer op het rooster, draaide zich om en keek naar Mousie, die driftig verder hakte. 'Het was nogal een knappe man, geloof ik, die een tante of zo probeerde op te sporen.'

'Oudtante,' zei Mousie bijna afwezig. 'Gaat er bij jou een belletje rinkelen bij de naam Madeleine Grosjean?'

Emma fronste haar wenkbrauwen. 'Nee. Heet ze zo?'

'Blijkbaar. Hij vertelde dat ze je ouders in India heeft gekend.' Mousie veegde behendig het laatste afval op een krant. 'Misschien was ze wel verpleegster.'

'Zou kunnen.' Emma haalde haar schouders op en ging weer strijken. 'Dat is voor mij een gesloten boek. Ik was pas één jaar toen we terugkwamen. Soms denk ik dat ik me dingen herinner, maar dan vraag ik me af of dat komt door de verhalen die Mutt en Bruno me hebben verteld. Snap je?'

'Hm.' Mousie leek afgeleid. 'Heb je ooit foto's gezien? Ik weet dat jullie nogal overhaast zijn vertrokken en daardoor niet veel konden meenemen, maar ik vroeg het me gewoon af.'

'We hadden bijna niets bij ons en er waren natuurlijk ook weinig spullen naar huis gestuurd. Mutt heeft een paar foto's, maar op die kleine zwartwitfoto's zie je niet veel, hè? Bruno en ik waren te jong om belangstelling te hebben voor aandenkens, hoewel we allebei wel een heel mooie foto van kabinetformaat hebben van papa, die is genomen toen hij de eerste keer vertrok.'

Mousie stond op, bracht de groenten naar de gootsteen, spoelde ze af en gooide ze in een grote pan waar al stevige vleesbouillon in zat. Emma glimlachte met grote genegenheid naar haar. Ze vond het prettig om hier te zijn en te strijken, terwijl Mousie zich bezighield met het middageten en leven bracht in deze nogal koude, functionele ruimte aan de achterkant van het huis. Mutt was nooit vaak in de keuken te vinden geweest, zat liever in haar eigen kleine salon of in de grote salon en daardoor hing er hier geen specifieke sfeer. Maar sinds Joss tijdelijk op Paradise was komen wonen, waren er een paar tekenen van nieuw leven: enkele ansichtkaarten van vriendinnen stonden op de vensterbank; haar omslagdoek met Schots patroon hing over de rugleuning van een stoel; er stond een bosje sneeuwklokjes in een kleine blauwe pot. Emma vond het bewijs van haar dochters aanwezigheid vreemd ontroerend. Heimelijk hoopte ze dat Joss ooit echt op Paradise zou komen wonen en haar eigen kinderen hier zou grootbrengen, dat ze die gelukkige tijden zou doen herleven, die er waren geweest toen Bruno en zij hier opgroeiden. Ze zuchtte bij het blijde vooruitzicht.

'Fijn, hè?' zei ze spontaan tegen Mousie. 'Zo bij elkaar zijn, bedoel ik. Die schone geur van strijken en heerlijk eten dat op het fornuis staat te koken. Lekker kunnen roddelen. Bruno zou zeggen dat het allemaal teruggaat naar de tijd van jagers en verzamelaars. Die miljoenen jaren dat vrouwen voedsel verzamelden en bij elkaar zaten, terwijl de mannen op jacht waren. Het is echt een obsessie van hem.'

Mousie sloeg een arm om Emma's schouder en trok haar even tegen zich aan, maar liet zich niet afleiden door Bruno's theorie. Ze kreeg een ingeving, maar om een of andere reden was ze er huiverig voor: ze kreeg er geen vat op, maar de schim ervan was er wel.

'Heb je wel eens een trouwfoto van hen gezien?' vroeg ze. 'Van Honor en Hubert? Het was namelijk een dubbel huwelijk. Hubert heeft destijds een foto naar ons opgestuurd. Mijn vader was net vermist geraakt bij het zinken van de *HMS Hood* en we kwamen terug naar St Meriadoc. Een van de huizen in The Row stond leeg dus konden we daar gaan wonen. Dat weet je natuurlijk allemaal wel, maar in diezelfde tijd trouwde Hubert en stuurde een foto op.'

'Ik vind die familieverhalen prachtig.' Emma vouwde het nachthemd op en legde het op een stapel pas gewassen en gestreken spullen. 'Wat moet het vreselijk voor jullie geweest zijn, Mousie. Ik wou dat ik me meer kon herinneren. Weet je dat ik me mijn grootvader amper voor de geest kan halen? Maar hij overleed toch ook kort nadat we hier waren komen wonen? Gelukkig hadden we jullie. Het moet heerlijk geweest zijn voor Mutt om terug te keren naar een kant-en-klare familie, vooral omdat ze haar eigen ouders op tragische wijze had verloren bij het bombardement op Londen.'

'We hadden inderdaad geluk,' beaamde Mousie. 'Wij allemaal.' Het bleef even stil. 'Je hebt de trouwfoto dus nooit gezien?'

Emma keek haar nieuwsgierig aan. 'Heb je hem nog?'

'Niet de foto die Hubert heeft opgestuurd. Ik zou niet weten waar die is. Ik vroeg me alleen af of Honor er ergens een had liggen. De Amerikaan heeft een kopie opgestuurd. Het was heel raar om de foto na al die jaren weer te zien.'

'Ik zou hem graag bekijken,' zei Emma. 'Joss heeft hem niet laten zien. Ze zei alleen dat die man aan de deur was geweest.'

Mousie verliet de keuken, liep door de gang, ging de salon in en pakte de grote leren tas die naast een leunstoel lag. Ze bleef even met de foto in haar hand staan voordat ze terugliep naar de keuken.

'Kijk.' Ze legde de foto op tafel en Emma bukte zich nieuwsgierig. 'Heb je hem wel eens eerder gezien?'

'Nee, nooit.' Emma glimlachte. 'Wat een rare hoeden! Ze zien er niet bepaald vrolijk uit en... Moet je kijken, Mousie. Vind je ook niet dat Joss sprekend op Mutt lijkt op die leeftijd?'

'Dat viel mij ook op,' beaamde Mousie. 'Ik schrok er een beetje van. Herken je die andere vrouw?'

Emma pakte de foto en hield hem bij het raam in het licht.

'Geen idee.' Ze keek niet-begrijpend. 'Ik zie iets aan haar... Eigenaardig, hè, Mousie?'

Het geluid van Mutts handbel galmde door het huis en de twee vrouwen raakten automatisch gespannen.

'Ik ga wel,' zei Emma. 'Ik roep wel als ik vind dat je ook moet komen.' Ze legde de foto op tafel, verliet de keuken en rende de trap op. Mousie pakte de foto en keek ernaar.

Ze dacht: wat is er met Madeleine Grosjean gebeurd?

George Boscowan parkeerde zijn auto in de oude steengroeve, bleef even zitten en verzamelde moed om het nieuws tegen zijn ouders te zeggen.

'Je moet het hun vertellen,' had Penny gezegd. 'Nee, ik ga niet mee. Ik kan hun gewoon niet onder ogen komen. Sorry, George. Het zou ook niets worden met Tasha erbij, want die schreeuwt er dan weer tussendoor of zo.'

'Penny, toe nou.' Hij had het nog een keer geprobeerd. 'Ik hoef niet bij de marine te blijven als je daar zo'n hekel aan hebt. Ik kan me goed voorstellen dat je je familie mist, vooral als ik op zee zit. We kunnen ook met z'n allen naar Nieuw-Zeeland. Waarom niet? Samen opnieuw beginnen.'

'Ben je gek geworden?'

Ze had hem vol afschuw aangekeken en hij had tot zijn schrik gemerkt dat het idee om samen met haar in haar eigen land bij haar familie te gaan wonen volkomen onaanvaardbaar voor haar was. In gedachten was ze al aan een nieuw leven begonnen, een leven waarin hij was ingeruild voor Brett Anderson, haar minnaar. De reden dat Penny destijds naar Engeland was gekomen, was dat Brett hun verloving had verbroken. Nu wilde hij haar terug.

'Ik denk dat ik al die tijd verliefd op hem ben gebleven,' had ze pathetisch gezegd bij het zien van de reactie op zijn gezicht na haar spontane antwoord. Ze had vlug geprobeerd zijn medelijden te wekken en zijn woede te temperen. 'Ik hield echt van je, George. Nog steeds. Dit is gewoon afschuwelijk. Kun je van twee mensen tegelijk houden?'

'Ja,' had hij willen schreeuwen. 'Dat kan en ik kan het weten. Je kunt in ieder geval proberen je ertegen te verzetten.'

In plaats daarvan had hij verbitterd gegrimast en hij was niet in staat geweest zijn gevoelens te verbergen. Hij voelde zich verraden omdat ze wilde scheiden nu Brett opeens was opgedoken.

'Hij heeft je al eerder in de steek gelaten,' had hij gezegd. 'Misschien doet hij dat weer. En hoe zit het met Tasha? Het is ook mijn dochter. Hoe vaak zie ik haar nog als ze bij jou in Nieuw-Zeeland woont?'

'Je ziet haar nu ook niet vaak,' had ze hardvochtig geantwoord. Ze was van streek door zijn verdriet, maar was vastbesloten geen duimbreed toe te geven. 'Je zit heel vaak op zee.' Bij het zien van zijn gelaatsuitdrukking had ze verdrietig maar zeer beslist gezegd: 'Het spijt me, George. Ik hoor daar bij mijn familie en mijn vrienden, en bij Brett. Dat besef ik nu. Maak het Tasha en mij alsjeblieft niet moeilijk. Ze moet bij mij zijn. Wat voor leven heb jij haar te bieden? Je zou kinderopvang moeten regelen, want anders kun je niet werken. Zo is het toch? Je kunt moeilijk van je moeder verlangen dat ze op Tasha past en je bent vaak maanden weg. Je kunt een kind van drie maanden niet maandenlang door een ander laten verzorgen. Alsjeblieft, George, als je echt van haar houdt, doe dan wat het beste voor haar is.'

Hij was boos geworden omdat ze hem manipuleerde met zijn liefde voor haar en het kind, en was naar buiten gestormd: was met grote stappen bij het kleine huis aan de rand van het dorp Meavy vandaan gelopen en was de heide boven Burrator op geklommen. Een ijzige wind prikte met koude vingers naar zijn gezicht, trok over het water van het waterreservoir, deed de weerspiegelingen op het wateroppervlak trillen en trok ze uiteen. Schapen met zwarte koppen hadden lammetjes met flaporen bij zich, die zich tegen hun wollen flank aan drukten en ineengedoken stonden in de luwte van grote keien. De hoge statige coniferen bij de waterkant vormden een soort donkergroene driehoek in dit grauwe, grijsbruine landschap. Op de hellingen van Sheep's Tor, waar een laagje sneeuw de granieten toppen bedekte, groeiden volop varens die helder oplichtten in het late namiddaglicht en tot roestbruine tinten verkleurden.

Toen hij in westelijke richting keek, voorbij Plymouth tot ver in Cornwall, waar de zon smalle banen verblindend gouden licht op de mysterieuze heuvels in de verte wierp, had hij aan Joss gedacht en hij voelde het schuldgevoel diep vanbinnen. Joss had naar hem geluisterd toen hij vertelde dat hij zich zorgen maakte dat Penny haar familie miste, dat ze eenzaam was als hij op zee zat en dat ze de verzorging van de baby niet goed aankon. Joss op wie hij, van het ene op het andere moment, verliefd was geworden. Hij had met een schok beseft dat zijn gevoelens voor Penny maar een flauwe afspiegeling waren van deze vernietigende ervaring. Hij was echter vastbesloten geweest dat dit geen gevolgen mocht hebben voor zijn trouwbelofte aan Penny.

Dit is wat Penny voor Brett voelt, zei hij later tegen zichzelf toen Brett weer was opgedoken en Penny zich duidelijk tot hem aangetrokken voelde. George vond dat ze moesten vechten voor wat ze samen hadden en voor de veilige omgeving die hun huwelijk de baby bood. Maar op het moment dat Brett naar haar lonkte, was Penny bereid alles overboord te gooien zonder ook maar één keer achterom te kijken. De ironie van de situatie was bijna lachwekkend. Toch was er het schuldgevoel: had hij op een of andere manier toegestaan dat zijn gevoelens voor Joss zijn relatie met Penny hadden beïnvloed? Als hij niet verliefd was geworden op Joss, zou Penny dan even snel zijn gezwicht voor de avances van Brett? Eerlijk gezegd wilde een deel van hem er de brui aan geven en was hij opgelucht dat hij verder kon gaan met Joss...

Hij pakte zijn tas met logeerspullen, haalde diep adem om te kalmeren en stapte uit de auto.

10

Pamela wist meteen dat er iets mis was. Een ansichtkaart sturen in plaats van bellen en het feit dat hij alleen zou komen; die dingen hadden haar achterdochtig gemaakt. Nu hij er was, werden die vermoedens bevestigd. Vroeger zou ze aan zijn lichaamshouding hebben gezien dat er problemen waren. Nu moest ze dingen afleiden uit zijn stem en uit de aard van de stiltes. Toch glimlachte ze kalm en ze wachtte tot hij naar haar toe zou komen om haar te kussen. Ze legde haar handen op zijn brede schouders en raakte zijn haar aan. Zijn lippen streken langs haar wang. 'Hoi, ma,' fluisterde hij liefdevol in haar oor. Hij liep bij haar vandaan, terwijl haar handen nog steeds zijn lege gestalte in de lucht tekenden, en ze liet haar handen op haar schoot zakken.

'Wat een ochtend,' zei Rafe opgewekt. 'Je bent vroeg van huis gegaan, George, dat kan niet anders. We hadden je nog niet verwacht. Sneeuwde het in Dartmoor?'

Pamela hoorde dat er koffie werd gezet en hoorde de stoelpoten schrapen toen George ging zitten. Er werden beleefdheden uitgewisseld en ze raakte steeds meer gespannen, wachtend op de klap die zou komen. Ze was in gedachten de mogelijkheden al afgegaan: financiële problemen? Ze waren inderdaad tot het uiterste gegaan toen ze het huis in Meavy kochten.

'Penny wil graag op het platteland wonen,' had hij tegen hen gezegd, 'vooral nu er een baby op komst is. Omdat ik zo vaak op zee zit, vind ik dat ze het recht heeft te wonen waar zij dat het prettigst vindt.'

Pamela had niets gezegd, maar was bang dat Penny haar vrienden in Londen en de drukte van de stad zou missen, maar Rafe en zij hadden gezegd dat Meavy een prachtig dorp was en dat je met tien minuten in Tavistock zat: een geweldige omgeving voor kinderen om op te groeien. Penny en George hadden een goede prijs gekregen voor hun appartement, maar de vraagprijs van het huis was echt de limiet die ze zichzelf hadden gesteld.

'Wij hebben gewoon ontzettend geluk gehad,' had Pamela tegen Rafe gezegd, nadat hij de omschrijving van de makelaar had voorgelezen en ze bij de vraagprijs geschrokken naar adem hadden gehapt en hun ogen ten hemel hadden geslagen. 'Dankzij Honor kunnen we voor een belachelijk lage huur op deze geweldige plek wonen. Ik snap niet hoe mensen die enorme verplichtingen aankunnen. Ik hoop maar dat het goed gaat.'

Terwijl ze Rafe mokken hoorde neerzetten, vroeg ze zich af of het toch niet goed was gegaan. Misschien zaten ze diep in de schulden en hadden ze hulp nodig. Ze dacht koortsachtig na en vroeg zich af hoe Rafe en zij aan geld konden komen. Toen de eerste tekenen van haar blindheid zich aandienden, had Rafe zijn baan als leerkracht op een school opgezegd en was in plaats daarvan bij de Open Universiteit gaan werken, zodat hij thuis kon zijn. Ze waren erin geslaagd in de loop der jaren wat geld opzij te leggen, maar met drie kinderen was dat geen groot bedrag.

Misschien was Penny eenzaam en had ze aan George gevraagd ander werk te zoeken. Het was nog maar de vraag of George een andere baan kon vinden waarmee hij evenveel verdiende, want hij moest zijn gezin onderhouden en de hypotheek aflossen. En zou George gelukkig zijn buiten de marine? Hij was dol op zijn werk en was er goed in.

Pamela merkte dat er een ongemakkelijke stilte was gevallen en luisterde meteen alert: de keukenklok tikte ongewoon hard, de zee fluisterde onophoudelijk achter het raam en Rafe schraapte zijn keel. Er werd opeens een stoel verschoven en ze hoorde een lepeltje tegen het porselein tikken.

'Jullie hadden waarschijnlijk al door dat dit niet zomaar een bezoek is,' zei George. 'Het punt is...'

Ze hoorde hem slikken, wist dat hij een droge keel had en voelde een vlaag van medelijden en liefde voor hem.

Het punt was dat Penny en hij blijkbaar hadden besloten te gaan scheiden omdat het tussen hen niet meer ging. Ze waren het erover eens dat dit de beste oplossing was. Penny zou terugkeren naar Nieuw-Zeeland.

Rafe mompelde iets – ze kon zich zijn geschrokken gezicht voorstellen – en ze vermoedde dat George in de daaropvolgende stilte een troostende slok hete koffie nam.

'Schat,' zei ze met trillende stem. 'O, George, wat vreselijk. Jullie leken altijd zo gelukkig. En hoe moet het met Tasha?' Haar stem stierf onzeker weg en zonder dat iemand het zag, wrong ze haar handen, terwijl ze haar ideeën razendsnel aanpaste. Wat waren haar eerdere zorgen onbetekenend geweest en gemakkelijk op te lossen in vergelijking met de realiteit.

Rafe probeerde het zijn zoon gemakkelijker te maken het deprimerende verhaal te vertellen: misschien was Penny te vaak alleen geweest of had George... Was dit misschien een tijdelijk misverstand? Zo'n rare korte periode die in elke relatie en in ieder huwelijk wel eens voorkwam? Het bleef weer stil.

Pamela klemde haar lippen op elkaar, slikte resoluut de vragen in die ze hem wilde toeschreeuwen en dwong zichzelf om te wachten totdat hij er klaar voor was. Kon ze zijn gezicht maar zien en tussen de regels door lezen. De spanning was tastbaar, hing zwaar in de lucht, maar er was iets wat ze niet kon bevatten, een emotie die net buiten haar bereik lag.

'Is er een ander in het spel?' vroeg ze scherp, en ze hoorde George vlug naar adem happen. Ze wist dat Rafe en haar zoon elkaar aankeken. 'Niet non-verbaal,' riep ze. 'Niet nu. Dit is veel te belangrijk. Wat is er, George? Wat is de aanleiding voor deze stap?'

Die vraag kon hij eerlijk beantwoorden en dat deed hij dan ook.

'Penny was verloofd voordat ze naar Engeland kwam,' zei hij toonloos. 'Die man, Brett Anderson heet hij, verbrak de verloving en toen is ze hierheen gekomen om een nieuw leven op te bouwen. Hij is weer opgedoken en ze is tot de conclusie gekomen dat ze al die tijd van hem is blijven houden en dat ze als reactie op de verbroken verloving voor mij is gevallen. Ze zegt dat ze bij hem en haar familie in Nieuw-Zeeland hoort.'

Pamela kon zich voorstellen dat hij zijn schouders ophaalde, min of meer opgelucht omdat het hoge woord eruit was en als uiting van 'zo zit het dus'.

'En hoe heb jij daarop gereageerd?' Rafe stelde de vraag bijna bedeesd en probeerde erachter te komen hoe diep het verdriet bij zijn zoon zat.

'Ik heb me ertegen verzet.' Het klonk bijna strijdlustig. 'Wat dacht je dan? Ik heb voorgesteld met z'n allen naar Nieuw-Zeeland te gaan. Ik weet dat ze haar familie mist en dat snap ik best. We waren er samen wel uitgekomen als hij haar niet was gaan zoeken.'

'Ik kan me niet voorstellen dat iemand doelbewust een gezin ontwricht.' Pamela luisterde of ze veelzeggende nuances hoorde. 'Het is wreed.'

'Penny had een uitnodiging gekregen om naar Londen te komen en wat vrienden uit Nieuw-Zeeland te ontmoeten,' antwoordde hij. 'Hij logeerde toevallig bij hen.'

Je hoorde de verbittering in zijn stem en er was nog iets.

'Maar wat gaat er met Natasha gebeuren?' vroeg Rafe. 'Penny kan toch niet verwachten dat je haar zonder slag of stoot opgeeft?'

Hij lachte even, maar het klonk niet blij. 'Ik heb weinig keus,' zei hij. 'Ik kan Tasha toch niet hier houden, of wel soms? Hoe kan ik voor een baby van drie maanden zorgen? Als ik al een manier zou weten, zou dat trouwens ook niet eerlijk zijn. Penny heeft een grote familie om op terug te vallen...'

Hij slikte de rest van zijn woorden in. Pamela wist waarom hij dat deed en had het onredelijke gevoel dat ze hem in de steek had gelaten.

'Ach, schat,' zei ze verdrietig. 'Het spijt me ontzettend. Je hebt niet veel aan ons, hè?'

'Doe niet zo raar, ma,' zei hij nors. 'Jij kunt er toch ook niets aan doen? We moeten de feiten onder ogen zien. Ik heb niemand die op Tasha kan passen als ik op zee zit en ik weet echt niet wat ik buiten de marine zou moeten. Tasha kan beter bij haar moeder zijn dan bij vreemden, hoe lief die ook voor haar kunnen zijn. Penny zegt dat we moeten doen wat voor Tasha het beste is.'

'Het is voor een kind toch het beste om door beide ouders te worden opgevoed?' vroeg Rafe zacht.

George lachte opnieuw en ditmaal klonk er berusting in door en de spanning was deels weg. 'Dat is heel ouderwets, pa,' zei hij. 'Je kunt merken dat je oud wordt.'

Pamela worstelde met verschillende emoties: verdriet om haar zoon, wanhoop bij de gedachte haar kleinkind kwijt te raken, een plotselinge haat jegens Penny die ze altijd erg graag had gemogen.

Ze had het nog nooit zo vervelend gevonden dat ze blind was als op dit moment. Ze wilde graag het gezicht van George zien, hem recht in de ogen kijken en zijn gelaatsuitdrukking peilen, terwijl ze tegen hem sprak. Ze wist dat hij trouw, onafhankelijk en recht door zee was, maar toch knaagde er wat. Hij verzweeg iets.

'Het moet wel heel ernstig zijn,' zei ze aarzelend, 'als Penny zulke drastische maatregelen neemt. Je moet niet denken dat ik niet jouw kant kies, George, want dat is wel het geval, maar Penny is een goede echtgenote voor je geweest. Ze heeft altijd vierkant achter je gestaan, ook al miste ze haar eigen familie en was ze vaak alleen. Ze moet wel erg zeker van haar zaak zijn om dit te doen.'

'Dat is ze ook,' zei George na een tijdje. 'Ze zegt dat ze altijd van Brett is blijven houden, ook al dacht ze van niet. Toen ze hem weer zag, besefte ze dat.' Ze merkte dat hij zijn schouders ophaalde en hoorde hem zuchten. 'Tja, ik snap het wel.'

Ze was net een hond die iets op het spoor was: hier had ze naar gezocht, die toon die aangaf dat hij werkelijk begrip had voor Penny's dilemma. Er was verbittering en boosheid, maar daarnaast was er ook oprecht medeleven: sympathie van iemand die het klappen van de zweep kent en met hetzelfde dilemma heeft geworsteld. Ze reageerde gevoelsmatig.

'Ik vind dat George zijn spullen boven moet brengen en dan een borrel moet nemen,' zei ze. 'We hebben allemaal tijd nodig om dit te verwerken.'

Ze wachtte, luisterde of George wegging en hoorde zijn voetstappen op de trap. Ze stak haar hand uit naar Rafe, die hem pakte en troostend stevig vasthield.

'Bel Bruno,' zei ze dringend. 'Zeg dat hij Joss te pakken moet krijgen en de afspraak voor vanavond moet afzeggen. Vertel desnoods waarom. Vlug, voordat George terugkomt.'

11

Bruno kreeg het bericht toen hij tussen de middag uit zijn studeerkamer kwam om iets te gaan eten. De telefoon was in de keuken, stond altijd op het antwoordapparaat met het geluid uit, en op momenten dat het onwaarschijnlijk was dat hij werd afgeleid van zijn werk keek hij of er was gebeld. Hij zag het rode lampje knipperen en drukte op de PLAY-knop. Rafes stem klonk vreemd: hij sprak opzettelijk zacht, alsof hij bang was afgeluisterd te worden, en het leek of hij grote haast had. Bruno speelde het hele bericht af en er verscheen een rimpel van verbazing op zijn voorhoofd.

George had een probleem en het was beter als Joss vanavond niet kwam eten: het zag er niet naar uit dat het een gezellige avond zou worden. Kon hij haar laten weten dat de afspraak niet doorging?

Terwijl hij brood sneed om een sandwich te maken, Nellie aaide en eten gaf, en voor zichzelf een glas appelsap inschonk, dacht Bruno na over dit bericht. Hij had een akelig voorgevoel dat hij wist wat de mogelijke oorzaak van het probleem van George was. Even later keek hij in zijn bijna onleesbare adresboek en toetste een telefoonnummer in. Joss nam met vlakke stem op, waaraan hij merkte dat ze met een patiënt bezig was.

'Sorry dat ik je stoor,' zei hij. 'Bericht van Rafe. Het etentje van vanavond gaat om een of andere reden niet door. George is niet in vorm.' Hij hoorde haar vlug naar adem happen en zag haar strakke geconcentreerde blik voor zich. 'Begrepen?' vroeg hij luchtig.

'Ja,' zei ze kortaf.

'Dat dacht ik al.' Hij aarzelde. 'Heb je zin om op weg naar huis hier langs te komen?'

Hij hoorde haar nadenken: een wanhopige, bijna woeste mentale oefening met haar gedachten deels nog bij haar patiënt.

'Mag dat?' vroeg ze. 'Bedankt, Bruno. Ik kom graag langs. Rond een uur of zes?'

'Prima,' antwoordde hij. 'Tot straks.'

Nellie had haar speeltje bij zijn voeten neergelegd, een felgekleurd rubber bot met een belletje erin dat een blikachtig geluid maakte. Bruno haatte het ding. Nellie keek kwispelstaartend van het bot naar hem en had haar flaporen hoopvol in de lucht gestoken. Hij trapte het door de keuken. Met wegglibberende poten sprong ze achter het bot aan en pakte het opgetogen.

'Dom beest,' mompelde hij. 'Nee, weg ermee.' Nellie legde het bot weer bij hem neer. Haar tong hing uit haar bek alsof ze naar hem lachte en ongewild lachte hij terug.

'Wat is dat toch met dit huis?' vroeg hij. 'Het lijkt wel een toevluchtsoord voor vrouwen in nood.' Hij trapte nog een keer tegen het bot en keek toe terwijl Nellie over de tegels glibberde en tegen de deur van de provisiekast aan kwam. Hij moest denken aan haar aankomst op The Lookout.

'Het is de laatste uit het nest,' had Mousie gezegd, die op een avond in december in de keuken stond met de puppy in haar armen, terwijl de regen van haar hoed droop. 'De boer heeft de reuen kunnen onderbrengen, maar niemand wil het teefje hebben.'

Verschillende passende tegenwerpingen, die geen van alle politiek correct waren, hadden op het puntje van Bruno's tong gelegen en Mousie had stralend naar hem gelachen toen ze voelde dat hij zich gewonnen zou geven.

'Een hond is goed voor je,' had ze gezegd. 'Dan kom je nog eens buiten en krijg je wat lichaamsbeweging.'

'Ik loop iedere dag een paar kilometer, Mousie,' had hij op droge toon gezegd. 'Heb je me nooit zien lopen?'

'Wandelen is leuker met een hond erbij,' had ze gezegd, waarbij ze ernstig had geknikt en dat gaf de doorslag.

'Waarom houd je haar zelf niet?' had hij gevraagd. 'Je rijdt de hele dag van de ene patiënt naar de andere. Jij krijgt helemaal geen lichaamsbeweging.'

'Het zou niet eerlijk zijn haar de hele dag in de auto te laten zitten,' had ze geantwoord, alsof ze een aanlokkelijk voorstel afsloeg. 'Nee, nee. Neem jij haar maar.'

Ze had de puppy op de vloer neergezet en het dier was meteen neergehurkt om te plassen. In de korte daaropvolgende stilte durfde Mousie Bruno niet recht aan te kijken.

'Ik moet ervandoor,' had ze opgewekt gezegd. 'Je zou haar Nellie kunnen noemen. Die naam past wel bij haar, vind je niet?'

Bruno had de deur onnodig hard achter haar dichtgeslagen en had naar het zwart-met-witte dier gekeken, dat nu voorzichtig zijn keuken aan het verkennen was.

'Welkom, Nellie,' had hij gelaten gezegd. 'Ik hoop dat je worst lust, want iets anders heb ik op dit moment niet in huis, behalve pap dan. Als je hier wilt komen wonen, zul je je moeten aanpassen.'

En dat kon ze. Nellie was een gemakkelijke huisgenoot zolang ze maar op de bank mocht zitten en regelmatig te eten kreeg, maar ze was ook onafhankelijk en genoot van haar eenzame ochtenden. Dan slenterde ze om The Row heen en ging naar de tuinen van Paradise.

Nadat hij het bericht van Rafe had gehoord, bedacht Bruno dat een wandeling hun waarschijnlijk allebei zou goeddoen. Het vooruitzicht dat Joss later zou komen, leidde hem nu al af van zijn werk en opnieuw dreigde de wereld van St Meriadoc die andere wereld te verdringen, waarin hij het liefst verkeerde. Met een beetje geluk zouden de creatieve sappen na een wandeling weer gaan stromen. Bovendien wilde hij Mutt zien.

Emma was alleen op Paradise. Ze zei dat Mousie naar Polzeath was gegaan om boodschappen te doen en later zou terugkomen.

'We mogen van geluk spreken dat we haar hebben,' zei ze. 'Joss doet haar best, maar ze moet de praktijk draaiende houden en die lieve oude Mousie heeft veel ervaring. Mutt lijkt vandaag kalmer, dat vinden we allebei, hoewel ze erg zwak is. De dokter komt straks. Ga maar naar haar toe.'

Hij ging de trap op, blij dat hij even met Mutt alleen kon zijn, en vroeg zich af hoe hij de heikele kwestie ter sprake moest brengen. Hij sloot de deur zacht achter zich en bleef even staan toen hij zag dat haar ogen waren gesloten. Het was diep ontroerend haar zo te zien liggen, kwetsbaar en klein in dat grote bed. Hij besefte dat hij haar altijd als een dappere, moedige vrouw had beschouwd: iemand die over Emma en hem waakte en hen begeleidde zoals haar dat het beste leek. Hij herinnerde zich haar zoals ze nog maar enkele maanden geleden was geweest, aan het eind van de zomer: ze ging nog met hem zeilen op de *Kittiwake*, werkte samen met Rafe in de tuin, wandelde over de kliffen en door de vallei. Hun her en der wonende buren en vrienden hadden een beetje ontzag voor haar, want ondanks haar hartelijke aard had ze de neiging hen op afstand te houden. Hij had echter ook een andere kant van haar gekend: ze had een groot gevoel voor humor, was kwetsbaar en oordeelde mild over menselijke tekortkomingen. Ze had voor iedereen gezorgd: voor zijn grootvader, voor tante Julia, voor oude Dot en voor Jessie Poltrue. Paradise en de vallei zouden leeg lijken zonder Mutt.

Hij probeerde zijn emoties te verbergen, liep naar het bed toe, knielde naast haar neer en drukte een kus op haar zachte rimpelige voorhoofd. Hij pakte haar hand, hield die stevig vast en schudde er zachtjes aan alsof hij haar aandacht wilde trekken. Ze draaide haar hoofd langzaam op het kussen en keek hem smekend aan.

'Alles was voor Emma en jou.' Hij boog dichter naar haar toe om haar zwakke stem te verstaan. 'Maar nu wil ik dat Joss Paradise krijgt.'

'Staat het zo in je testament, Mutt?' vroeg hij. 'Dat moet ik weten. Heb je duidelijk aangegeven wat er met het landgoed moet gebeuren?'

Ze fronste haar wenkbrauwen alsof ze zich iets herinnerde. Ze mompelde en wendde haar ogen af alsof ze hem niet langer recht kon aankijken. 'Ik ben dom geweest.' Ze haalde onregelmatig adem. 'Vergeef me.'

Haar verschrompelde lippen trilden van verdriet en hij klemde zijn eigen lippen op elkaar toen hij haar zag vechten tegen de pijn die haar blik vertroebelde. Hij kon het niet over zijn hart verkrijgen haar nog meer te vragen.

'Er valt niets te vergeven,' zei hij resoluut. 'Bedenk hoe gelukkig we zijn geweest, wij allemaal. Jij hebt ons als familie bij elkaar gehouden.'

Er kwamen tranen onder haar dunne oogleden vandaan en ze hield zijn hand stevig vast. 'Ik weet dat je voor hen zult zorgen,' fluisterde ze moeizaam. 'Maar ik wil graag dat Joss Paradise krijgt.'

Hij boog naar voren om haar een kus te geven. 'Ik beloof dat ik voor Joss zal zorgen,' zei hij duidelijk, met zijn lippen vlak bij haar oor.

Voordat ze antwoord kon geven, ging de deur open en kwam Emma binnen. Bruno ging op zijn hurken zitten toen Emma het bed naderde. Hij liet de magere hand los, stond op en liep naar het raam.

'Ze moet nu rusten.' Enkele tellen later kwam Emma bij hem staan en zei zacht: 'Ik ga straks wel een tijdje bij haar zitten. Zullen we naar beneden gaan om eerst een kop thee te drinken?'

Hij liep achter haar aan naar de keuken, maar wist dat hij, in zijn huidige stemming, onmogelijk gezellig met haar kon gaan zitten theedrinken.

'Vind je het goed als ik ga?' vroeg hij. 'Ik moet nog met Nellie wandelen en ik wil graag nog even werken, maar na het avondeten is er genoeg tijd om te kletsen.'

Ze reageerde meteen: natafelen met Bruno was ontzettend belangrijk voor haar.

'Misschien ben ik wat later,' waarschuwde ze. 'Ik weet niet hoe laat Mousie terugkomt en ik heb beloofd op haar te wachten, zodat we samen nog iets kunnen drinken.'

'Dat geeft niet,' zei hij. Hij wilde gewoon graag weg om in zijn eentje na te denken. 'Maakt niet uit hoe laat. Kom, Nellie.' Bij de deur bleef hij staan, zich opeens bewust van Emma's angsten en zorgen. 'Red je het alleen?' vroeg hij.

'Natuurlijk.' Ze vond zijn bezorgdheid ontroerend. 'Ik vind het eigenlijk wel prettig om hier in mijn eentje te zijn. Het is zo vredig en ik luister graag naar de stilte. Ik weet dat het onwaarschijnlijk klinkt,' zei ze, waarbij ze een gek gezicht trok, 'maar als het moet, kan ik best een uur alleen zijn. Vooral hier. Ik stel me graag voor dat Joss hier woont – ze woont er nu natuurlijk ook al – maar Paradise is haar natuurlijke thuis, vind je niet?'

'Zeker,' antwoordde hij abrupt.

Hij bukte zich en kuste haar op de wang. Daarna ging hij vlug weg. Ze zag hem met grote passen over de oprijlaan lopen, terwijl ze zich verbaasde over dit ongebruikelijke vertoon van genegenheid.

Ze dacht: hij is van streek door hoe Mutt eruitziet. Ik denk dat hij even alleen wil zijn om het te verwerken.

Ze ging weer naar binnen en liep de trap op naar haar moeder.

Maar Bruno dacht niet aan Mutt. Hij herinnerde zich weer dat Emma hem dertig jaar geleden had voorgesteld aan de jonge Raymond Fox. Terwijl hij het klifpad op klom, en Nellie ver voor hem uit rende, zag hij weer voor zich hoe ze toen had gekeken: trots, maar ook nerveus. Ze had haar kin in de lucht gestoken alsof ze wilde zeggen: alles wat jij kunt, kan ik beter.

Het is een warme juniavond en de grote ramen staan open naar de opkomende zee. Het strakke oppervlak glanst en iriseert als een pauwenveer. Met zijn tandenloze mond zuigt de zee aan de rotsen beneden en mompelt ertegen. De kamer baadt in gouden licht en is vol heerlijke frisse lucht. Bruno is onhandig in de weer met een schaal olijven. Hij wou dat Zoë kwam en kijkt voor de derde keer op zijn horloge. Hij heeft zelf voorgesteld dat Emma en Raymond naar The Lookout komen. Onbewust heeft Bruno het zo geregeld dat deze ontmoeting voor hem een thuiswedstrijd is. Afgaande op Emma's omschrijving van Raymond Fox, die twaalf jaar ouder is dan zij, moet hij geweldig zijn. Hij is al junior partner bij een bedrijf van effectenmakelaars in de stad, heeft een zeer gewild herenhuis in Henley geërfd en bezit een appartement in Londen.

Bruno's korte aanstelling bij de marine zit erop en zijn eerste boek verkoopt goed. Hij hoeft zich dus niet minderwaardig te voelen tegenover iemand met een dergelijke reputatie. Toch hangt er een wedstrijdachtige sfeer. Sinds hij met Zoë is getrouwd, is het net alsof Emma het gevoel heeft dat ze zijn status moet evenaren, maar de harmonie tussen hen wordt verstoord doordat er vijandschap tussen de twee vrouwen bestaat. Terwijl hij voor zichzelf iets te drinken inschenkt, hoort hij hun stemmen: Emma heeft een lichte stem en is een beetje buiten adem – ze is vast zenuwachtig, denkt hij – en hij hoort ook een aangename baritonstem die de hare afwisselt: gelijkmatig, kalm, zelfverzekerd.

Hij laat hen zelf binnenkomen. Emma loopt voorop, roept vanuit de keuken en even later zijn ze er. Met rode wangen, het gevolg van een vreemde mengeling van trots en opstandigheid, stelt ze hen aan elkaar voor, terwijl Raymond zijn grote vierkante hand uitsteekt. Zijn knappe gezicht is vreemd uitdrukkingsloos alsof het uit bruin hout met her en der een knoestje is gesneden. Er lopen al diepe rimpels van zijn neus naar zijn kin en zijn lichtgrijze ogen kijken waakzaam. Hij straalt eigendunk uit en Bruno stelt met kinderlijk genoegen vast dat hij een paar centimeter langer is.

'Leuk huis,' zegt Raymond, terwijl hij naar het raam loopt. 'Maar zeker wel vochtig in de winter?'

'In Cornwall is het overal vochtig,' antwoordt Bruno kil, 'of het nu zomer is of winter. Er groeien ongelofelijk veel verschillende soorten paddestoelen op het schiereiland.'

Hij schenkt zoals gebruikelijk gin in voor Emma en houdt de fles vragend op naar Raymond.

'Heb je whisky?' vraagt Raymond joviaal – alsof hij betwijfelt of Bruno daar beschaafd genoeg voor is – en Bruno schenkt malt whisky in een tuimelglas. Zijn mond is verwrongen tot een streep van ergernis. Emma neemt haastig het woord, dwingt Raymond het uitzicht te bewonderen, terwijl hij inschikkelijk maar bezitterig naar haar glimlacht. Bruno krimpt ineen van gêne.

'Het is wel een erg smalle inham, hè?' merkt Raymond op. Hij nipt van zijn glas en kijkt naar beneden. 'Het lijkt me lastig om hiervandaan te zeilen.'

'Dat klopt,' antwoordt Bruno. 'Andere nadelen buiten beschouwing gelaten, liggen er zeer gevaarlijke rotsen pal tegenover de ingang.'

'Zonde.' Raymond fronst kritisch zijn wenkbrauwen: hij heeft al een minpunt ontdekt voor de financiële levensvatbaarheid van St Meriadoc.

'Niet echt.' Bruno schiet in de verdediging. 'We weten precies waar ze liggen.'

'Hm, maar het is ongunstig voor vakantiegangers. En je hebt ook geen echt strand, hè?'

'Er komen hier geen toeristen. Het is een privé-vallei.' Bruno hoort hoe snobistisch dat klinkt, maar kan er niets aan doen. 'Wij wonen hier.'

'Hm,' zegt Raymond weer. 'Je zou aardig wat geld kunnen verdienen als je die oude werf zou slopen en er een hotel zou neerzetten...'

Op dat moment maakt Zoë haar opwachting, komt de trap af, gaapt een beetje en neemt met haar zwarte ogen het tafereel in zich op. Ze loopt op blote voeten, heeft een overhemd van Bruno aan en verder niet veel. Ze ziet eruit alsof ze net uit bed komt en oogt ontzettend sexy: in dit gezelschap is ze net een roofdier, een ervaren tijgerin die ineens in een nest met huiskatten is neergezet. Emma begint nukkig en boos te kijken, Raymonds handen gaan automatisch naar zijn stropdas en Bruno grinnikt inwendig. Hij kan er gewoon niets aan doen.

'Hallo, schat,' zegt hij. 'Zo te zien ben je helemaal klaar voor het diner.'

Zoë's ogen glijden over Emma's mooie jurk en Raymonds deftige pak en hoewel ze niets zegt, voelt Emma zich meteen slonzig en heeft Raymond het idee dat hij te opzichtig gekleed is. Hij doet echter een stap naar voren, voelt zich niet uit het veld geslagen door haar blik en stelt zich voor.

'En ik weet wie jij bent,' voegt hij er speels aan toe, hoewel ze niet de moeite heeft genomen te zeggen hoe ze heet.

Ze loopt bij hem vandaan en pakt het glas aan dat Bruno voor haar heeft ingeschonken. 'Dat weet iedereen,' zegt ze onverschillig. 'Schat, je had niet gezegd dat we er op ons paasbest uit moesten zien.'

Emma kijkt haar aan. 'Je was toch niet van plan om zo aan tafel te gaan?' Ze lacht, maar het klinkt geforceerd. 'Zoë toch! Mutt zou een rolberoerte krijgen. Dat weet je.'

'Natuurlijk niet,' zegt Zoë ongeduldig. 'Maar jullie zien er nogal deftig uit voor zo'n warme avond.'

Ze geeuwt, taxeert Raymond en komt tot de conclusie dat het niet de moeite waard is om met hem te flirten, zelfs niet om Emma dwars te zitten, en ze trekt een verveeld pruilmondje.

'Ik ga in bad,' zegt ze, en ze druipt af met haar glas in de hand. Onderweg gaat ze even op haar tenen staan om Bruno een kus te geven. Met haar blote benen en een overhemd dat net lang genoeg is om voor fatsoenlijk door te gaan, weet ze wat voor indruk ze maakt. Ze kan het niet laten om even achterom te kijken of ze inderdaad zo reageren als ze had gedacht.

'Schiet op.' Bruno duwt haar, nog steeds geamuseerd over haar optreden, in de richting van de trap en is dankbaar voor de afleiding, die een ruzie tussen hem en zijn wellicht toekomstige zwager heeft weten te voorkomen. Hij voorziet problemen.

'Je kunt niet met hem trouwen,' zegt hij later tegen Emma.

'Mutt vindt hem erg aardig,' zegt ze koppig. 'Ze vindt hem betrouwbaar en stabiel.'

'Betrouwbaar?' Hij schudt vol ongeloof zijn hoofd. 'Doe me een lol, Emma.'

'Wat is daar mis mee?' reageert ze stekelig 'Waarom vind je hem niet aardig?'

'Omdat hij niet van iemand kan houden,' antwoordt hij na een tijdje. 'Hij kent geen echte warmte. Je moet je in een huwelijk emotioneel veilig voelen, Emma.'

'Zoals Zoë en jij?'

Ze kan het niet laten een bijtend weerwoord te geven: het is een verbitterde schimpscheut, maar hij getuigt van een scherp observatievermogen en Bruno weet niets terug te zeggen.

12

Het was donker tegen de tijd dat Joss terugkwam in St Meriadoc. Ze was later dan anders omdat ze aan het eind nog een extra afspraak had ingepland: een boer die klaagde over lage rugpijn. Hij was nog nooit bij een orthopedist geweest en toen ze hem naar binnen riep, keek hij schaapachtig en wantrouwig. Ze had hem aan het kleine bureau laten plaatsnemen, had met hem gepraat om hem op zijn gemak te stellen en langzaamaan was het verhaal er in vlagen uit gekomen.

'Het gebeurde een dag of tien geleden toen ik een oude ooi wilde pakken. Ik voelde het gebeuren, maar kon er niets tegen doen. Ik heb een warm bad genomen en op zich geen slechte nacht gehad, al lag ik niet echt lekker. Het werd wel wat beter, maar ging niet over. Gisteren draaide ik me om in de Land Rover om mijn jas te pakken en toen begon de ellende opnieuw.'

Ze had aandachtig naar zijn verhaal geluisterd en een paar vragen gesteld. Zat de pijn rechts in zijn onderrug? Had hij last van steken of een verdoofd gevoel? Straalde de pijn uit naar zijn been? Als dat niet het geval was, werd het probleem waarschijnlijk niet veroorzaakt door een tussenwervelschijf. Hij had het vervelend gevonden dat hij zich moest uitkleden en alleen zijn ondergoed mocht aanhouden. Ze had vriendelijk uitgelegd dat ze de bewegingen van de wervelkolom moest kunnen zien, maar dat hij daarna zijn overhemd weer aan mocht. Ze kon werken met één laag kleding ertussen – meer niet – en omdat hij zich daardoor prettiger voelde, was hij algauw zo ontspannen dat ze de conditie van het onderhuidse celweefsel en de beweeglijkheid van de gewrichten kon beoordelen. Terwijl ze aan het werk was, werd duidelijk dat hij, toen hij het schaap probeerde te pakken, de laagste segmenten van zijn wervelkolom overbelast had. Als gevolg daarvan waren de spieren verkrampt om verdere schade te voorkomen. Uiteindelijk voelde hij zich na massage, passieve mobilisatie om de bewegingsbeperking op te heffen en wat manipulatie een stuk beter.

Zijn verlegenheid verdween tijdens de behandeling. Joss had geleerd te praten tijdens haar werk om zo meer te weten te komen over haar patiënten, zodat ze een holistische aanpak voor hun herstel kon volgen. Ze vormde zich graag een beeld van wat voor mensen het waren en hoe ze in hun omgeving pasten om hen zo, indien nodig, op vriendelijke wijze te doen inzien en leren accepteren dat ze hun leven in balans moesten brengen.

Deze holistische benadering had haar het meest aangetrokken in het werk. Daar kwam nog bij dat ze een jonge vriend, die bijna verlamd was nadat hij van een paard was gevallen, geleidelijk zag opknappen dankzij de behandelingen van een orthopedist in Maidenhead. De opleiding van Joss, en nu haar praktijk, bevestigden deze overtuiging steeds opnieuw en dat gaf haar energie. Op haar eigen manier gaf ze de samenleving terug wat haar vader genomen had door zijn hele leven krenterig en bekrompen te zijn.

Nu ze over de smalle weg naar St Meriadoc reed, gniffelde ze toen ze terugdacht aan hoe de boer had gereageerd op de manipulatie. Aanvankelijk keek hij geschrokken, maar daarna lachte hij bijna vrolijk bij het horen van de klikken. Hij maakte graag een volgende afspraak. De komende twee weken moest hij waarschijnlijk nog een paar keer behandeld worden, maar als bij de volgende afspraak zou blijken dat het probleem inmiddels vanzelf was opgelost, was het ook goed. Joss dacht regelmatig aan een zinnetje dat ze tijdens haar opleiding vaak te horen had gekregen: zoek de oorzaak, doe er iets aan en laat het met rust.

Ze parkeerde de auto en realiseerde zich met een schok dat George er was. Haar gevoel van voldoening over een dag lekker gewerkt te hebben maakte plaats voor bezorgdheid. Ze stapte stilletjes uit de auto en deed het portier zo zacht mogelijk dicht omdat Rafe of Pamela anders zou verschijnen. Toen ze de weg overstak en het pad naar The Lookout op klom, hield ze zichzelf voor dat dit nergens op sloeg. Wat er ook tussen George en Penny speelde, zij had niets gedaan waarvoor ze zich moest schamen. Toch werd ze achtervolgd door onrust en ze was blij toen ze het licht als een baken uit het grote vooruitstekende raam zag schijnen.

Bruno schonk een glas wijn voor haar in. Plotseling op haar gemak ging ze in de houten schommelstoel zitten. Ze voelde zich precies hetzelfde als in de slaapkamer van Mutt: ze had het idee dat ze waren afgesneden en bevrijd van de dagelijkse beslommeringen. Ze slaakte een diepe zucht en stak een voet uit naar Nellie, die op haar rug voor de haard lag en er net zo soepel en slap uitzag als een buigzaam speeltje.

'Leuke dag gehad?' vroeg Bruno. 'Heb je de slag al te pakken?'

Ze glimlachte dankbaar naar hem. Hij wist dat ze er aanvankelijk over in had gezeten dat ze zo langzaam werkte. Zelfs na bijna twee jaar trok ze in haar eigen praktijk nog steeds een uur per consult uit, zodat ze tijd had om zich een beeld van de patiënt te vormen – algemene gezondheid, beroep, familiebanden – en alle details te weten te komen voordat ze met het onderzoek begon en op deze manier hoefde ze zich niet te haasten. Als assistent werd ze gedwongen sneller te werken. Ze had op dit moment dan ook het gevoel dat ze van beide werkwijzen de voordelen meepikte.

'Het gaat al beter,' zei ze tegen hem. 'Dat ik in Bodmin maar een halfuur per patiënt krijg, geeft me zelfvertrouwen. Ik leer bijvoorbeeld om de gegevens van de ene patiënt van me af te zetten, voordat ik de volgende patiënt uit de wachtkamer haal. Ik denk dat ik inmiddels iets efficiënter werk. Ik heb patiënten die bij mij komen omdat anderen me hebben aanbevolen, dus ik zal toch wel iets goeddoen.'

Hij ging op de bank zitten. Nellie sprong meteen elegant naast hem en vlijde zich tegen hem aan. Joss schommelde heen en weer en genoot van de koude sancerre.

'Je ziet er tevreden uit,' merkte Bruno op, terwijl hij zijn glas naar haar ophief.

Joss dacht erover na. 'Dat ben ik ook,' beaamde ze. Zo te horen verbaasde dat haar. 'Ik ben gewoon dol op mijn werk. Wat lach je nou?'

Hij schudde zijn hoofd. 'Niets. Ik moest denken aan een gesprek dat ik eerder vandaag met Emma had over de voordelen van hard werken.'

'Mama heeft eigenlijk weinig kans gekregen,' zei Joss snel, alsof ze het voor haar opnam. 'Ze is jong getrouwd en papa wil dat ze continu beschikbaar is. Er zijn altijd veel sociale verplichtingen in Londen. Volgens mij vindt mama dat gedeelte wel leuk.'

'Ik dacht er alleen aan,' zei hij vriendelijk. 'Het is geen kritiek.'

'Dat geloof ik wel, maar er zijn tijden geweest dat ze... rusteloos was. Die omschrijving komt waarschijnlijk het dichtst in de buurt. En dan vraag ik me af of het misschien beter voor haar was geweest als ze zich over andere dingen druk had kunnen maken en niet alleen over papa en mij.'

Ze zwegen een tijdje en er hing een gemoedelijke stilte. Ze keken naar de vlammen die oplaaiden en doofden, terwijl Billy Holiday op de achtergrond met hese stem 'No more' zong en een bitterzoete melancholieke sfeer creëerde. Bruno had een grote cd-collectie van blueszangeressen: Bessie Smith, Ella Fitzgerald, Lena Horne, Dinah Shore. Hij vond ze allemaal geweldig en draaide de cd's na het avondeten als hij nadacht over zijn personages en de werelden die ze bewoonden, en opging in hun gezelschap.

Joss luisterde naar de knarsende sexy stem en vroeg zich af hoe het kwam dat als je verliefd was het net leek alsof ieder liefdeslied speciaal voor jou was geschreven.

'Kan ik je iets te eten aanbieden nu je plannen voor het avondeten zijn gewijzigd?' vroeg Bruno uiteindelijk. 'Of ga je naar huis, naar Emma en Mousie?'

'Dat denk ik wel anders vraagt mama zich af waar ik blijf.' Haar gezicht betrok. 'Sorry van dat bericht, Bruno. Je zult je wel hebben afgevraagd waar het op sloeg.'

Hij haalde zijn schouders op. 'Een beetje. Rafe klonk uit zijn doen. Ik begreep eruit dat George een probleem heeft. Het zal wel met Penny te maken hebben.'

Joss staarde in de vlammen, terwijl hij peinzend naar haar keek. Ze was knap om te zien, wat excentriek, en deed precies waar ze zin in had. Van jongs af aan had ze een aparte smaak gehad: een mengeling van plattelandse bohème die Bruno mooi vond. Ieder ander zou er belachelijk uitzien in de bruingrijze ribfluwelen blouse die over een lange antracietkleurige gestreepte flanellen rok met geborduurde randen hing. Bovendien droeg ze er leren enkellaarzen onder, maar Joss straalde nonchalante elegantie uit en zag er apart en bijzonder uit.

'Het punt is,' zei ze opeens, 'dat Penny terug wil naar Nieuw-Zeeland. Ze mist haar familie ontzettend en de komst van de baby heeft dat verlangen alleen maar aangewakkerd in plaats van dat het George en Penny dichter bij elkaar heeft gebracht. Ze is erg depressief sinds de geboorte van Tasha en ze wil gewoon in haar vertrouwde omgeving zijn. Daar kan ik best inkomen. Jij niet dan?'

'Zeker,' zei Bruno meteen. 'Als je verdrietig bent of pijn hebt, ben je het liefste thuis. Misschien zijn George en Penny nog niet lang genoeg bij elkaar om haar het gevoel te geven dat dat thuis bij hem is.'

'Tja, hij zit vaak op zee en ze kennen elkaar pas twee jaar.' Het bleef even stil. 'En er is nog iets,' voegde ze eraan toe.

'Dat dacht ik al,' zei hij.

Ze keek hem vlug aan. 'Je hebt het geraden, hè? Ik vroeg het me al af na die keer dat je ons in de vallei bij de Saint's Well had gezien, maar het zit anders dan je denkt.'

'Ik heb helemaal geen duidelijke ideeën.' Bruno dronk zijn glas leeg. 'George en jij hebben het altijd erg goed met elkaar kunnen vinden. We kwamen net al tot de conclusie dat je in moeilijke tijden bij oude vrienden aanklopt, bij mensen die je vertrouwt.'

'Hm.' Ze keek hem niet aan en haar stem klonk neutraal. Bruno wachtte, terwijl hij het lege glas tussen zijn vingers ronddraaide en het warme zware gewicht van Nellie troostrijk tegen zich aan voelde. 'Het is meer dan dat.'

Bruno glimlachte en vermoedde dat Joss vanwege de eerlijkheid die haar eigen was huichelarij niet zou toestaan. 'Je bent me geen verklaring schuldig,' zei hij vriendelijk. 'Het is iets tussen George en jou.'

Ze begon opnieuw: 'Het punt is dat ik van hem hou. Ik hou zielsveel van hem. Ik heb geprobeerd me ertegen te verzetten, maar dat lukt niet. Ik heb nooit een poging gedaan hem onder druk te zetten, als je snapt wat ik bedoel. Ik heb alleen geluisterd.' Ze keek hem gespannen aan. 'Dat mag toch wel?'

Hij grinnikte naar haar en trok zijn wenkbrauwen op. 'Dat hangt ervan af hoe je hebt geluisterd,' zei hij.

Ze lachte, wat zijn bedoeling was geweest, trapte met haar tenen haar laarzen uit, trok haar benen op de stoel en sloeg de zachte stof van haar rok om haar enkels. Bruno herkende het gebaar: hij had het Emma en Zoë zo vaak zien doen. Het was tijd voor ontboezemingen.

'Je hebt helemaal gelijk,' gaf ze toe, terwijl haar vingers door haar glanzende bruine haar gleden. Haar lichaam was ontspannen door de wijn, en de warmte en het medeleven dat ze naar zich toe voelde stromen bemoedigde haar. 'Ik wilde volledig onpartijdig zijn, maar ik moet toegeven dat ik altijd zijn kant heb gekozen. We waren het erover eens dat Penny het zwaar had, dat ze tijd nodig had om te wennen, dat ze eenzaam is als George er niet is, maar al die tijd wilde ik eigenlijk zeggen: "George, als ze echt van je houdt, lukt het haar wel." Ik heb de woorden nooit uitgesproken, maar ze klonken door in mijn antwoorden.'

'Verdenk je George ervan dat hij zijn aandacht van Penny naar jou heeft verlegd?'

Ze schudde haar hoofd en zweeg even. 'Ik denk dat George van me houdt,' antwoordde ze eerlijk. 'Maar hij zou niets met die gevoelens hebben gedaan als Brett niet opnieuw in beeld was gekomen.'

Bruno stond op, gooide twee houtblokken op het vuur, pakte de fles van tafel en schonk hun glazen bij.

'Ik kan het niet meer volgen,' zei hij, toen hij weer ging zitten. 'Wie is Brett?'

Joss legde het uit. 'En nu wil Penny weg. Het is echt vreselijk. Diep vanbinnen roept een stemmetje "Hoera!" en ik steek stiekem triomfantelijk mijn vuist in de lucht omdat dit betekent dat we samen kunnen zijn, maar het is erg ingewikkeld. Wat gebeurt er met Tasha? Rafe en Pamela zullen erg aangeslagen zijn. George zit in een heel netelige positie. Hij heeft tegen Penny gezegd dat hij mee wil naar Nieuw-Zeeland en het opnieuw wil proberen, maar Penny is onvermurwbaar. Hij kan zijn kind toch niet laten gaan? Maar aan de andere kant: hoe kan hij haar hier houden?' Ze zuchtte. 'Ik vermoed dat Penny de knoop heeft doorgehakt en dat hij daarom is gekomen. Kun jij je iets voorstellen wat erger is dan je ouders dit te moeten vertellen?'

Ze wierp een blik op Bruno, zag dat hij erg somber was en keek op haar horloge.

'Tjonge,' zei ze. 'Is het al zo laat? Mama staat doodsangsten uit. Ik moet gaan. Niet verder vertellen, hoor. Beloof je dat, Bruno?'

'Natuurlijk,' antwoordde hij ongeduldig, terwijl hij opstond om met haar mee te gaan naar buiten. 'Wil je dat ik meeloop naar Paradise?'

'Nee, dat hoeft niet. Het is een heldere avond. Het is niet echt donker. Het lukt wel. Bedankt.'

Ze ging op haar tenen staan om hem een kus op zijn wang te geven en hij zag haar weglopen, opgeslokt worden door de schaduwen, waarna hij zich omdraaide en het huis in liep. Hij ging weer zitten en boog zich naar voren om de pook te pakken. Het was net of er andere stemmen weerklonken in de schaduwen.

'Ik kan het net zo goed verklappen: ik ben zwanger.'

'Ik krijg een baby. Geweldig, hè?'

Hetzelfde nieuws, maar o, wat werd het anders gebracht. Bruno prikte zo woest naar de houtblokken dat de vonken ervan afvlogen en uiteenvielen tegen de zwartgeblakerde stenen van de brede schoorsteen. Bruno liet de pook zakken, leunde achterover tegen de bank, pakte zijn glas en sloot zijn ogen.

13

'Ik kan het net zo goed verklappen: ik ben zwanger.' Zoë's stem klinkt toonloos. Ze trekt haar ochtendjas strakker om zich heen, terwijl ze in de schommelstoel zit en haar ene knie over haar andere heeft geslagen. Haar zwarte haar, dat meestal mooi glanst, is futloos en haar blote benen en voeten zien er graatmager en knokig uit.

Bruno gaat op de rand van de bank zitten, met zijn ellebogen op zijn knieën en zijn handen ineengeslagen.

'Dat is geweldig,' zegt hij aarzelend. Hij houdt zijn eigen vreugde in vanwege de uitdrukking op haar gezicht en haar sombere stem. 'Het is fantastisch.'

'O ja?' Ze heft haar hoofd op en kijkt hem aan. Ze straalt bijna minachting uit. 'Voor jou misschien, voor mij niet.'

'Waarom niet?' Hij wil naast haar neerknielen en zijn armen om haar heen slaan, maar hij weet hoe Zoë is als ze zo'n bui heeft. 'Waarom zou het voor jou niet ook geweldig zijn?'

Hij bedenkt opeens dat ze misschien bang is en hij heeft diep medelijden met haar. In het afgelopen jaar heeft het dunne laagje van haar populariteit zijn glans verloren – een blond Brits filmsterretje dat populair was in speelfilms uit het eind van de jaren zestig wordt nu vaak gevraagd – en om zichzelf te beschermen heeft Zoë zich een bijna onbeschaamde arrogantie aangemeten. Het is slecht voor haar trots dat Bruno's tweede 'broodboek' erg enthousiast wordt ontvangen en het begint er zelfs naar uit te zien dat hij op zijn vakgebied even succesvol zou kunnen worden als zij op het hare. Helaas vindt Zoë deze mogelijke gang van zaken geen opwindend vooruitzicht.

Al die gedachten schieten door Bruno's hoofd als hij naar haar kijkt en zich afvraagt wat hij kan zeggen dat haar eigendunk niet zal aantasten.

'Denk eens aan de publiciteit,' oppert hij. 'Je bent de eerste van jullie groep die moeder wordt. Veel belangstelling van de pers; alle bladen zullen een interview willen. De anderen hebben het nakijken. De fotografen zullen om je vechten, want zwangere vrouwen zijn erg sexy.'

Hij ziet dat ze er achter haar halfgesloten oogleden over nadenkt en probeert andere overredingstactieken te verzinnen die haar kunnen opbeuren. Er schiet hem een wrede opmerking te binnen: het is misschien een goed idee om een tijdje uit de schijnwerpers te blijven. Maar hij slikt die woorden in, evenals wat hij het liefst zou zeggen: misschien vind je het wel leuk om moeder te zijn. Blijf hier bij mij en laten we het proberen.

Het is onmogelijk gebleken Zoë's carrière voort te zetten vanuit The Lookout en daarom zijn ze vaak in hun appartement in Cranmer's Place, vlak bij King's Road. Bruno vindt St Meriadoc echter een veel vreedzamere plek om plots te bedenken voor zijn boeken en hij keert terug naar The Lookout om te schrijven. Zoë is er regelmatig te vinden, weg van de Londense drukte, al brengt ze wel vaak vrienden mee. Aanvankelijk werkt deze regeling heel goed, maar de laatste tijd komt ze steeds minder vaak.

'Waarom blijf je niet een tijdje hier?' vraagt hij voorzichtig. 'Gun jezelf vakantie. We kunnen vrienden te logeren vragen. Alvast wat feestjes organiseren omdat het over een paar weken kerst is.'

Hij biedt dit aan, omdat hij weet dat ze zich eind november na een paar dagen aan de noordkust van Cornwall begint te vervelen en rusteloos wordt, terwijl hij inwendig foetert dat dit uitgerekend gebeurt nu hij midden in een nieuw boek zit. Hij voelt zich schuldig, loopt langzaam naar haar toe, knielt voor haar neer en pakt haar handen.

'Doe het, schat,' zegt hij. 'Het wordt vast leuk.'

Hij buigt zich naar voren om haar te kussen. Haar lichaam is een broze bottenconstructie onder zijn handen en hij voelt een beschermende tederheid. Ze reageert even en klapt dan weer dicht, glimlacht naar hem en grijpt naar de onmisbare Sobranie. 'Schenk eens iets te drinken voor me in,' zegt ze. Ze krult zich weer op in de stoel en kijkt naar het haardvuur, terwijl ze haar sigaret aansteekt.

Hij schenkt wijn in, wenst dat dit eenvoudig was en dat ze het samen konden vieren. Even staat hij zichzelf toe aan de baby te denken en aan vader zijn. Zijn hart bonst van opwinding en angst bij het vooruitzicht en hij vraagt zich af of ze zo'n enorme verantwoordelijkheid wel aankunnen. Zijn handen trillen als hij de fles neerzet en de glazen pakt, en hij wordt overspoeld door blijde trots. Als hij haar een glas geeft, bukt hij zich om een kus op haar wang te drukken en ze glimlacht weer, knijpt haar katachtige ogen een beetje dicht. Ze trekt haar voeten onder de ochtendjas, gaat met haar vingers door haar korte haar, nipt van haar wijn en gooit as in de richting van de grote granieten haard.

'Het punt is,' zegt ze, waarbij ze haar stem vertrouwelijk laat klinken, 'dat ik een rol aangeboden heb gekregen in een film.'

Hij kijkt haar aan en probeert zijn ongenoegen te verbergen. Hij is niet jaloers, maar heeft vooral een gevoel van naderend onheil.

'Wat voor rol?' Hij let erop zijn stem neutraal te houden.

'Het is het bekende verhaal van een driehoeksverhouding maar dan met een soort wending. Het is eigenlijk een erg controversieel project. De man is homoseksueel en heeft een minnaar. De andere vrouw dient als camouflage, maar dat weten beide vrouwen niet. Het is heel zielig en laat zien in wat voor onmogelijke positie mensen verkeren die moeten verbergen wie ze werkelijk zijn. De vooroordelen en misverstanden worden in beeld gebracht.'

'Dat klinkt goed,' zegt hij oprecht. 'Goed script. Wie zou jij spelen?'

'De andere vrouw,' antwoordt ze, 'maar dit is de beginfase en ik kan er verder weinig over zeggen. De film wordt geproduceerd door een nieuwe filmmaatschappij die, volgens mij, nog flink aan de weg zal timmeren.' Ze aarzelt en kijkt hem niet aan. 'Je snapt dus wel dat ik op dit moment niet sta te juichen dat er een baby op komst is.'

Hij kijkt haar vol ongeloof aan. 'Maakt dat uit dan? Hoever ben je?' Hij kijkt naar haar magere gestalte. 'Hoeveel maanden?'

'Twee.' Ze kijkt nukkig en hij krijgt het opeens benauwd. 'Tegen de tijd dat we gaan filmen zie je het. Je weet hoe traag dat gaat met dit soort projecten. Ik kan het risico niet nemen.'

'Hoe bedoel je?'

Ze kijkt naar zijn boze witte gezicht en wendt haar blik af.

'Voor jou maakt het niet uit. Niets hoeft jouw carrière ooit in de weg te staan. Ik wil de mijne alleen nog niet opgeven. Ik wil de abortus niet door een of andere beunhaas laten doen. Je moet me helpen, Bruno.' Ze slaat een andere toon aan: vleiend, overredend. 'Alsjeblieft, schat, dit is heel belangrijk voor me. Misschien krijg ik nooit meer zo'n kans en een baby kan altijd nog.'

De erop volgende ruzie brengt zo veel schade toe aan hun relatie dat Zoë de volgende ochtend vroeg naar Londen vertrekt. Later zegt ze dat de zwangerschap vals alarm was, maar via vrienden hoort hij dat iemand haar heeft geholpen de baby te laten weghalen. De film wordt nooit geproduceerd – misschien vindt de censuurraad de film te mild of te ruim van opvatting – en met Zoë's filmcarrière loopt het net zo af als met hun baby.

Bruno praat er nooit meer over, maar als de jaren verstrijken en hij Joss en George ziet opgroeien denkt hij: mijn kind zou nu vijf, zeventien, tweeëntwintig zijn.

Een paar maanden later zegt Emma tegen hem: 'Ik krijg een baby. Geweldig, hè? Raymond loopt naast zijn schoenen van trots.' Bruno heeft het gevoel dat er iets scherps diep en pijnlijk in zijn binnenste wordt rondgedraaid. Voordat het volgende jaar voorbij is, heeft Zoë hem in de steek gelaten voor een minnaar, de eerste in een lange rij.

Tegen de tijd dat Emma samen met Mousie en Joss had gegeten en terugkeerde naar The Lookout, lag Bruno languit op de bank naar het *Strijkkwartet in F* van Ravel te luisteren, terwijl Nellie naast hem op de vloer lag te slapen.

'Hoe was het?' vroeg hij zonder op te staan. Hij hief een tuimelglas halfvol whisky min of meer als groet naar haar op, waarna hij het weer op zijn middenrif zette. 'Hoe gaat het met Mutt?'

Emma liet haar jas op een stoel vallen en ging in de schommelstoel zitten. Aan zijn stem hoorde ze dat hij een dip had, zoals ze dat allebei noemden, en ze vroeg zich af of hij eindelijk onder ogen had gezien dat Mutt misschien niet lang meer te leven had.

'De dokter is vandaag geweest,' zei ze. 'Die akelige infectie verzwakt haar en ze is vanavond verder achteruitgegaan. De dokter zegt dat ze misschien vocht achter de longen heeft, maar hij is ervan overtuigd dat ze het beste thuis kan zijn met haar familie in de buurt.'

Bruno duwde zichzelf overeind. 'Moet ik naar haar toe?' vroeg hij ongerust.

'Welnee,' zei ze met enige nadruk. 'Je bent vandaag toch bij haar geweest? Ze leek erg rustig en gelukkig nadat ze jou had gezien. Mousie zal haar inmiddels wel hebben klaargemaakt voor de nacht en Joss heeft beloofd te bellen als ze denkt dat het nodig is. Ik vond haar eigenlijk opmerkelijk helder. Is jou dat ook opgevallen? We hebben vandaag af en toe goed met elkaar kunnen praten, al was het steeds heel kort. Het verbaasde me dat ze zo veel vreemde dingen heeft onthouden. We gaan morgenvroeg wel samen naar haar toe.'

'Goed.' Hij zat een paar seconden voor zich uit te staren. 'Je zult wel erg trots op Joss zijn, Emma,' zei hij uiteindelijk. 'Het is een fantastische meid.'

Ze was blij met het compliment en wist nu de oorzaak van het probleem. Hij had regelmatig een dip als hij aan Zoë dacht en de baby die ze niet wilde krijgen. Haar eigen zwangerschap, zo kort na die van Zoë, had hem overvallen en hij had haar verteld over die avond. Hij had ook de ruzie beschreven die was gevolgd op zijn weigering mee te werken aan het laten doden van zijn eigen kind.

Emma herinnerde zich de schok die ze toen had gevoeld en wist nog dat ze automatisch haar handen beschermend over het nieuwe leven in haar buik had geslagen, alsof Zoë's reactie op een of andere manier een bedreiging vormde voor haar eigen baby. Bij het zien van dat gebaar had Bruno zich omgedraaid, zijn gezicht verwrongen van pijn, en ze had hem niet kunnen troosten. Ze was ontzettend boos en had erg met hem te doen en het had jaren geduurd voordat ze doorhad dat het geen zin had Zoë in een kwaad daglicht te stellen. Het belasteren van zijn ex-vrouw bood hem geen troost. Bruno bracht dan naar voren dat Zoë een moeilijk karakter had en dat ze daarmee worstelde: toen haar kinderjaren voorbij waren, was het onwaarschijnlijk dat ze ooit nog tevreden of gelukkig zou zijn. Nadat Bruno haar deze natuurlijke uitlaatklep voor haar woede had ontnomen, probeerde ze hem op andere manieren op te beuren, maar soms kon ze zich niet inhouden en dan barstte ze in woede uit.

'Het moet vreselijk zijn om zo in elkaar te zitten als Zoë,' was het enige wat Bruno dan zei. 'Houd erover op, Emma.'

'Jij zegt ook dingen over Raymond,' mopperde ze dan.

'Je hebt gelijk,' zei hij, en hij grijnsde naar haar. 'Het is vast ook vreselijk om zwager Fox te zijn.'

'Hij vindt het vervelend dat je hem zo noemt,' zei ze dan. 'Hij vindt het gemaakt klinken.'

'Hij verwacht van me dat ik gemaakt doe. Hij heeft een vooropgezette mening over een man die boeken schrijft en ik wil hem niet teleurstellen.'

Emma keek hem aan en wist niet hoe ze hem kon troosten. In plaats daarvan zei ze hartelijk: 'Ik ben ontzettend trots op Joss. Het is geweldig om haar bij Mutt te zien. Ik weet dat ik dit niet hoor te zeggen, Bruno, maar ik droom ervan dat Joss ooit op Paradise zal wonen. Ik blijf hopen dat ze iemand vindt met wie ze wil trouwen. Ze kan haar patiënten toch aan huis laten komen? Ze heeft geen buren met wie ze rekening hoeft te houden, er is voldoende parkeerruimte en ze zou de eetkamer als behandelkamer kunnen gebruiken. Die oude weg aan de achterkant van het huis zou weer in gebruik genomen kunnen worden, zodat patiënten niet door St Meriadoc hoeven te rijden.'

'Draaf je niet een beetje door?'

Ze keek schuldbewust. 'Ik wens Mutt niet dood, hoor. Natuurlijk niet. Het is trouwens ook haar droom.'

'Heb je enig idee wat er in haar testament staat?'

Emma schudde haar hoofd. 'Maar het was toch altijd al geregeld? Jij zou The Lookout krijgen en ik Paradise.'

'Misschien heeft Mutt daar andere ideeën over. Misschien krijg jij The Row en de werf.'

'Dat hoop ik niet,' zei Emma onwillekeurig. Ze wierp vlug een blik op Bruno, maar die boog naar voren om Nellie te aaien en keek niet naar haar. 'Dan krijgen we last met Raymond,' zei ze. Ze lachte een beetje en vatte het luchtig op. 'Je weet dat hij altijd heeft geroepen dat we die oude gebouwen moeten slopen, zodat we daar een hotel kunnen neerzetten.'

'Dat gaat ten koste van de levenskwaliteit van iedereen in The Row. Hij zal hij toch wel inzien dat dat geen optie is?'

'Ach, je kent Raymond. Hij denkt dat Rafe, Pamela en Mousie

net zo lief in een mooie nieuwe bungalow in Polzeath zouden wonen.' Ze zuchtte. 'Hij snapt het niet. Het lastige is dat hij nogal doordramt als hij eenmaal iets in zijn hoofd heeft. Ik ben het natuurlijk absoluut niet met hem eens en het zou onze relatie zeker geen goed doen.'

'Zou hij Paradise niet willen verkopen?'

Ze aarzelde. 'Waarschijnlijk niet zolang hij denkt dat Joss het huis krijgt. Als je het zo hoort, krijg je echt het idee dat het een rotvent is, maar je kent Raymond.'

'Zeg dat wel,' antwoordde hij nors. 'Ik heb het al eens eerder gezegd: het is niet aan hem om er nu of in de toekomst over te beslissen.'

'Dat weet ik,' zei Emma gepikeerd, 'maar zo eenvoudig ligt het niet. Als hij ergens zijn zinnen op heeft gezet, blijft hij doorgaan totdat ik er doodmoe van word. Al is dit natuurlijk iets anders,' voegde ze er haastig aan toe.

'Natuurlijk,' beaamde Bruno droog. Hij vond het tijd om het ergens anders over te hebben. 'Heb je George gezien?' vroeg hij nonchalant.

'Nee.' Ze was meteen afgeleid. 'Mousie denkt dat dit geen gewoon bezoek is.'

'Hoe dat zo?'

Emma trapte haar schoenen uit en trok haar benen onder zich op de stoel. 'Mousie denkt dat er problemen zijn tussen George en Penny...'

Hij liet haar praten en hoewel hij knikte, zijn wenkbrauwen optrok en de juiste antwoorden gaf, was hij in gedachten elders en de angst sloeg hem om het hart.

14

In bed liggend, elkaar vasthoudend om troost te zoeken, was Rafe uiteindelijk in slaap gevallen, terwijl Pamela naar zijn regelmatige ademhaling luisterde en zijn gelijkmatige hartslag telde. Haar gedachten schoten heen en weer, scherp als een naald door een borduurwerk, hier een gedachte vastmakend, daar een herinnering bevestigend. De avond was een kwelling geweest: nadat ze het probleem vanuit iedere invalshoek hadden bekeken, waren ze het er alle drie over eens dat het averechts zou werken erover door te praten en ze hadden geprobeerd het over andere dingen te hebben. Aan het begin van de middag was George gaan wandelen en hadden Rafe en zij, met stomheid geslagen van schrik en verdriet, in de keuken gezeten.

'Hoe ziet hij eruit?' had ze gevraagd.

'In gedachten verzonken,' had Rafe geantwoord, nadat hij er lang over had nagedacht. 'Hij is duidelijk van streek, maar tegelijkertijd houdt hij zich erg in.'

Hij had gezwegen en ze kon zich voorstellen hoe geconcentreerd hij keek, terwijl hij probeerde te beschrijven hoe hun zoon overkwam. Rafe had het altijd belangrijk gevonden zo veel mogelijk details te noemen, zodat ze zich niet buitengesloten zou voelen, en Pamela's blindheid had nieuwe perspectieven voor hem geopend.

'Beschrijf het,' riep ze dan. De vallei die geleidelijk groen werd en voorjaarskleuren kreeg, de zee op een stormachtige maanverlichte nacht, de lucht als de zon opkwam op een zomerochtend.

'Tja, alles is bleekblauw,' zei hij aarzelend, 'met vlagen schitterende kleuren. Weet je hoe het eruitziet vlak voordat de zon opkomt? Die oranje banieren die felle strepen door de lucht trekken? Nu ik goed kijk, zie ik naast oranje ook karmozijnrood en goud. En er zijn wat kleine witte schapenwolkjes. Eigenlijk zijn ze niet wit. Ze hebben een soort blauwige gloed en een groenige schaduw…'

Naarmate hij beter keek, zag hij meer en zijn hakkelende tong werd steeds bedrevener, schilderde welbespraakt taferelen voor haar, terwijl ze naast hem stond. Dit friste haar geheugen op en ze zag het weer voor zich, terwijl haar herinneringen werden verfraaid door zijn beschrijvingen. Ze was beter op geluiden gaan letten, op de wisselende structuur onder haar voeten, was zich bewust geworden van luchtstromen die aangaven of een deur openstond of de warmte van de zon die op een raam scheen waar ze langs liep. Na enkele pijnlijke incidenten hadden ze geleerd dat deuren altijd wijd open moesten staan of helemaal dicht moesten zijn en dat meubels op hun vertrouwde plek moesten blijven. Eten kon een gelukkige greep op een bord zijn of wat Rafe 'klokschikking' noemde.

'Worteltjes op twaalf uur, aardappels op drie, vlees op zes en broccoli op negen,' zei hij dan.

Wat ze het ergste vond, was dat ze de gezichten van haar familieleden niet kon zien en omdat hij haar graag wilde helpen, had Rafe zijn best gedaan om bij zulke gelegenheden haar ogen te zijn.

'Hij keek alsof hij er ontzettend van baalde,' had hij gezegd, zijn weerbarstige hoofd dwingend de gelaatsuitdrukking van zijn zoon te benoemen. 'Vernederd. Hij keek ook boos…'

Hij had gezwegen, was zich bewust van zijn tekortkomingen en wist dat Pamela talloze kleine details zou hebben opgemerkt die hem waren ontgaan. Ze had niets gezegd, had hem niet willen opjutten, wachtte op een bevestiging van de aanwijzing die ze eerder had opgepikt.

Rafe kreeg opeens inspiratie en riep: 'Hij zag er net zo uit als op zijn zeventiende toen Jeremy MacCann met één punt voorsprong die schoolquiz won en een toegangskaartje voor de rugbywedstrijd in Twickenham kreeg. Weet je nog dat Jeremy later toegaf dat zijn vader hem bij sommige vragen had geholpen? Hoewel George hevig teleurgesteld was omdat hij door dat ene antwoord had verloren en ook boos was omdat Jeremy vals had gespeeld, zei hij naderhand: "Ik kan het hem niet kwalijk nemen. Ik weet hoe belangrijk dit voor hem is. We zouden er allemaal veel voor over hebben om de wedstrijd van Army and Navy tegen Twickers te zien." Zo keek hij dus. Bedrogen en boos, maar ook vol begrip.'

Dit had haar gesterkt in haar overtuiging, want dat was ook haar eerste reactie geweest: dat George weliswaar vond dat hem onrecht was aangedaan, maar dat hij gek genoeg ook medeleven kon opbrengen voor Penny's dilemma. Ze had een gok gewaagd.

'Ik denk dat we er goed aan hebben gedaan Joss af te bellen, vind je niet?' had ze gevraagd, erop lettend haar stem neutraal te houden.

'Zeker,' had Rafe meteen geantwoord. Aan zijn stem hoorde ze dat hij geen verdenkingen koesterde. 'Het zou heel ongemakkelijk zijn geweest als iedereen probeerde te doen alsof er niets aan de hand was. Gênant voor George.'

'Denk je niet dat ze het al weet? George en Joss zijn altijd erg goed bevriend geweest.'

Ze had geluisterd terwijl hij hierover nadacht en zacht met het potlood, waarmee hij eerder een kruiswoordpuzzel had ingevuld, op de tafel tikte.

'Dat zou kunnen.' Het was voor hem duidelijk een nieuw idee. 'Ook als ze het al weet, vind ik dit geen geschikt moment voor een vrolijk familiediner.'

Pamela was opgelucht na het antwoord van Rafe. Als George een verhouding had met Joss was ze ervan overtuigd dat zelfs Rafe iets gemerkt zou hebben: los van elkaar en samen waren Joss en George hun hele leven al dit huis in en uit gelopen, maar Pamela geloofde niet dat je verliefdheid kon verhullen. Als ze minnaars waren geworden, zou ze aan een van de twee vast iets hebben gemerkt. Bovendien konden Joss en Penny goed met elkaar opschieten. Joss was de peettante van Tasha. Bij de gedachte aan haar kleinkind werd Pamela opnieuw overmand door verdriet.

'Wat moeten we doen?' had ze geroepen. 'Als Penny met deze man teruggaat naar Nieuw-Zeeland zullen we Tasha nooit meer zien.'

'We moeten het George niet moeilijker maken dan het al is,' had Rafe resoluut gezegd. 'Hij heeft in feite geen keus. Tasha moet bij haar moeder zijn en het heeft geen zin je schuldig te voelen omdat wij haar niet in huis kunnen nemen. Het zou gewoon niet eerlijk zijn ten opzichte van Tasha.' Het bleef even stil. 'George zal de vader toch wel zijn?'

'Rafe!'

'Als Penny al die tijd van die man is blijven houden...' zei hij geïrriteerd om zijn opmerking te verdedigen. 'George is vaak weg. Niet dan?'

'Jawel... Maar je zei toch dat Tasha op George leek?'

'Het kan best zijn dat ik dat heb gezegd,' had hij boos geantwoord, alsof ze had geprobeerd hem op een leugen te betrappen. 'Maar laten we eerlijk zijn: een baby van drie maanden lijkt toch niet duidelijk op de een of op de ander?'

Nu ze wakker lag in het donker vroeg ze zich af of George ook aan deze mogelijkheid had gedacht en ze had opnieuw medelijden met hem. Uitgeput door de emoties van de dag, getroost door de regelmatige ademhaling van Rafe en ontspannen door de warmte van zijn lichaam was ze uiteindelijk in een onrustige slaap gevallen.

Aan de andere kant van de overloop lag George languit op bed met wat kussens achter zijn hoofd. Hij had geen zin om zich uit te kleden en ook niet om in bed te gaan liggen. Het was net zo erg geweest als hij had verwacht, waarschijnlijk omdat hij het heel vervelend vond zich verdeeld te voelen en bang was dat zijn moeder zijn dilemma misschien doorhad.

'Is er een ander in het spel?' had ze gevraagd, en hoewel hij naar waarheid had geantwoord, had hij niet alles verteld. Maar hoe had hij Joss erin kunnen betrekken? Het enige wat er tussen hen was voorgevallen was een blik, het plotselinge besef dat hij naar haar verlangde, gevolgd door een gevoel van overweldigend verlies. Ongelofelijk dat hij verliefd was geworden op Joss, het speelkameraadje uit zijn jeugd, zijn verre achternichtje. In de vakanties waren ze onafscheidelijk geweest en de volwassenen waren geneigd hen als een eenheid te beschouwen. Het was altijd 'George en Joss' of 'Joss en George'. Terwijl zijn oudere broer en zus in hun kinderjaren en in de puberteit veel hadden gevochten en geschreeuwd – elkaar beconcurrerend, wedijverend om aandacht, vastbesloten de beste, de eerste en de sterkste te zijn – hadden George en Joss rustig rondgescharreld langs de zijlijn: ze hadden op de helling bij de Saint's Well hutten gebouwd, waren over warme holle wegen gefietst en hadden in het water tussen de rotsen van de smalle inham leren zeilen op de kleine Mirror-zeilboot.

George vervloekte zichzelf omdat hij er met zijn neus bovenop had gestaan en niets had gemerkt. Er was een onderbreking geweest, troostte hij zichzelf, toen hij naar de marineopleiding in Dartmouth was gegaan en Joss nog op school zat. Daarna volgde haar vierjarige opleiding en zat hij met zijn schip op zee. In die jaren waren ze elkaar uit het oog verloren. Hun jeugd was voorbij, maar er was nog niets voor in de plaats gekomen. De vonk was overgeslagen toen hij haar had geholpen met het uitruimen van wat ooit de opslagruimtes en kantoren van de werf waren geweest. Haar grootmoeder had gezegd dat Joss dit kleine huisje aan het eind van The Row mocht huren als ze het opnieuw inrichtte en bewoonbaar maakte. George was gekomen om haar te helpen, terwijl Penny, zes maanden zwanger, in het huis ernaast een middagdutje deed en zijn ouders aan het opruimen waren na de lunch. Hij had een oud bureau opgetild en het samen met Joss naar de deur gedragen toen het opeens uit elkaar viel en in een stofwolk vol houtworm op de vloer terechtkwam. Joss had hem gillend vastgegrepen. Ze hadden gebruld van het lachen en toen hadden ze elkaar aangekeken, terwijl ze elkaar nog steeds vasthielden, en er was een lange stilte gevolgd. Geschrokken waren ze allebei een andere kant op gelopen en ze hadden zwijgend verder gewerkt, totdat George zei dat hij beter kon gaan kijken of Penny al wakker was en Joss, zonder hem aan te kijken, had gezegd dat hij dat maar moest doen. Ze hadden elkaar een tijd zo veel mogelijk gemeden zonder dat de familie er iets achter zocht. Pas nadat Tasha was geboren, had hij Joss weer in vertrouwen genomen. Hij putte troost uit haar onopvallende aanwezigheid op de achtergrond van zijn leven. En nu?

George vloekte hardop, kwam van het bed af en begon zich met vlugge minimale bewegingen uit te kleden.

15

Toen het avondeten achter de rug was en Emma naar The Lookout was vertrokken, ruimden Joss en Mousie samen op. Mousie waste en Joss droogde en zette de spullen weg. Ondertussen namen ze de dag door. Joss moest aldoor gapen, waarbij de tranen uit haar ogen liepen, en Mousie legde meelevend haar arm om de schouders van Joss.

'Laat het bad vollopen en ga er een tijdje in liggen,' stelde ze voor. 'Zo te zien ben je doodmoe en dat verbaast me niets. Het is een lange dag geweest en mensen zijn erg vermoeiend, vooral mensen die pijn hebben. Ik zal je grootmoeder klaarmaken voor de nacht en dan kunnen jullie allebei uitrusten.'

Joss, die weer hard geeuwde, stemde dankbaar in met dit voorstel en omhelsde Mousie, waarna ze zich naar boven sleepte. Even later hoorde Mousie de badkamerdeur dichtgaan en water in het bad lopen. Ze ruimde de laatste dingen in de keuken op, ging naar de zitkamer om haar spullen te pakken en bleef even staan om de foto voorzichtig achter in haar grote tas te stoppen, zodat hij niet zou kreuken. Nadat ze de trouwfoto voor het eerst had gezien, had Emma andere fotoalbums uit de boekenkast in de salon gehaald en terwijl ze op de dokter zaten te wachten, hadden ze samen door de albums gebladerd.

'Oude foto's zijn erg triest,' had Emma met een zucht gezegd. 'Al die hoop en onschuld. En op een of andere manier zijn zwartwitfoto's aangrijpender, vind je niet?'

Kijkend naar een kiekje van Rafe en een jonge Pamela die glimlachte naar baby Olivia, kon Mousie haar alleen maar gelijk geven. Ze had zich afgevraagd of Emma tegen Joss over de trouwfoto zou beginnen en had een ondefinieerbare angst gevoeld, maar Emma had meer belangstelling gehad voor de komst van George, hoewel Joss te moe en gespannen leek om iets aan haar moeders speculaties toe te voegen. Nu ze haar leesbril pakte en om haar nek hing, wilde

Mousie dat ze wist waar die angst vandaan kwam, die met ijzige vingers om haar hart greep en haar nerveus maakte: het was iets van lang geleden, toen Mutt net in St Meriadoc was gearriveerd, en het had te maken met Mutts stille behoedzaamheid. Mousie haalde de brief van de jonge Amerikaan uit haar tas en keek ernaar. Wat was er met Madeleine Grosjean gebeurd?

Het was duidelijk dat de naam Emma niets zei, maar het drong opeens tot Mousie door dat Bruno hem misschien wel kende. Hij was nog maar vier toen het kleine gezin uit India vertrok, maar dat was oud genoeg om zich een vriendin van de familie te kunnen herinneren. Als ze hem de foto liet zien, kwam er misschien een herinnering boven. Weer een vlaag van angst. Ze kon de brief en de foto natuurlijk in de open haard gooien, dan zou het probleem uit de wereld zijn, maar ze vermoedde dat ze nog niet van de jonge Amerikaan af waren. Ze keek naar de handtekening onder de brief: Dan Crosby. Ze dacht aan de enthousiaste, hoopvolle blik op zijn gezicht en aan zijn kaaklijn: zo te zien was hij niet iemand die het snel opgaf. Misschien was het verstandiger om, voorzover dat mogelijk was, de waarheid te achterhalen. Dan waren ze tenminste voorbereid op zijn komst.

Ze dacht aan Mutt. 'Ik denk dat ze niet lang meer te leven heeft,' had de dokter haar in vertrouwen verteld. 'Hoewel er in deze fase een grenslijn is: ze kan beter worden of achteruitgaan. Je weet nooit van tevoren hoe het uitpakt, maar ik zie niets wat op vooruitgang wijst. In het ziekenhuis is ze niet beter af dan thuis en daarom vind ik dat ze hier moet blijven, thuis met haar familie in de buurt. Veroorzaak geen paniek – het kan nog dagen duren – en houd haar zo kalm mogelijk. U mag me altijd bellen.'

Misschien was het verkeerd geweest Emma terug te laten gaan naar The Lookout, maar ze had Emma en Bruno niet ongerust willen maken en ze konden nu allebei toch niets voor Mutt doen, behalve ervoor zorgen dat ze zich prettig en veilig voelde. Net zoals er gevoelsmatig een schim van onrust over het bezoek van Dan Crosby was gevallen, zo vond Mousie dat Mutt vanavond alleen gelaten moest worden met haar kleindochter. Toen ze dit besluit had genomen, ging ze naar Mutts slaapkamer.

De haard brandde zacht en het scherm scheidde het bed van de lamp, zodat het schemerig en rustig in de kamer was, maar Mutt was wakker en spande zich vol verlangen toen ze naar de deur keek, alsof ze iemand verwachtte. Mousie liep naar het bed en keek op haar neer. Al die oude gevoelens waren duidelijk aanwezig en drongen zich op aan haar bewustzijn. Er lagen vragen op het puntje van haar tong, maar bij het zien van de oudere, kwetsbare vrouw kreeg ze medelijden en ze stelde de vragen niet. In plaats daarvan zei ze: 'Ik zal je nu je medicijnen geven en ervoor zorgen dat je lekker ligt. Daarna ga ik naar huis, Honor. Vind je het goed als Joss alleen voor je zorgt?'

Ze zag dat de magere rechte schouders slap gingen hangen. De oude botten ontspanden zich alsof Mutt op een of andere manier opgelucht was en Mousie glimlachte ontdeugend toen ze het doseerbekertje aan Mutts lippen zette.

'Je bent zeker blij als je me ziet gaan? Ach, ik kan het je niet kwalijk nemen.' Ze legde haar weer tegen de kussens aan en controleerde of de enkel werd ondersteund. 'Je hebt vast schoon genoeg van mijn bazige gedoe en al die drukte van de afgelopen zes weken.'

'Nee, nee, dat is het niet.' Mutt stak een hand uit en Mousie pakte die. 'Bedankt voor alles, Mousie.'

Ze aarzelde alsof ze nog meer wilde zeggen en schudde toen haar hoofd, zichzelf deze luxe ontzeggend, maar ze keek ongerust en kneep harder in Mousies hand. Mousie dacht dat ze het snapte: Mutt en zij hadden hun gevoelens voor elkaar nooit erg openlijk getoond en het zou in deze late levensfase moeilijk voor haar zijn om duidelijk haar dankbaarheid of genegenheid te uiten. Toch had ze even het idee dat Mutt op het punt stond iets te onthullen en Mousie vroeg zich af of ze dat moest stimuleren.

'Ik wil jou ook graag bedanken,' zei ze tegen Mutt. 'Weinig mensen zouden tegenover mij en mijn familie zo gul zijn geweest als jij, Honor, of zouden ons tegen zo'n belachelijk lage huur in onze huisjes hebben laten wonen. Weet dat we je dankbaar zijn.'

Ze besefte dat het afscheidswoorden leken, alsof ze na vanavond misschien niet meer de kans zou krijgen deze dingen te zeggen, maar voordat ze wist hoe het verder moest, kwam Joss achter haar de kamer binnen. Mousie draaide zich opgelucht naar haar om. Het moeilijke moment was voorbij en ze zei dat ze naar huis ging. Ze gaf Mutt een kus en onder het toeziend oog van Joss ging alles weer gemakkelijk en vanzelf. Ze zei Joss gedag en ging de trap af.

Nu ze alleen was met haar grootmoeder werd Joss een beetje bang. Gek genoeg zag de oude vrouw er heel sereen uit, maar toch voelde Joss een soort naderend onheil. Nog voordat Mutt sprak, wist ze wat ze ging zeggen.

'Heb je de brieven gevonden, schat?'

Joss schudde haar hoofd, hoopte dat ze zich niet zou hoeven te houden aan haar belofte en wou dat Mousie niet naar huis was gegaan.

'In mijn bureau.' Ze sloot haar ogen weer. Joss aarzelde en Mutt deed haar ogen plotseling weer open. 'Geef me een kus voordat je gaat.'

Joss drukte een kus op Mutts droge lippen, probeerde haar onrust te verbergen en glimlachte naar haar grootmoeder.

'Ik kom terug zodra ik ze heb gevonden,' zei ze. 'Bel maar als u me nodig hebt.'

'Je bent een schat. Het is allemaal voor jou. Dat weet je toch?' Mutt klonk slaperig en ze leek dieper weg te zakken in de kussens. 'Ik wil dat jij Paradise krijgt.'

Joss bleef bij de deur staan, maar zo te zien viel Mutt in slaap. Toen liep ze verder en trok de deur zacht achter zich dicht. Ze ging langzaam de trap af, zag op tegen de taak die ze moest volbrengen, was huiverig voor wat ze zou vinden en liep door de gang naar de kleine salon. Het bureau-ministre, waar generaties Trevannions aan hadden gezeten om brieven te schrijven, stond pal voor het raam en Joss schoof de gordijnen voor de zwarte kille ramen, waarna ze op de versleten draaistoel ging zitten. In de onderste la links lagen catalogi – Mutt kocht de laatste jaren veel via postorderbedrijven – maar in de rechterla lagen beschadigde bruine mappen waar met ballpoint het woord 'schoolrapporten' op was geschreven. Op de eerste map stond *Bruno* en op de tweede *Emma*. Ze waren zo stevig onder in de la gestopt, dat ze moest trekken om ze eruit te krijgen. Eronder lag een stapel brieven. Sommige brieven waren keurig opgevouwen losse velletjes en andere zaten in enveloppen.

Met pijnlijk bonzend hart haalde Joss de papieren uit de la en legde ze op een stapel op het bureau. Ze herkende het handschrift van haar grootmoeder. Het waren dus geen liefdesbrieven, tenzij het Mutts eigen brieven waren die waren teruggestuurd. Joss wist niet wat ze moest doen. Ze probeerde niet naar de brieven te kijken, maar wist dat ze in ieder geval moest zien aan wie de brieven waren gericht, hoewel ze zich zelfs over deze kleine daad van nieuwsgierigheid erg schuldig voelde. Deze brieven waren een deel van Mutt: ze bevatten haar gedachten en maakten deel uit van haar geschiedenis. Zou Mutt willen dat ze de brieven vernietigde? Zou ze haar vragen de brieven te verbranden in de open haard op haar slaapkamer? Joss besefte dat ze Mutts woorden onmogelijk in vlammen kon laten opgaan zonder enkele brieven vluchtig te lezen. Alsof ze dit verraad wilde uitstellen, pakte ze een envelop en hield die in het licht van de bureaulamp. *Mevrouw Vivian Crosby*. Ze pakte nog een paar enveloppen. Ze waren allemaal aan dezelfde persoon gericht.

Een van de losse brieven was gedateerd *30 juni 1947* en erboven stond alleen *Paradise*. Haar ogen vlogen over de woorden en sloegen hele zinnen over. Ze was bang voor wat ze zou lezen, maar was tegelijkertijd ook ontzettend nieuwsgierig.

Lieve Vivi,

Ik schrijf deze brieven 's avonds als de kinderen op bed liggen... Het troost me je op deze manier te schrijven... Vivi, ik zal eerlijk bekennen dat de situatie me een beetje beangstigt. Het punt is dat als je eenmaal a hebt gezegd, je ook b moet zeggen en voordat je het weet, word je meegesleept. ...Dit is het moeilijke gedeelte. Ik moet heel goed opletten. En het werkelijke gevaar komt niet bij hem vandaan maar bij Huberts nicht Mousie...

Verbaasd las Joss vlug de rest van de brief in de hoop een aanwijzing voor deze angst te vinden en pakte vervolgens een andere brief.

Lieve Vivi,

Dit is de laatste brief die ik je schrijf, precies een jaar nadat ik op Paradise ben aangekomen. Dit hoorde immers bij de acceptatie... Als ik volledig in mijn rol wil opgaan, moet ik afrekenen met Madeleine Grosjean. Ze is immers in India verdwenen...

Ongeduldig pakte ze een volgende brief. Het was een korte, waarin ze beschreef dat ze bramen hadden geplukt en dat ze met Bruno en Emma had gepicknickt, maar het was het laatste vel dat haar aandacht trok.

> We hebben dus een fijne dag gehad op Paradise. Ik vraag me af of ik het je ooit kan laten zien. Wat heerlijk om me voor te stellen dat je hier bent. Kon ik je maar echt zien, Vivi, dan zou ik alles goed kunnen uitleggen. Je zou het begrijpen, dat weet ik zeker.
> Gods zegen, schat.
> Veel liefs, Madeleine

Met het vel briefpapier in haar hand staarde Joss peinzend voor zich uit. Madeleine. Haar grootmoeder heette Honor Elizabeth, maar het was onmiskenbaar haar handschrift. En ze had Madeleine Grosjean al genoemd... Verward en gek genoeg een beetje angstig begon Joss de brieven te sorteren. Ze keek naar de data en legde ze min of meer op chronologische volgorde, terwijl ze de verleiding weerstond er willekeurig een brief tussenuit te pakken. Toen ze dat had gedaan, ging ze naar boven en liep de portiekkamer in. Mutt was in diepe slaap. Haar gezicht zag er vredig uit en Joss wilde haar niet wakker maken. Ze ging terug naar de gang, luisterde even onder aan de trap en liep toen de keuken in. Terwijl ze wachtte tot de ketel zou gaan fluiten liep ze te ijsberen. Ze wist niet wat ze moest doen en vocht tegen de verleiding.

Even later nam ze haar kop thee mee naar de studeerkamer. Hier, in deze rustige kamer, waar Mutts aanwezigheid en invloed het duidelijkst merkbaar waren, maakte Joss de eerste brief open en begon te lezen. Ze keek geconcentreerd, zat met haar ellebogen op het bureau en de schrik maakte langzaam plaats voor gefascineerd ongeloof toen het verhaal van haar grootmoeder zich ontvouwde.

Deel twee

Paradise
St Meriadoc
Cornwall
8 juni 1947

Lieve Vivi,

Ja, hier ben ik. Op Paradise. Zul je ooit geloven wat me is overkomen? Ik weet niet goed waar ik mijn verhaal moet beginnen en ik weet al helemaal niet hóé. Aan de ene kant is het een heel avontuurlijk en romantisch verhaal, iets uit een film, maar aan de andere kant kan het ook gemeen en achterbaks lijken. Nu ik het moet opschrijven, vervaagt het avontuurlijke aspect en dringt in volle omvang tot me door hoe fout – en gevaarlijk – het is wat ik heb gedaan. Ik geef me namelijk uit voor een ander. Ik ben niet langer Madeleine Uttworth – of Madeleine Grosjean, zo je wilt – maar Honor Trevannion. En Lottie is niet meer Charlotte Uttworth, maar Emma Trevannion.

Onderweg naar de boot zijn ze namelijk in Karachi overleden: eerst Hubert, toen Emma en als laatste Honor. Hubert had zijn ontslag nog niet gekregen en zou teruggaan naar Multan, maar hij wilde per se dat Honor en de kinderen zouden vertrekken. Ze zouden een week in Karachi blijven zodat Honor spullen kon kopen en ze de laatste dagen samen konden doorbrengen, maar toen werd Hubert ziek. Ik denk dat het botulisme was, waarschijnlijk veroorzaakt door eten uit blik. Het ging in ieder geval heel snel. Honor slaagde erin het ziekenhuis in Multan te bellen en vroeg of ik naar hen toe wilde komen om haar te helpen met de kinderen. Ik stopte de weinige waardevolle spullen die ik zo kon meenemen in een tas en stapte op de eerste de beste trein. Mijn god! Ik zal die reis nooit vergeten! Het gedrang van de mensen, de herrie en de hitte, Lottie die zich verveelde, boos was en dorst had. Ik dacht dat er geen eind aan kwam. Ik zie nog steeds beelden voor me van toen we door de provincie Sind reden: de bruine droge armetierige begroeiing op de zandhopen, een zandkleurige kameel, het gevoel van absolute stilte. Er waren rustige kleine dorpen met lemen hutten met platte daken – en dan opeens een vlaag van kleur – iets felroods toen er een vrouw tussen de hutten verscheen. Toen de trein stopte om water in te slaan en we eruit mochten om onze benen te strekken, leek de hitte onze stemmen te dempen en zwaar op ons te drukken, en verdreef die de zin tot praten. We gingen weer verder en aan de rand van een waterstroom die op bruine smurrie leek, zat een volledig in het zwart geklede man op zijn paard: man en paard waren beide roerloos en keken onverschillig naar de passerende trein die op weg was naar Karachi.

Tegen de tijd dat we daar aankwamen, waren Hubert en Emma al overleden en was Honor ziek. Er was een jonge Indiase arts bij haar. Hij snapte er niets van en was opgelucht toen hij me zag. Hij beloofde de volgende ochtend terug te komen, maar toen was Honor al dood. Hij maakte de overlijdensakte op en ging haastig weer weg, zodat ik alle andere dingen moest regelen.

Honor had tegen me gezegd dat ik de tickets moest gebruiken om terug te gaan naar Engeland. Ik had erg getwijfeld wat ik moest doen (ik had je toen natuurlijk al geschreven en hoewel je brief terug heel praktisch en lief was, Vivi, had ik het gevoel dat je niet wist hoe Lottie en ik in jouw nieuwe leven in Amerika zouden passen). Zoals je weet, gaat het slecht in India: er zijn rellen en moorden, en vooral Multan is een haard van onrust. In maart werd het leger ingezet nadat er enkele gruwelijke moorden waren gepleegd en werd er voor vierentwintig uur per dag een avondklok ingesteld. Honor smeekte me om Bruno terug te brengen naar Cornwall.

'Hubert zou het zo gewild hebben,' zei ze opnieuw. 'Hij had gewild dat jullie allemaal veilig waren.'

Hij vond het erg vervelend dat Lottie en ik zouden blijven. 'Als je nog niets met je zus in Amerika hebt geregeld tegen de tijd dat ik naar huis ga, dan ga je met mij mee,' had hij gezegd. Het was een geweldige vent, Vivi. Heel levendig, zelfverzekerd en erg ruimhartig. Weet je, het ging mijn bevattingsvermogen te boven dat Hubert dood kon gaan...

Arme Bruno, arme kleine jongen. In een paar dagen tijd had hij alle andere gezinsleden verloren. Hij had alleen ons nog: Lottie en mij. En ik moest mijn twee beste vrienden missen en hun kleine baby Emma. Ik probeerde mijn eigen verdriet te verbergen omdat ik Bruno moest troosten, maar ik zat erover in wat er met ons drieën zou gebeuren. Toen wist ik opeens wat me te doen stond. In die hotelkamer waar Hubert ziek was geworden lagen al hun papieren: tickets, paspoorten. Ik denk niet dat Honor overal aan had gedacht, daar was ze te ziek voor, maar ze had erop aangedrongen dat ik ervoor moest zorgen dat we allemaal op de boot kwamen. Mijn idee was om met z'n drieën dat gezin te vormen. Ik was blij dat ze me altijd Mutt noemden. M. Uttworth. Snap je? Muttworth, afgekort Mutt. Hubert was ermee begonnen en Bruno vond het erg grappig. Zelfs Lottie riep 'Mutt' in plaats van 'mama'. Honor kon niet aan die naam wennen en bleef me Madeleine noemen, maar Honor was dood.

Ik legde aan Bruno uit dat iemand hem bij ons vandaan kon halen als ze niet geloofden dat ik zijn moeder was. Ik heb hem niet opzettelijk bang willen maken, Vivi. Ik dacht echt dat we uit elkaar gehaald konden worden en dat ik dan hun tickets niet zou kunnen gebruiken en ik wilde ons het land uit krijgen. Wat moest ik anders? Hen meenemen naar het ziekenhuis en blijven werken, met twee kinderen om voor te zorgen, terwijl de Britten elk moment het land uit geschopt konden worden? Bruno van vier in zijn eentje naar Engeland sturen? Het was net of ik een ingeving kreeg toen ik daar in die hete, bedompte hotelkamer stond met een huilende Lottie en een zwijgzame bange Bruno die opgekruld naast haar op het bed zat en naar me keek. De middelen om weg te komen lagen voor het grijpen en ik wist dat Hubert en Honor het goedgevonden zouden hebben. Paradise of Karachi? Wat zou jij hebben gedaan, Vivi?

Wellicht waren er andere manieren. Misschien had ik naar de

Commissioner moeten stappen om het officieel te regelen of had ik met de administrateur van het schip moeten gaan praten, maar dat heb ik niet gedaan. Het schip zou bijna vertrekken, tot op de laatste vierkante centimeter volgepakt met mensen die het land uit wilden. Ik wilde op dat schip zitten en niet in die bedompte hotelkamer waar het stikte van de vliegen. Ik had geen zin om machteloos te moeten afwachten vanwege bureaucratische rompslomp. Bovendien stonden we op de passagierslijst: mevrouw Honor Trevannion en haar twee kinderen. Bijna meteen zag ik het gevaar. Sommige vrouwen wilden een praatje maken met Bruno en ik wist dat hij bang was dat hij iets verkeerds zou zeggen. De arme schat! Ik dacht steeds: eerst naar huis, dan probeer ik later wel om er verstandig over na te denken. Ondertussen accepteerden die aardige vrouwen, voornamelijk legervrouwen, dat Bruno en ik te erg in shock en te verdrietig waren om goed te kunnen communiceren. Op dat moment kon ik nog steeds nauwelijks bevatten dat ik de twee mensen had verloren die me het dierbaarst waren: mijn beste vrienden. Na een tijdje lieten de andere passagiers ons met rust en dit gaf ons adempauze om aan de nieuwe situatie te wennen.

Ergens op de Indische Oceaan werd Lottie Emma. Het was niet moeilijk voor Bruno om te onthouden haar Emma te noemen – ze leek zo veel op zijn eigen zusje dat hij de namen wel vaker door elkaar haalde – maar ik had er grote moeite mee. Ik had het gevoel dat ik haar had gedood. Maar, Vivi, toen ik Paradise zag, wist ik dat ik de juiste beslissing had genomen en Bruno is terug op de plek waar hij thuishoort. Ik zal voor hem zorgen, maak je niet druk. Ik hield van Honor als van een zus en ik zal van Bruno houden alsof hij mijn eigen zoon is.

Wat zou ik je graag weer zien en je Amerikaanse echtgenoot ontmoeten! Denk je dat het ooit zal gebeuren? Ik wens je het allerbeste toe.

Je liefhebbende zus, Madeleine

Paradise
17 juni 1947

Lieve Vivi,

Ik overweeg de eerste brief nog een tijdje hier te houden totdat ik wat meer heb geschreven en dan verstuur ik ze allemaal tegelijk. Toen ik de brief herlas, viel het me op dat ik niets over de feitelijke thuiskomst had geschreven. Ik twijfelde of ik de brief al op de post zou doen of er nog iets aan toe moest voegen. Ik heb dus besloten nog even te wachten, zodat je een vollediger beeld krijgt van wat er is gebeurd en weet hoe ik uiteindelijk hier op Paradise terecht ben gekomen. Je moet me geloven als ik zeg dat ik me had voorgenomen een dag of twee in Liverpool te blijven om over de hele situatie na te denken. Het was immers nog niet te laat en ik wilde er zeker van zijn dat het de juiste beslissing voor ons alle drie was. Ik heb gebeden, Vivi. Herinner jij je zuster Julian uit het klooster nog? Wat waren we dol op haar! Tijdens die lange weken op zee heb ik aan haar gedacht. Ik herinnerde me dingen die ze tegen ons had gezegd toen we kinderen waren, maar denk je dat God ons hoort als we mensen doelbewust misleiden?

Ik had er geen rekening mee gehouden dat we opgewacht zouden worden op de kade. Daar waren we dan, worstelend met onze koffers. Lottie, ik bedoel Emma, huilde luidkeels en opeens stond er een man voor ons. Hij was erg aardig en heel snel. Hij regelde kruiers, hielp ons vlug door de douane heen en zorgde ervoor dat we in een taxi konden stappen. Simon Dalloway.

'Hubert heeft me gevraagd jullie hier op te vangen,' zei hij. 'Ik heb het vreselijke nieuws nog maar net gehoord. Gecondoleerd.'

Zoiets zei hij. Ik kan me de woorden niet letterlijk meer herinneren, want ik was te erg geschrokken. Hij gelukkig ook. Blijkbaar had de administrateur hem verteld dat Hubert plotseling was overleden en Simon regelde alles: hij stuurde een telegram naar Cornwall en zorgde ervoor dat we vlug weg konden. Alles werd me uit handen genomen. En zo begon het. Ik heb die eerste leugen verteld om ons aan boord van het schip te krijgen. Ik zei dat ik Honor was en dat Lottie Emma was, en nu was het onmogelijk de waarheid te vertellen. En hoe moest het met Bruno? Ik voelde me verantwoordelijk voor hem. Bovendien had ik Honor beloofd dat ik voor hem zou zorgen en ik hou van Bruno alsof hij mijn eigen zoon is.

Simon was heel behulpzaam. Hij was erg lief voor Bruno en Emma, ontzettend aardig voor ons allemaal en hij schreef mijn verwarring toe aan mijn verdriet. Ik speelde het spel mee en stapte zonder tegen te sputteren in de trein naar Bristol. Hij had de treinkaartjes gekocht, de bagage geregeld en het drong opeens tot me door dat Honor had geweten dat dit voor haar en de kinderen gedaan zou worden. Simon had Huberts instructies opgevolgd en had voor één nacht een kamer voor ons geboekt in het Royal Hotel. De volgende dag zou het laatste stuk van de reis volgen en zouden we doorreizen naar Cornwall. Tijdens het diner, toen de kinderen op bed lagen, sprak hij over St Meriadoc – en ik zag overal valkuilen – maar ook toen had ik het gevoel dat ik het aankon. Pas toen hij over Hubert begon, vertelde dat ze bij elkaar op school hadden gezeten en dezelfde opleiding hadden gevolgd, drong het tot me door dat ik Hubert weliswaar heel goed had gekend, maar dat ik dingen niet wist die ik als echtgenote wel hoorde te weten. Ik moest huilen toen ik aan Hubert dacht – en aan alles wat ik had verloren – en net als de legervrouwen op het schip zweeg Simon meteen bij het zien van mijn tranen. Ik was nog steeds erg van slag door het verdriet. Het was afschuwelijk om 's ochtends wakker te worden en het gemis opnieuw te voelen. Het was vreselijk om te weten dat ik Honor, Hubert en kleine Emma nooit meer zou zien.

Bruno leek gespannen en waakzaam als Simon bij ons was. Ik was bang dat hij de misleiding niet zou volhouden en ik vroeg me af wat hem te wachten stond in Cornwall. Ik kwam tot de conclusie dat het goed was dat ik met hem meeging om te zien wat hem daar wachtte. Ik kon de waarheid altijd nog vertellen. Ik vroeg me zelfs af of ze me misschien als kindermeisje in dienst wilden nemen.

Ik zie je gezicht voor me, Vivi, en ik zie dat je je hoofd schudt. Jij was altijd degene die ervoor zorgde dat ik niet in moeilijkheden kwam of domme dingen deed. Toen Johnny de eerste keer verdween, wilde ik je een brief sturen, maar iets weerhield me ervan. Ik wilde niet toegeven dat Johnny ons in de steek had gelaten. Ik schaamde me en kon mezelf er niet toe zetten de woorden op te schrijven. Ik zag je al net als vroeger kritisch naar me kijken. Zo'n beetje zoals mama een veroordelende, onderzoekende blik op papa wierp als hij te dure cadeaus voor ons had gekocht of te veel wijn op had. Verstandige, evenwichtige mensen lijken niet te snappen dat je, als je iets doms hebt gedaan, er niet op zit te wachten dat iemand dat er nog eens inwrijft: je voelt je al stom genoeg. Toen ik in Multan jouw antwoord op mijn brief kreeg, proefde ik je ongerustheid; je wilde eigenlijk niet dat je berooide zus en haar kind je schitterende nieuwe leven in de war kwamen sturen en dat neem ik je niet kwalijk. We hebben elkaar de afgelopen acht jaar geschreven en we hebben foto's opgestuurd, maar toch zijn we een beetje uit elkaar gegroeid, vind je niet? Gedreven door mijn zendingsdrang vertrok ik naar India om verpleegster te worden. Jij schreef je in bij een secretaresse-opleiding en toen de oorlog uitbrak, ging je bij de vrouwenafdeling van de luchtmacht werken. Mama en jij stonden er allebei niet achter dat ik naar India ging, hè? Jullie vonden dat het iets melodramatisch had en dat het ongepast was. Honor zei dat haar familie er net zo over dacht. Ze was enig kind en haar ouders waren omgekomen bij de bombardementen op Londen. Toen je schreef dat mama was overleden aan die afschuwelijke kanker heb ik veel steun gehad aan Honor. Hubert en zij hebben me erg vaak geholpen. Ik vraag me af wat ze nu van me zou vinden. Ik weet zeker dat ze zou weten dat ik aan Bruno denk en probeer te doen wat Hubert wilde.

Herinner jij je Goblin Market nog, Vivi? Jij was Lizzie, het meisje 'vol wijze raad'. En ik was Laura die zich liet verleiden door het verboden fruit. Ik heb het boek nog dat ik van jou voor mijn vijftiende verjaardag heb gekregen. Ik heb het overal mee naartoe genomen en het was een van de weinige dingen die ik bij mijn haastige vertrek uit Multan in mijn tas heb gestopt. Weet je nog die keer met Pasen, Vivi, vlak voordat de oorlog uitbrak? Ik kon maar niet kiezen of ik zendelinge wilde worden of zou weglopen met Robert Talbot en jij wachtte me iedere avond op met 'wijze raad'.

Treuzel toch niet in de vallei,
Schemerlicht is slecht voor meisjes.
Talm niet in de regionen
waar kaboutermannen wonen.

Ik moet dan altijd denken aan die keren dat je me via de achterdeur binnenliet en ik weet nog dat we allebei ons lachen inhielden als we muisstil de trap op slopen om mama niet wakker te maken. Maar je had gelijk wat Robert betreft. Door hem verloor ik mijn verlangen naar God en uiteindelijk pasten beide alternatieven niet bij me. Wat ben ik dom geweest, Vivi…

Ik mis je ontzettend.

Veel liefs, Madeleine

Paradise
30 juni 1947

Lieve Vivi,

Ik schrijf deze brieven 's avonds als de kinderen naar bed zijn en Huberts vader in de salon de krant leest of naar de radio luistert. Ik heb de vorige twee brieven nog niet verstuurd. Raar, hè? Het troost me je op deze manier te schrijven, maar ik vind het nog steeds beter om het totaalbeeld te schetsen. Ik heb besloten je te schrijven wat er tot op heden is gebeurd en daarna verstuur ik alle brieven tegelijk.

Vivi, ik zal eerlijk bekennen dat de situatie me een beetje beangstigt. Het punt is dat als je eenmaal a hebt gezegd, je ook b moet zeggen en voordat je het weet, word je meegesleept. Toen ik hier aankwam met Simon leek het opeens onmogelijk de situatie uit te leggen. Huberts vader, James, was erg blij ons allemaal te ontmoeten en raakte geëmotioneerd bij het zien van de kinderen. Steeds weer raakte hij Emma's haar aan of lichtte hij Bruno's kin op om hem aan te kijken. 'Net Hubert op die leeftijd,' zei hij dan, en je zag hem tegen zijn tranen vechten.

Het is een lieve oude man. Hij leest veel en is nogal broos, maar je zag dat de kinderen hem nieuwe levenskracht gaven. Aanvankelijk deed het geschikte moment om alles uit te leggen zich gewoon niet voor en naarmate de dagen verstreken, werd het steeds onmogelijker. Ik ben bang dat ik door het te vertellen hem een deel van zijn troost afpak. Hij is dol op Emma. Ze maakt hem aan het lachen. Ze is erg spontaan en gaat ongehinderd haar gang. Ik heb echt het gevoel dat het bijna wreed zou zijn haar mee te nemen en hem alleen met Bruno achter te laten.

We praten niet veel over Hubert. James behoort tot de generatie die zich flink houdt. Weet je nog hoe mama reageerde toen papa ons had verlaten? Er wordt niet gesproken over zaken die in de categorie 'emotioneel beladen' vallen, maar hij vindt het prettig om dingen over Huberts werk te horen. Dat is voor mij natuurlijk gemakkelijk omdat ik zes jaar met hem heb samengewerkt. Toch moet ik mijn woorden op een goudschaaltje wegen en dit is het moeilijke gedeelte. Ik moet heel goed opletten. En het werkelijke gevaar komt niet bij hem vandaan maar bij Huberts nicht Mousie. Ik had er nooit bij stilgestaan dat er naast Huberts directe familie ook andere mensen zouden zijn. Ik wist dat hij enig kind was en dat zijn moeder was overleden. Je kunt je dus voorstellen dat ik erg schrok toen ik erachter kwam dat er een tante, een neef en een nicht tien minuten bij Paradise vandaan bleken te wonen! De tante is een schatje en Rafe is een doorsnee jongen van veertien die nog op school zit, maar zijn oudere zus is een ander geval.

Kun je je iemand voorstellen die waakzamer en kritischer is dan een meisje van zeventien? Mousie hield van haar neef Hubert en kijkt kritisch naar zijn weduwe. Er zijn erg veel kleine valkuilen die als de kleverige draden van een spinnenweb mijn pad kruisen. Ik raak erin verstrikt en dan moet ik draaien en worstelen om los te komen. Ze kijkt naar me, alsof ze verbaasd is, en ik ben bang voor haar.

'Jij?' hoor ik je roepen. 'Jij was nooit ergens bang voor.' Maar dat was voordat ik een kind had, Vivi. Als je eenmaal een kind hebt, verschaf je het geluk een gijzelaar en is niets ooit nog hetzelfde. Maar nu heb ik het paradijs gevonden en ik kan je verzekeren dat het de strijd waard is. Ik zal Paradise beschrijven, zodat je je een voorstelling kunt maken van hoe wij hier leven. Het huis is namelijk een onderdeel van een klein landgoed dat verscholen ligt in een beschutte vallei. Je kunt er komen via een lange diepe weg die steeds verder naar beneden loopt en onderweg vang je bij hekken een glimp op van de zee en de hoge wilde kliffen. Je gaat steeds dieper de vallei in, tussen twee met gras begroeide taluds door, hoog en recht als een muur met een wilde doornhaag erbovenop, en dan kom je bij de kleine inham. De baai is U-vormig, als een smal hoefijzer, alsof de zee stiekem op een nacht naar binnen is gedrongen en een hap uit het land heeft genomen. Eerst zie je aan de kant van de zee een werf die niet meer wordt gebruikt en daarnaast staat een rij met vier huizen die – wat een vondst – The Row wordt genoemd. Elk huis heeft een washok, dat veel weg heeft van een redelijk grote portiek. Aan de voorkant is een kleine tuin en aan de achterkant, nog geen meter bij de achterdeur vandaan, loopt de kademuur. Dit is de noordkust, Vivi, en de huizen staan met de achterkant naar de wilde Atlantische Oceaan. Tegenover de huizen is een oude steengroeve. Verderop verbreedt deze geheime magische vallei zich en loopt het binnenland in. Hoog op een helling ligt de Saint's Well: een kleine sprankelende bron, die deels aan het zicht onttrokken wordt door enkele granieten platte stenen die met mos overgroeid zijn en min of meer begraven liggen tussen het hoge veerachtige gras. Duizend jaar geleden bouwde een volgeling van de heilige een cel naast de bron en dit is alles wat ervan over is. Er groeit hier nog steeds kaasjeskruid, tweeënhalve meter hoog met grote paarsroze bloemen en ik vind het een prettig idee dat de volgeling dit als medicijn gebruikte. Van het sap kun je een kalmerende zalf maken en met de blaadjes kun je wespensteken verzachten. Er groeit daar vlakbij ook smeerwortel en guldenroede. Op een warme junimiddag kun je je voorstellen dat hij hier destijds bij de deur van zijn cel zat te kijken naar een torenvalk die doodstil in de strakblauwe lucht boven hem aan het bidden was en naar de leeuwerik luisterde, terwijl hij zijn eenvoudige maaltijd klaarmaakte of de kale vloer van zijn cel veegde met een bezem die hij had gemaakt van de takken van de tamarisken die op de hellingen groeien.

Bij de bron ontspringt een klein beekje dat van de helling af naar zee stroomt en onder een kleine brug door gaat, die zo smal is dat er net een auto overheen kan. Het beekje loopt dwars door de inham en scheidt de rij huizen en de werf van Paradise en The Lookout. The Lookout is een excentriek bouwwerk uit de Victoriaanse tijd dat halverwege het klif is gebouwd. Het huis lijkt op een kleine vuurtoren. Het is een vreemd oud gebouw dat hoog op de rotsen ligt alsof het de stormen en het getij wil tarten, maar momenteel staat het leeg. Aan de overkant splitst de weg zich in tweeën. Als je de ene kant op gaat, kom je bij The Lookout en kun je verder lopen over de kliffen. Als je de andere kant kiest, ga je over de weg en kom je via de grote poort op de oprijlaan naar Paradise. En dan zijn we er eindelijk, Vivi. 'The Walk to the Paradise Gardens'. Hubert was dol op dat muziekstuk. Hij zei dat Delius, de componist, Engelse trekjes had die hem in gedachten terugvoerden naar wat hij het meeste miste. Hij had ook een langspeelplaat met *A Village Romeo and Juliet* en *On hearing the first cuckoo in spring*. Ik leerde die muziek ook waarderen. Maar goed, we zijn dus bij Paradise aangekomen, Vivi, waar ik nu woon.

Stel je vervolgens een klein huis in Queen-Annestijl voor: grijze stenen die wit zijn geschilderd en een leien dak. Het oogt ingetogen, als een heel kunstig poppenhuis. Eromheen staat een wirwar van rododendrons, hoewel er tegenover het grind voor de voordeur een klein gazon ligt, smaragdgroen en zacht als pluche onder je voeten. Ik was op tijd om de roomwitte, karmozijnrode en gele rododendrons te zien bloeien, Vivi, die een heerlijke geur verspreiden die ik vanuit mijn slaapkamerraam kan ruiken. De kamers zijn koel en stijlvol. De salon en de eetkamer liggen aan weerszijden van de lange gang. Achter de eetkamer ligt de keuken – vierkant, ruim en op het noorden – en achter de salon ligt een fraaie kleine salon die James als kantoor gebruikt.

Ik mag van hem aan dit prachtige oude bureau zitten om brieven te schrijven, maar ik zou al deze rommel graag wegdoen en er een stijlvolle kamer van willen maken. Ik noem hem James, Vivi. Hij vroeg of ik hem 'vader' wilde noemen, maar dat kan toch niet? Ik moest meteen aan mijn eigen vader denken en ik wist dat het onmogelijk was. Het woord bleef in mijn keel steken. Ik was bang dat hij 'James' te amicaal zou vinden, maar gelukkig vindt hij het wel prettig dat ik hem zo noem. Ik denk dat hij zich dan weer jong en energiek voelt. Ik plaag hem een beetje, heel subtiel, en respecteer zijn mening over bepaalde zaken. Ik zet bijvoorbeeld een hoed op als ik naar de kerk ga en ik trek een japon aan als ik 's middags bij iemand uit de buurt op theevisite ga. Daardoor houdt hij zijn rug wat rechter en kijkt hij vrolijker uit zijn ogen. Het is een schat.

Hij roept me nu, Vivi. Ik had niet door dat het al zo laat was. De volgende keer schrijf ik meer, maar nu moet ik stoppen.

Veel liefs, schat.

Madeleine

Ze legt de pen neer en kijkt om zich heen in het vertrek. Ze vouwt de brief haastig op en legt hem in het schrijfbakje. Ze raakt eraan gewend dat ze bijna niets bezit – ze heeft heel weinig meegenomen uit Multan – maar het lijkt vreemd en wat beangstigend om niets vertrouwds te hebben wat haar met haar leven met Johnny en India verbindt. Ze heeft natuurlijk de spullen van Honor: in de kleine tas met het label REISBENODIGDHEDEN zitten dingen die haar telkens aan Honor herinneren, zoals dit schrijfbakje en haar mooie gouden vulpen. Mutt schroeft net de dop erop als James eraan komt, de deur openduwt en half nieuwsgierig, half verontschuldigend glimlacht.

'Stoor ik?'

'Welnee.'

Haar glimlach is hartelijk en hij lacht dankbaar terug. Het is gemakkelijk om van Huberts vrouw te houden en haar aanwezigheid verlicht zijn eenzaamheid. De dood van zijn zoon is harder aangekomen dan hij ooit zal laten merken, maar de komst van Huberts gezin is een zegen.

Mutt geeft hem een arm – lieve oude man, denkt ze – en wilde dat ze hem niet bedroog.

'Tijd voor een slaapmutsje,' zegt ze, terwijl ze met hem meeloopt het vertrek in. 'Voor mij natuurlijk een klein glaasje, maar het helpt me in slaap te vallen.'

'Uiteraard.'

Hij vindt het prettig om haar vingers, sterk en troostend, op zijn arm te voelen en hij recht zijn rug een beetje als hij naar de kast loopt. Dit ritueel van een laatste drankje was een eenzame aangelegenheid toen Margaret nog leefde. Ze was dan al naar boven gegaan, liet hem alleen achter bij het kleine haardvuur om na te denken over de gebeurtenissen van de dag, terwijl zij zich klaarmaakte om naar bed te gaan. Hij mist haar ontzettend, dat spreekt voor zich, maar hij moet toegeven dat dit leuk is: Honor die op de punt van het bureau zit en naar hem kijkt, terwijl hij één vinger kostbare whisky afmeet. Hij begint een vermakelijke anekdote uit de oorlog te vertellen over rantsoenering en ze grinnikt waarderend.

Mutt verbaast zich over het tafereel: is het echt waar dat ze hier met Huberts vader zit? Ze stelt zich voor hoe anders hij zou kijken als ze zijn verhaal opeens zou onderbreken om haar eigen geschiedenis te vertellen. 'Moet u horen,' zou ze kunnen zeggen. 'Ik ben Huberts weduwe niet. Het is allemaal een vreselijke vergissing...'

In plaats daarvan knikt ze bemoedigend en lacht met hem mee. Gek genoeg biedt dit troost, omdat ze het idee heeft dat het goed is, dat ze is waar ze werkelijk hoort te zijn. Deze prachtige vallei lijkt echt haar thuis en ze voelt al een sterke verwantschap met deze lieve oude man. Hij lijkt veel op Hubert, ook al is zijn dikke haar, dat vroeger zwart was, nu wit. Zijn magere intelligente gezicht is nog steeds levendig en je ziet soms een twinkeling in zijn bruine ogen. Zo zal Bruno er later uitzien. Ze glimlacht, voelt opeens genegenheid, en het is net of hij aanvoelt dat deze bijzondere glimlach niets te maken heeft met zijn verhaal, maar een teken is dat ze even aan zijn zoon en kleinzoon denkt. Hij glimlacht terug en steekt zijn glas op om duidelijk te maken dat hij weet waaraan ze denkt en ze neemt vlug een slok whisky.

Zo is het altijd al geweest, denkt ze. Liefde die haar overspoelt, haar optilt op een warme sprankelende golf, haar gevoelens en haar verstand verzwelgt. Deze liefde voelt ze niet alleen voor aantrekkelijke jonge mannen, maar ook voor oude mensen en kinderen: voor die Indiërs in Multan, in hun armoede en nood, en voor haar vrienden. De vloedgolf van emotie sleurt haar altijd mee en haar verlangen om te helpen houdt haar drijvende, maar af en toe is de stroming te sterk. Vaak is er iemand in de buurt om haar hoofd boven water te houden – Vivi misschien en later Honor en Hubert – maar soms is ze alleen, weet ze niet wat ze moet doen en vecht ze tegen de onderstroom.

James maakt zijn verhaal af zonder te laten merken dat hij doorheeft dat ze somberder is geworden. Hij denkt het te snappen, want hij weet dat een blijde herinnering twee kanten heeft en ook verdriet oproept. Zo heeft hij zich ook gevoeld toen Margaret net was overleden – dan keek hij verrukt naar de eerste ontluikende bloemen van de camelia en dan bedacht hij dat ze dit nooit meer met hem zou delen – en hij heeft medelijden met deze vrouw die nog steeds dapper glimlacht hoewel haar ogen overschaduwd worden door angst. Hij spreekt echter geen troostende woorden, zo is hij niet. Hij staat op en zegt dat het al laat is, maar als hij naar de gang loopt, raakt hij even haar schouder aan.

'Beste meid,' mompelt hij, alsof ze een lievelingspaard of een dierbare hond is. 'Welterusten.'

Ze ziet hem weglopen en dan brengt ze de glazen naar de keuken.

12 juli

Ik ben vanavond erg somber, Vivi. James is met vrienden gaan dineren en ik ben voor het eerst alleen op Paradise. Nu denk je zeker dat ik het prettig vind om alleen te zijn? Geen druk, ik hoef niet na te denken voordat ik iets zeg en ik hoef voor niemand toneel te spelen, maar de waarheid is dat ik me ontzettend eenzaam voel. De kinderen liggen op bed en ik heb een paar glazen whisky op en plotseling had ik er behoefte aan om met iemand te praten die me echt kent, zodat ik niet hoef te doen alsof. Weet je nog dat we elkaars kleren aantrokken en met make-up experimenteerden en dat we de slappe lach kregen over doodnormale dingen? Weet je nog dat je mijn haar een keer hebt afgeknipt met een nagelschaartje? Wat was het heerlijk om verlost te zijn van al dat zware haar, maar mama gilde bijna van schrik, sloeg haar hand voor haar mond en zette grote ogen op, waardoor we nog harder gingen lachen. Gelukkig was Honor donker en had ze bruine ogen. Zoals je weet, zijn mijn ogen lichtbruin, maar de man van de douane keek alleen vluchtig naar de pasfoto. Bovendien had ik een rare hoed opgezet, die ik scheef over mijn ogen had getrokken, en ik had Lottie als een soort schild in mijn armen. Ze vindt het vreselijk om gedragen te worden en ik wist dat ze zou trappen en gillen en de aandacht van mij zou afleiden. Uiteindelijk was iedereen blij dat we zo vlug mogelijk door mochten. Ik moet haar geen Lottie noemen. Dat doe ik alleen als ik moe ben of te veel whisky op heb.

Vivi, ik voel me ontzettend schuldig. Wat doe ik hier? Waarom heb ik ooit gedacht dat ik dit kon? Vanochtend stond er opeens een vreselijk mens op de stoep. Haar man was een vriend van Hubert en ze dacht dat ik het leuk zou vinden om met haar te gaan lunchen en zo. Ik was doodsbang dat ik me zou verspreken. Ze begon tegen Bruno te praten, zei dat hij erg op zijn vader leek, vroeg hem hoe oud zijn zusje was en ik moet steeds denken aan de uitdrukking op zijn gezicht. Ik maak mezelf soms wijs dat Bruno denkt dat Lottie echt zijn zusje is en dat hij Emma is vergeten. Lieve help! Ik móét onthouden dat Lottie Emma is. Wat denkt hij, Vivi?

Maar goed, ik zei wat onzinnige dingen en leidde haar af, maar het houdt me nog steeds bezig. Als ik mezelf er niet toe kan zetten James 'vader' te noemen, hoe kan ik dan zo veel van een arme kleine jongen vragen? Wat zal hij me haten omdat ik de plaats van zijn moeder probeer in te nemen. Toch weet ik dat hij van me houdt en ik denk dat hij me zou missen als ik wegging. Op een vreemde manier beschermt James me. Hij is erg hoffelijk en heel ouderwets. Hij zou het niet in zijn hoofd halen om persoonlijke vragen te stellen. Het komt niet bij hem op dat een nette vrouw kan doen wat ik doe en daardoor ben ik veilig. Hij is de engel met het vlammende zwaard, die bij de poort van het paradijs staat en er naar alle kanten mee zwaait. Ik ben nog in het paradijs, hoewel ik van de boom van goed en kwaad heb gegeten. Of was het nu van het fruit uit Goblin Market?

Ik heb vast te veel whisky op. Ik kan maar beter naar bed gaan voordat James thuiskomt en me zo aantreft. Later meer. Welterusten, schat.

Joss legde de brief weg, pakte hem toen weer op en vouwde hem werktuiglijk op. Het was te veel om in één keer te bevatten: Mutt was Honor Trevannion niet. Toch werd Joss afgeleid van de enorme schok die dit veroorzaakte, doordat er andere indrukken waren die haar diep ontroerden: Mutts dilemma, haar warme persoonlijkheid en haar menselijkheid. Ze vergat tijdens het lezen bijna dat het over haar grootmoeder ging en ze had zich geïdentificeerd met deze jonge vrouw die, verscheurd door twijfel en angst, het gevaar niet had geschuwd en werd gedreven door een diepgewortelde overtuiging dat het goed was wat ze deed.

Mutts kleindochter hield haar adem in: waarom had Mutt zo veel risico genomen? Toen ze de brieven haastig herlas, werd Joss geraakt door de beschrijving van de vlucht uit Karachi. Ze probeerde zich een beeld te vormen van de sfeer en verschrikking in India in die hete, roerige dagen en ook van het tafereel in de ziekenhuiskamer. Ze dacht aan de lange reis naar huis en probeerde zich voor te stellen hoe Mutt was omgegaan met de doorlopende angst ontdekt te worden.

Ergens op de Indische Oceaan werd Lottie Emma.

Hoe had het gevoeld om haar dochter een andere naam en een nieuwe identiteit te geven? Joss moest zichzelf eraan herinneren dat dit kind haar eigen moeder was, die niet Emma Trevannion was, maar Lottie Uttworth. Mutt had het risico willen nemen om zo haar dochter in veiligheid te brengen.

Als je eenmaal een kind hebt, verschaf je het geluk een gijzelaar en niets is ooit nog hetzelfde.

En hoe zat het met Vivi, aan wie Mutt zo openhartig en liefdevol schreef? Joss vond het ontroerend dat Mutt er behoefte aan had te schrijven met het kameraadje uit haar jeugd, dat ze haar zus herinnerde aan hun gedeelde verleden en dat ze haar goedkeuring wilde krijgen. Leefde Vivi nog, ergens in Amerika, in de waan dat haar zus en nichtje lang geleden waren overleden? Het was duidelijk dat de brieven nooit waren verstuurd...

Omdat ze het allemaal niet kon bevatten, stelde Joss de noodzaak uit zich er een oordeel over te vormen en pakte ze enthousiast de volgende brief.

Het gaat vandaag een stuk beter, Vivi. Ik moet mezelf gewoon niet toestaan somber te worden en vanmorgen heb ik er weer vertrouwen in dat ik de juiste beslissing heb genomen. Bruno gaf me na het ontbijt een dikke knuffel en ik hield hem heel stevig vast en fluisterde: 'Ik weet dat je mama en Emma erg mist, lieverd. Ik probeer voor je te zorgen.' Toen keek hij me heel plechtig en vriendelijk aan en zei: 'Het is goed, Mutt. Ik ben blij dat je hier bent.' Ik voelde een grote golf van opluchting en dankbaarheid alsof hij me absolutie had gegeven. Ik hou van hem alsof hij mijn eigen zoon is. Ik ben zijn peettante, wist je dat? En Simon is zijn peetoom, hoewel dat destijds natuurlijk allemaal bij volmacht is geregeld. Simon begon erover en ik slaagde erin slim te reageren. Hij had een mooie kleine gegraveerde mok opgestuurd en ik herinnerde me dat Honor die had laten zien.

Het is erg raar om Honor genoemd te worden. Ik had gehoopt dat iedereen de bijnaam van de kinderen zou gebruiken, maar niemand lijkt zich vrij genoeg te voelen om dat te doen. Zelfs Mousie niet. Ik ben bang voor Mousie, Vivi. Ze kijkt naar ons alsof een zesde zintuig haar waarschuwt dat er iets niet klopt, al weet ze niet wat. Ik word nerveus van haar en als ze bij me is, klap ik dicht. Tante Julia, die me aan een statige wijfjespauw doet denken – een boezem als een filterzak en een heel lange hals met een klein hoofd erop – wijt mijn tekortkomingen aan mijn verdriet en moedigt Mousie aan om aardig te zijn en geduld te hebben. Die arme Mousie doet erg haar best om haar gevoel te negeren en aardig tegen me te doen. Ik besef dat mijn misleiding nooit was gelukt als Huberts moeder nog had geleefd. Mannen zijn ongecompliceerd, direct, en veel gemakkelijker om de tuin te leiden dan vrouwen. Ze zeggen precies wat ze bedoelen en gaan ervan uit dat wij dat ook doen. Los daarvan kunnen James en Simon er allebei niet tegen verdriet of angst te zien en ze reageren onmiddellijk: met bezorgde vriendelijkheid beginnen ze ergens anders over. Vrouwen prikken daardoorheen en hoewel sommige misschien beleefd reageren, laten ze zich niet gemakkelijk bedotten. Je kunt vrouwen niet afleiden met trucjes.

Mousie moet erg veel van Hubert hebben gehouden. Ze weet alles over hem: zijn voorkeur en afkeer, zijn manier van praten en zijn gewoonten, ook al was ze nog maar een kind toen ze hem voor het laatst heeft gezien. Hij schreef haar nu en dan – je kunt je voorstellen hoe ik me voelde toen ik dat hoorde! – maar door de oorlog en de grote afstand verliep de communicatie erg onregelmatig. Gelukkig zijn er weinig foto's: ze hebben de trouwfoto – de groepsfoto die ik ook naar jou heb opgestuurd – en een foto van het gezin met Bruno als baby. Dit is lastiger omdat Honor geen hoed draagt. Gelukkig kijkt ze naar de baby, zodat haar gezicht niet goed te zien is.

Ik zei meteen: 'Goh, wat zag ik er toen nog jong uit, maar de foto is natuurlijk al bijna vijf jaar oud.'

Ik schaamde me diep, Vivi. Gelukkig was Bruno er niet bij. Mousie heeft een aantal kiekjes van Hubert uit de tijd voordat hij naar India ging en ze heeft enkele kleine aandenkens die ze koestert: een oud kapot polshorloge dat van hem is geweest en een gedichtenbundel van Browning met Huberts naam op het schutblad. Ze is eigenlijk erg aardig, maar ik heb steeds het gevoel dat ik op mijn tenen moet lopen. Ik heb geen idee waar Hubert het liefst naartoe wandelde en ik weet niets over de pony die hij ooit heeft gehad en er zijn zo veel kleine dingen die ik na zes jaar huwelijk had moeten weten. Daarom schreef ik dat het me nooit zou zijn gelukt zijn moeder te misleiden. Het werd algauw duidelijk dat hij het, voorzover ik weet, nooit over me heeft gehad en dat hij mijn bijnaam niet heeft genoemd, wat een enorme opluchting is, en ook mijn echte naam niet.

Mousie is in verwarring, maar dankzij Bruno ontdekt ze de waarheid niet. Ik voel me afschuwelijk omdat ik haar op deze manier op een afstand houd, maar wat moet ik dan? Ik hoop dat de nieuwigheid er over een tijdje af is en dat we dan normaal met elkaar kunnen omgaan. Er zijn zo veel dingen die ik je wil schrijven, Vivi. Ik heb het nog niet over Johnny gehad, hè? Ik denk dat ik niet weet hoe ik moet beginnen. Hij deed me aan mijn vader denken: je kon ontzettend met hem lachen. Hij was zorgeloos en heel knap om te zien. Hij was alleen geen Fransman, maar door en door Engels en ik was erg trots als mensen ons samen zagen.

Hubert en Honor vertrouwden hem niet helemaal en ik weet dat jij ook zo gereageerd zou hebben. Je zou gezegd hebben dat hij achterbaks was. Zoals je weet, zat hij in de theehandel – hij had een kantoor in Lahore – en hij had allerlei connecties. Hij had iets ongrijpbaars en waarschijnlijk vonden ze dat hij zich bij het leger had moeten aanmelden toen de oorlogsdreiging reëel werd, maar in plaats daarvan ging hij wekenlang weg voor zaken. Hij wilde niet meteen kinderen en ik bleef als verpleegster werken. Toen Emma eenmaal was geboren, ging hij nog vaker van huis en bleef langer weg.

Op een bepaald moment vroegen we ons af of hij was gedood, maar na een tijdje hoorden we vervelende geruchten over hem en een andere vrouw. Ach, Vivi, ik had al eerder moeten accepteren dat er andere vrouwen waren en het was afschuwelijk. Inmiddels vermoedde ik dat hij gokte en nog wel meer dingen deed die ik niet goedkeurde en toen begon ik aanmaningen te krijgen van mensen van wie ik nog nooit had gehoord. Ik ontdekte ook dat de huur al maanden niet was betaald. Terugkijkend denk ik dat hij het zwarte schaap van de familie was en voor de oorlog naar India was gestuurd om bij een vriend of familielid te gaan wonen. Het bleef altijd een beetje vaag wat hij deed en waar hij naartoe ging, maar hij was arrogant en erg innemend. Mijn geduld raakte op en de achterstallige huur was de druppel die de emmer deed overlopen. Zoals gewoonlijk hielpen Hubert en Honor me uit de nood. Het waren zulke goede mensen. Dat klinkt een beetje ouderwets, maar dat waren ze helemaal niet. Hubert kon heel goed met mensen opschieten. Hij zat meteen op hun golflengte en je had veel steun aan hem. Honor was erg moederlijk, hartelijk, maar ook verstandig. Ik denk vaak aan haar en dan raak ik overstuur. Dan stel ik me voor dat ze vanuit de schaduw naar me kijkt als ik met haar kind door de tuinen van Paradise wandel. Ze was recht door zee en heel aardig. Ze zou gewild hebben dat er goed voor Bruno werd gezorgd, niet door een oude tante of door zijn grootvader, maar door iemand die hem al vanaf zijn geboorte kende en zijn leven had gedeeld. Hij vindt het heerlijk als ik James over Huberts werk vertel.

Ik hoor de kinderen. Ze zijn met tante Julia en Mousie naar The Row geweest.

Ik wens je het allerbeste, schat.

Madeleine

Ze blijft even staan en kijkt vanuit de deuropening de keuken in. Het groepje is vanaf The Row terug komen lopen over het klifpad. Emma werd gereden in de kleine opvouwbare wandelwagen die voor het laatst was gebruikt toen Rafe klein was. Ze hebben het allemaal warm en zijn moe. Mousie knielt voor Emma neer, strijkt het verwarde blonde haar glad en poetst met een zakdoek wat vieze vegen van haar wang.

Mutt vindt de tederheid in Mousies gebaren ontroerend en bij het zien van haar dochter loopt haar hart over van bezorgdheid en liefde. Emma roept opgetogen – 'Slaap, kindje, slaap!' – en haar gezicht straalt vol verwachting. In de grote tas van tante Julia zitten lekkernijen voor bij de thee en Emma is dol op zoetigheid.

'Sta nou eens stil,' zegt Mousie, maar ze moet zelf ook lachen en geeft Emma vlug een kus op haar rode wang, waarna ze met een gebaar van machteloze berusting opstaat.

'Je zus is een kleine aap,' zegt ze tegen Bruno.

Heel even verstart zijn blik tot een soort stille waakzaamheid. Dan kijkt hij naar Emma – die nog steeds dat ene zinnetje uit het kinderliedje opzegt – en hij glimlacht heel volwassen en vol genegenheid.

'Ze kan er niets aan doen,' zegt hij gelaten tegen Mousie. 'Papa zei altijd...' Hij aarzelt ongemakkelijk, komt niet uit zijn woorden en Mutt schiet hem vlug te hulp.

'Was het leuk?' roept ze, alsof ze nog maar net komt aanlopen. 'Wees eens stil, Emma. We hebben je allemaal gehoord. Arme Mousie.' Ze glimlacht meelevend naar het meisje. 'Ben je het al zat?'

Ze gaat op een keukenstoel zitten, slaat een arm om Bruno heen en knuffelt hem even, terwijl haar hart wild tekeergaat. Dit zijn van die momenten waar ze huiverig voor is, omdat ze bang is dat Bruno overrompeld wordt. Telkens als ze de argeloze uitdrukking op zijn kleine gezicht in onzekerheid ziet veranderen voelt ze zich schuldig. Ze vindt het afschuwelijk dat ze continu op haar hoede moet zijn, maar ze slaagt erin te glimlachen als ze ziet dat tante Julia haar tas uitpakt. Ze zal het niet in haar hoofd halen om te zeggen dat deze geweldige vrouw de kinderen misschien te druk vindt. Tante Julia stoort zich net zomin aan hun lawaai als aan dat van de golven die op de rotsen van de inham beuken. Ze is lang en staat statig bij de tafel en haar aanwezigheid is tegelijkertijd ontzagwekkend en geruststellend. Emma klimt op een stoel, hoopt dat er een pot jam in de tas zit en kijkt verlangend naar de kleine cakejes die tante Julia er met een zwierig gebaar uit haalt. Mousie houdt Emma vast als ze opgewonden gilt en bijna met stoel en al valt.

'Ze heeft het hele eind naar huis gegild,' zegt Bruno bijna bewonderend. Hij is inderdaad onder de indruk van Emma's vrolijke vastberadenheid om haar zin te krijgen. Hij vindt het rustgevend dat ze niet weet wat er in India is gebeurd. De afgrijselijke herinneringen bezorgen hem nachtmerries en hij is bang dat Mutt misschien bij hem vandaan gehaald zal worden. Zijn angsten zijn net schimmen die hun kans afwachten om hem te besluipen als hij wakker is. Als Emma bij hem is, heeft hij daar geen last van. Haar hartstochtelijke levenslust sleurt hem mee met de kracht van een natuurelement, water of wind bijvoorbeeld. Mutt en zij hebben altijd al deel uitgemaakt van zijn leven en hij wil er alles aan doen om hen bij zich te houden. 'Ze wil alleen in de wandelwagen als ze moe is,' zegt hij tegen Mousie en tante Julia, zich afvragend of ze zich een voorstelling kunnen maken van de vreselijke frustratie om vastgezet te worden als je wilt rennen, springen en klimmen. Emma kan dat zelf nog niet uitleggen, maar hij weet precies hoe ze zich voelt. 'Ze is graag haar eigen baas.'

'Ze stond erop de wandelwagen zelf te duwen en ik was bang dat ze ermee in de afgrond zou vallen,' bekent Mousie. 'De terugweg was nogal een strijd, maar ze vond het goed om het laatste stuk te worden gereden. Ik heb iets meegenomen wat ik je wil laten zien.'

Mutt kijkt gespannen toe als Mousie de tas opent die aan een lang hengsel over haar schouder hangt en er een envelop uit haalt. Op de foto zie je Hubert op het dek van een groot schip met een aantal andere jonge mannen. Hij fronst zijn wenkbrauwen een beetje, lacht naar de camera en heeft zijn handen in zijn broekzakken.

Mutt doet net of ze de foto aandachtig bekijkt, terwijl ze haar wang tegen Bruno's hoofd aan houdt, al weet ze niet of ze dat doet om hem of zichzelf te troosten.

'Hubert stuurde de foto op vanuit India,' zegt Mousie. 'Hij is onderweg genomen.'

Ze wacht even, maar Honor reageert niet. Zo te zien kijkt ze aandachtig naar de foto, maar toch geeft ze geen commentaar. Mousie voelt de bekende verwarring. Huberts weduwe zendt tegenstrijdige signalen uit – de ene keer doet ze hartelijk en dan weer kil en afwijzend – en ze snapt het niet. Alles wat met het verleden te maken heeft, lijkt taboe en Mousie wil over Hubert praten, van wie ze erg veel hield. Zelfs Bruno zwijgt liever over zijn vader. Ze hoopt dat de foto het gemakkelijker zal maken om herinneringen op te halen, want ze wil meer over Hubert weten. Het is vreselijk dat hij vergeten lijkt te worden en dat zijn naam nooit meer wordt genoemd.

Als Mousie dit in vertrouwen tegen haar moeder zegt, drukt deze haar op het hart niet door te drammen.

'Gun haar tijd,' zegt haar moeder. 'Weet je nog hoe wij ons voelden toen je vader net was overleden...' Hoewel ze zou kunnen aanvoeren dat de herinnering aan haar eigen vader niet met stilte is omgeven, laat Mousie het onderwerp rusten. Toch waarschuwt haar gevoel haar dat er iets is wat ze niet kan doorgronden. Ze neemt Honor stiekem aandachtig op, benijdt de ontspannen en gracieuze manier waarop ze met oom James omgaat en ziet de oprechte genegenheid waarmee ze Jessie en oude Dot voor zich weet te winnen. Mousie verlangt naar zulk volwassen raffinement, hoewel ze zich op dit moment beter op haar gemak voelt bij de kinderen dan bij de oudere familieleden. Ze vindt jonge mannen aardig, ook al is ze in hun bijzijn ontzettend verlegen, maar vergelijkt hen automatisch met haar herinneringen aan Hubert en die vergelijking doorstaan ze niet. Haar eerdere verbitterde reactie op het nieuws dat Hubert was getrouwd is verdwenen en ze is gefascineerd door Honor. Kijkend naar de weinige foto's die Hubert heeft opgestuurd, ziet ze dat Honor is veranderd. Het lange haar is afgeknipt en krult heel mooi. Het gezicht is magerder en de ogen liggen dieper.

'Dat komt door het verdriet,' zegt haar moeder. 'Ze is afgevallen, dat zie je aan de manier waarop haar kleren los om haar heen hangen.'

Mousie voelt zich schuldig, omdat ze zo vlug klaarstaat met kritiek op de vrouw van wie Hubert hield en die hem vast ontzettend mist. Ze mist hem zelf ook, koestert haar weinige aandenkens en denkt vol verlangen en aanbidding terug aan haar neef. Hij zou teleurgesteld zijn over haar reactie, houdt ze zichzelf voor. Ze wapent zich tegen haar verdriet en glimlacht naar Honor die liefdevol een arm om Bruno heen heeft geslagen.

'Ik dacht dat je het fijn zou vinden de foto te zien,' zegt ze terloops, terwijl ze zich nog steeds verbaast over het zwijgen. 'Misschien wil Bruno hem later hebben.' Voorzichtig pakt Mousie de foto, stopt hem weer in de envelop en bergt hem op.

'Theetijd,' zegt tante Julia kordaat. Mutt slaakt stilletjes een zucht van verlichting en verslapt haar greep op Bruno.

3 augustus

Lieve Vivi,

We hebben het druk gehad op Paradise. Je raadt het nooit: Simon heeft hier een lang weekend gelogeerd! Hij komt af en toe op bezoek om iedereen te zien, wat ik heel aardig van hem vind. James mag hem erg graag en dat is ontroerend. Ze praten over Hubert en de dingen die Simon en hij vroeger uithaalden. Ze hebben het over cricketwedstrijden, zeilen en dat soort dingen, en die lieve oude James beleeft het allemaal opnieuw. Simon en Rafe zijn met ons gaan zeilen – ze hebben een boot die op de oude werf ligt – en we zijn om de beurt met hen meegegaan: Mousie samen met Bruno en ik met Emma die van blijdschap en verbazing voor haar doen ongewoon rustig was. Ze zat muisstil naast me op de doft – of hoe zo'n stoel ook heet! – toen we over het zijdeachtige zilveren water gleden en voorbij de zwarte rotsen voeren, terwijl de meeuwen rondom de hoog boven ons uitstekende kliffen cirkelden en kresen. Het is heel gek, Vivi, om vanaf de zee de kust te zien. Raar en erg opwindend. Een wild, doordringend gevoel van vrijheid maakte zich van me meester alsof er een navelstreng was doorgesneden en ik niet meer gehinderd werd door aardse zorgen. Het driehoekige witte zeil was als de vleugel van een vogel, strak gespannen boven het rimpelige oppervlak van de zee, terwijl de pure frisse wind langs me streek en mijn huid deed tintelen. Het was echt heerlijk!

Simon zei: 'Je hebt in India zeker weinig kunnen zeilen?' Zelfverzekerd antwoordde ik: 'Nee, geen enkele keer.' Hij zei: 'Dat zal Hubert jammer hebben gevonden.' Ik knikte alleen. Rafe zag dat ik genoot, glimlachte heel lief naar me en zei nogal verlegen: 'Nu het vakantie is, wil ik met alle plezier vaker met je gaan zeilen.' 'Dat zou ik geweldig vinden,' zei ik meteen, en ik hoopte maar dat niemand op de proppen zou komen met een verhaal dat Honor altijd zeeziek werd!

Zondagmiddag zijn we wezen picknicken op de helling bij de Saint's Well. Daar groeien wilde fuchsia's – hoge struiken met fraaie gebogen stengels met rode klokvormige bloemen – en je ziet overal vlinders. We legden het kleed neer op de plek waar we dachten dat de deur van de cel was geweest. Simon rolde zijn mouwen op en maakte een vuurtje op een platte steen bij het beekje om water te kunnen koken. Bruno was uitzinnig van vreugde en maakte een dam, terwijl Emma met water kliederde, veel spetterde, luidruchtig was en weigerde Mousies hand vast te houden.

Ik vroeg me af of Mousie verliefd was op Simon, maar dat bleek nergens uit: geen malle verlegenheid, geen korte zijdelingse blikken, geen uitsloverij of geflirt. Ze leert voor verpleegster in Truro. Hoewel ze direct en praktisch is en goed met kinderen kan omgaan, lijkt ze veel jonger dan ze is en ik ben bang dat ze hier gevangen zal zitten bij haar moeder en oom. Misschien vind je het gek dat ik het woord 'gevangen' gebruik, terwijl duidelijk is dat St Meriadoc een ongelofelijk mooie plek is, maar ik weet nog hoe wij waren op die leeftijd, Vivi. Het gezelschap van een groep oudere mensen – hoe lief ze ook zijn – en een jongere broer zou voor ons niet genoeg zijn geweest, zelfs niet in een paradijs als dit. Als wij op ons zeventiende iemand zoals Simon hadden ontmoet, hadden we als katten om hem gevochten.

Hij is heel aantrekkelijk, behoorlijk lang, ziet er stoer uit, heeft mooie handen en waarschijnlijk ook rechte sterke benen. Hij heeft geen belangstelling voor Mousie, althans niet in dat opzicht. Het is net of wij – hij en ik – de twee volwassenen zijn en de anderen allemaal kinderen. Misschien komt dat doordat hij haar al heel lang kent. Ik wil haar een beetje sturen. Ze heeft dik haar dat best een mooie kleur heeft, lichtbruin met goudblonde en roodachtige plukken, maar ze draagt het onverzorgd in een vlecht. Ze heeft prachtige donkere blauwgrijze ogen en een egale zachte huid, maar ze gebruikt geen make-up, niet eens een beetje lippenstift. Het punt is dat ik niet te dichtbij durf te komen, want ze ziet te veel.

Ze merkte dat Simon en ik op het kleed lagen te roken, terwijl Rafe Bruno hielp met zijn dam en Emma met water speelde. Het was heerlijk daar in de warme zon. Het koude water borrelde op uit de bron en er was een leeuwerik die zo hoog zat dat we hem niet konden zien. We hoorden alleen zijn gouden stem en de noten die hij over ons uitstortte vanuit de blauwe lucht. Ik moest denken aan een gedicht van Meredith en citeerde een paar regels voor Simon:

Hij schenkt ons liefde voor de aarde.
Hoger en hoger vliegt hij op,
onze vallei is zijn gouden kop.
De beker vloeit over en hij is de wijn,
bron van een nieuw bewustzijn.

Het paste perfect bij deze gouden vallei en het gezang van de leeuwerik en ik zag dat Simon dat ook vond.

'Daar,' riep hij opeens. Hij boog naar voren en wees naar boven, waarbij zijn blote arm mijn wang raakte.

O, Vivi. Zijn warme huid tegen de mijne. Ik voel het nog! Ik schrok en mijn hart klopte in mijn keel. Hij keek me aan, wierp slechts één blik op me. Toen kwam hij heel kalm overeind en liep naar de dam.

'Goed gedaan,' zei hij. 'Jij wordt vast ingenieur, Bruno.'

Ik kon niet lopen; mijn benen zouden me niet hebben gedragen. Ik ging op mijn rug in de zon liggen en schermde mijn ogen af met mijn handen, die licht trilden.

Dat is toch niet raar, Vivi? Ik ben immers getrouwd geweest en ik mis het dat er geen man naast me ligt die me vasthoudt. Mijn lichaam miste Johnny ontzettend toen hij was vertrokken, nog steeds trouwens, ook al weet ik verstandelijk dat ik hem niet terug zou willen. Ik ben pas zevenentwintig en het is toch niet zondig om je aangetrokken te voelen tot een man? Ik snap ook wel dat iedereen hier, inclusief Simon, het als ontrouw jegens de herinnering aan Hubert zou beschouwen – hij is immers nog maar enkele maanden overleden – maar in werkelijkheid ben ik al bijna een jaar alleen en ik ben erg eenzaam. Het heeft niet alleen met de lichamelijke kant te maken, hoewel ik die zeker mis, maar ik mis ook het gezelschap en de grapjes, weten dat hij bij jou hoort, ongeacht zijn fouten en tekortkomingen. Het is een trekje van zijn sigaret nemen, met hem door de regen rijden, intiem en romantisch dansen, 's nachts wakker worden en naar hem kijken terwijl hij slaapt.

Ik was blij toen Emma uit het beekje stapte en zich nat, warm en gierend van pret boven op me liet vallen. Dat verbrak de spanning en daarna was ik in staat om de theespullen te verzamelen en mezelf onder controle te krijgen.

We dineren vanavond met z'n allen, een echt familiefeest, hoewel ik geen idee heb wat die lieve oude Dot en tante Julia in elkaar zullen flansen. De rantsoenering is nog steeds heel streng. Zonder eigen moestuin en de haring uit Port Isaac zou ik niet weten hoe we aan voldoende eten moesten komen. Oude Dot zorgt voor James – en nu dus voor ons allemaal – en het is echt een lieverd. Haar man heeft het grootste deel van zijn leven bij de werf gewerkt en is aan het begin van de oorlog overleden. Aan de andere kant van tante Julia woont Jessie Poltrue. Net als Julia is ze oorlogsweduwe. Haar kinderen zijn volwassen en het huis uit. Eén zoon werkt bij de vissersvloot in Port Isaac en de ander werkt in Padstow. Die lieve James is een vriendelijke oude pasja voor alle vrouwen hier. Ik denk dat hij het heerlijk vindt dat Simon er nu is, zodat hij voor de verandering eens mannelijk gezelschap heeft.

En dat geldt ook voor mij, lieve Vivi. Simon zit namelijk op mijn golflengte. Hij is jong, geestig en aantrekkelijk en door hem weet ik weer wat ik mis. Maar ik zal niet klagen of spijt krijgen van bepaalde dingen. Ik mag van geluk spreken dat ik ongedeerd hier ben, dat ik aardige mensen om me heen heb en dat mijn kind veilig is. Toen ik bij het beekje zat en net deed of ik niet naar Simon keek, moest ik aan Goblin Market denken en aan die arme Laura die ernaar verlangt nog één keer de kabouter te horen roepen en van het fruit te proeven.

Lizzie zegt dan tegen haar:

Treuzel niet langer bij de beek,
Toe, ga toch mee naar huis.
Ga mee voordat het donker wordt.
Het zomerweer neemt straks een keer,
en als de wolken samenpakken,
dooft het licht, zijn wij doornat.
Misschien verdwalen we op het pad.

Ik heb in het midden een stukje overgeslagen, maar je snapt wel wat ik bedoel, hè, Vivi? Het was net of je me waarschuwde. Ik mis je ontzettend. En Honor en Hubert ook. Het voelt alsof ik jullie allemaal in één klap heb verloren.

Ik hou van je, lieverd.

Madeleine

Het diner is een groot succes: iedereen aan tafel bemerkt een onderstroom van opwinding, maar alleen Mousie, die tussen Bruno en Emma in zit, raadt hoe dat komt. Naast Bruno zit Rafe en dan krijg je Honor, die naast James aan het hoofd van de tafel zit. Julia zit aan de andere kant van Emma, naast Simon die weer links van James zit. Jessies oudste zoon heeft een paar konijnen gevangen en Dot heeft een heerlijke hartige taart gebakken.

Julia, die Emma een piepklein stukje hartige taart voert, is ervan overtuigd dat de uitgelatenheid het gevolg is van de cocktails die Simon eerder heeft ingeschonken. Tot grote vreugde van James heeft hij meestal een paar flessen sterkedrank bij zich als hij op Paradise komt en vanavond heeft iedereen een glas, met uitzondering van de kinderen. Julia geniet van haar drankje. Het doet haar denken aan marinefeesten en dameskransjes, en ze voelt zich weer jong en frivool. Zij is degene die Honor heeft overgehaald de kinderen erbij te laten zijn, aanvoerend dat het oneerlijk zou zijn als ze de hartige taart zouden missen omdat zulke traktaties een zeldzaamheid zijn in tijden van rantsoenering. Glimlachend om Honors verbaasde blik – Julia weet dat ze haar allemaal het toonbeeld van discipline vinden – heeft ze eraan toegevoegd dat Simon Bruno's peetoom is, wat de gebeurtenis extra bijzonder maakt.

Toch zet ze Emma stevig vast in de kinderstoel en ze geeft haar de sneeuwbol, een prachtig voorwerp waar ze alleen bij bijzondere gelegenheden mee mag spelen. Omdat ze Emma bezighoudt met de sneeuwbol en haar tussendoor hartige taart met konijnenvlees voert, heeft ze het te druk om op Simon te letten, die rechts van haar zit. In tegenstelling tot Mousie ziet ze niet dat Simons ogen vaak op Honor blijven rusten of dat hij vreemd rusteloos is, alsof hij een diep verlangen onderdrukt.

Honor richt haar aandacht echter op James, hoewel ze nu en dan ook iets tegen Rafe zegt, als die Bruno niet aan het uitleggen is hoe je moet zeilen. Mousie ziet dat Rafe erg zijn best doet om Bruno bezig te houden en ze voelt grote genegenheid voor haar broer. Hij kan goed zeilen en het is duidelijk dat Bruno heeft genoten van zijn eerste keer op het water. Rafe beschrijft levendig hoe Hubert hem heeft leren zeilen in de *Kittiwake* toen hij, Rafe, net zo oud was als Bruno nu. De ogen van de kleine jongen stralen van interesse en blijdschap. Mousie glimlacht goedkeurend naar haar jongere broer en kijkt weer naar Simon.

Hij ziet er goed uit, dat moet ze toegeven, en hij heeft uitstekende manieren, maar haar loyaliteit staat niet toe hem als Huberts gelijke te beschouwen. De meisjes bij haar op de opleiding nemen geen blad voor de mond als ze het over hun vriendjes hebben en ze ziet dat Simon sex-appeal heeft, maar hoewel ze het niet onder woorden kan brengen, heeft ze het gevoel dat er bij Simon op een dieper niveau iets ontbreekt. Hij mist Huberts aantrekkingskracht, die eigenschap waarmee hij jong en oud naar zich toe trok, al straalt

Simon wel glamour uit en heeft hij een gedistingeerd fraai uiterlijk. Ze kan zich goed voorstellen dat Simon in een groot ziekenhuis in de stad zou werken of gefascineerd zou zijn door onderzoek, maar in tegenstelling tot Hubert zou hij nooit tevreden zijn als hij arme mensen moest behandelen, die hij niet verstond. Hij zou te rusteloos zijn om het geduld te kunnen opbrengen voor een plattelandspraktijk, waar het erbij hoort om even met iemand een praatje te maken over het weer en de gewassen.

Mousie slikt moeizaam een stukje konijnenvlees door en herinnert zich dat ze had gehoopt dat Hubert naar St Meriadoc zou terugkeren om in zijn eigen dorp te komen werken. Toen ze aan haar verpleegstersopleiding begon, had ze gehoopt dat ze ooit zouden samenwerken. Met moeite richt ze haar aandacht weer op Simon. Hij heeft zijn stuk hartige taart op, zit nu naar voren gebogen en voert een ernstig gesprek, terwijl Honor en oom James aandachtig luisteren. Honors blik is op Simons gezicht gericht, terwijl oom James met open mond en half toegeknepen ogen zijn glas ronddraait. Mousie vindt het interessant dat Honor ook die karaktertrek heeft waarmee ze iedereen naar zich toe trekt: geen wonder dat Hubert van haar hield.

Simon denkt precies hetzelfde: geen wonder dat Hubert verliefd op haar werd. Zelfs als hij praat, is hij zich bewust van Honors belangstelling voor hem: een speciale vorm van concentratie die hem op een of andere manier in staat stelt gevat en slim te zijn. Hij twijfelt er niet aan dat ze bij de oude James precies hetzelfde gevoel oproept en dat dit helemaal niets te maken heeft met de cocktails. Ze heeft toverkracht, deze vrouw, waarmee ze mensen diep vanbinnen raakt en dingen naar boven haalt waarvan je niet wist dat je ze in je had: je wilt voor haar stralen. Dat zag hij eerder op de avond ook bij Rafe toen ze in de salon iets te drinken namen. Ze moedigde hem aan over zeilen te vertellen, deed dat niet alleen om hem te vleien, maar liet hem ook de benodigde vaardigheden beschrijven en vroeg bovendien wat hij ervan vond. Rafe bloeide op in de magische straal van haar belangstelling en ook dat had niets met de drank te maken. Of het nu oude Jessie met haar eeltknobbels was of Bruno met kapot speelgoed, iedereen kreeg exclusieve aandacht: geen wonder dat Hubert als een blok voor haar was gevallen.

Simon nipt van zijn wijn: arme Hubert, wat een stomme pech. Hoewel het contact tijdens de oorlog was verwaterd – ze hadden het allebei druk en waren van nature geen brievenschrijvers – waren ze tijdens hun schooltijd en de opleiding die ze samen volgden goede vrienden gebleven. Hij had het erg ontroerend gevonden dat Hubert hem had gevraagd of hij peetoom van zijn zoon wilde worden. Nu Honor de werkomstandigheden in het ziekenhuis in Multan beschrijft, probeert hij zich te herinneren wat Hubert precies over zijn vrouw had geschreven. Natuurlijk het gebruikelijke verhaal over wat een geluksvogel hij was en hoe mooi ze wel niet was, maar hij was totaal niet voorbereid geweest op Honor. Hij vindt de naam die de kinderen haar hebben gegeven leuk: Mutt. Die oude Julia mag dan protesteren dat de naam onfatsoenlijk is, maar de bijnaam heeft wel iets en past bij haar. De naam 'Honor' klinkt wat streng en hoewel ze op haar hoede kan zijn, heeft hij achter de façade kunnen kijken die ze uit zelfbescherming heeft opgeworpen. De bijnaam maakt haar toegankelijker.

'Het was Huberts schuld,' heeft ze tegen hem gezegd. 'Je weet hoe hij was met bijnamen.'

Dat weet hij inderdaad, maar hij is niet van plan haar te vertellen dat Huberts grove bijnaam voor hem Graaf Dracula was, vanwege zijn talloze veroveringen in het zusterhuis in de periode dat Hubert en hij op de opleiding in Barts zaten. Daaraan terugdenkend houdt hij zijn servet voor zijn mond om een glimlach te verbergen, terwijl hij doet of hij zijn lippen afveegt. Hij merkt dat Mousie naar hem kijkt. Zij is ook een slachtoffer van Hubert. Zou iemand nog weten dat ze eigenlijk Mary heet? Hij glimlacht naar haar en vraagt zich af of hij misschien werk van haar zou hebben gemaakt als Honor niet opeens op het toneel was verschenen. Iets in Mousies strakke blauwgrijze blik doet hem vermoeden dat hij het risico waarschijnlijk niet zou hebben genomen. Ze is trouwens bijna als een zus voor hem.

Dat gevoel heeft hij bij Mutt helemaal niet. Door hem dat telegram te sturen heeft Hubert hem zo goed als verantwoordelijk voor haar gemaakt en hij heeft het gevoel dat hij best zijn kans mag wagen als de rouwperiode voorbij is. Niet dat hij van plan is zijn Dracula-methoden toe te passen. Nee, zeg! Oude James zou hem meteen de deur wijzen en bovendien past die tactiek niet bij zijn gevoelens voor haar. Hij wil meer dan dat. Hij is bezeten van Mutt met haar lieftalligheid en geestige invallen. Ze zitten op dezelfde golflengte en hij weet dat zij er ook zo over denkt. Hij weet het zeker, ook al kent hij haar nog maar net en gedraagt ze zich zoals het hoort... Maar, lieve help, toen ze op de helling bij de bron naast hem op het kleed lag en om de kinderen lachte! Hij had haar sigaret aangestoken en ze hadden naar de leeuwerik geluisterd, hoog boven hen, en ze had een gedicht voorgedragen. Dat had hem niet zo veel gezegd, want in tegenstelling tot Hubert had hij nooit veel om poëzie gegeven, maar het was best aardig – de vallei werd vergeleken met een gouden kop waar het gezang van de leeuwerik in werd gegoten alsof het wijn was – en toen zag hij opeens de leeuwerik.

'Daar,' had hij geroepen, en zijn arm had bij het wijzen langs haar wang gestreken. Hij had het gevoel gehad dat zijn huid in brand stond door de aanraking, hoewel haar wang koel en zacht was.

Julia mompelt iets tegen Simon en biedt hem nog een stukje hartige taart aan. Honor richt zich tot Rafe en Bruno, zodat James even aan zijn lot wordt overgelaten. Hij kijkt de tafel rond, geniet van de sfeer en wilde dat zijn lieve Meg op haar plek zou zitten om naar hem te glimlachen met die heimelijke blik van voldoening die ze had als alles goed ging. Julia mist haar zus ook; dat weet hij. Niet dat ze erover praat – Nee, zeg! Daar zouden ze zich allebei ongemakkelijk bij voelen – maar ze begrijpen elkaar en hebben hun eigen manieren om medeleven over te brengen. Hij kijkt vol genegenheid naar zijn schoonzus als ze Simon nog een stuk hartige taart geeft, waarna ze Emma weer voert. Het is duidelijk dat Julia Huberts gezinnetje goedkeurt en haar best doet om hun het gevoel te geven dat ze hier thuishoren.

Zijn hart trekt samen als hij naar Bruno's aandachtige stralende gezichtje kijkt: het is net of Hubert er zit, jaren geleden toen Margaret een mooie vrouw was en hijzelf net terug was van het front en blij was met de rust in deze stille vallei. Ze zou dol geweest zijn op de jongen, en ook op Emma. Ze had zelf graag een dochter gewild, maar ze hadden maar één kind gekregen, een zoon die toen hij volwassen was zich geroepen voelde in het buitenland te gaan werken. Ze hadden geen van beiden geprobeerd het hem uit het hoofd te praten, hoewel ze allebei hoopten dat hij gauw zou terugkomen. De gedachte dat haar kleinkinderen erg ver weg waren en dat de oorlog hen scheidde, had Margarets hart – dat toch al nooit sterk was geweest – gebroken. Ze had Hubert ontzettend gemist. Ze spraken er zelden over, zo waren ze niet, maar de sfeer in huis veranderde toen hij was vertrokken en ze hadden Julia en haar kinderen allebei met open armen ontvangen, terwijl ze hun eigen tragedie verwerkten. Margaret had het fijn gevonden haar zus dicht bij zich te hebben: ze hadden het altijd goed met elkaar kunnen vinden.

James zucht en glimlacht wat droefgeestig naar Honor, die naar hem kijkt met dat speciale meelevende gevoel dat zo kenmerkend voor haar is.

'Heb jij zussen?' vraagt hij. 'Of broers?'

Haar geschrokken blik brengt hem meteen terug in het heden. Hij herinnert zich dat haar ouders zijn omgekomen bij een luchtaanval en dat ze geen broers of zussen heeft en hij verwijt zichzelf zijn tactloosheid. Voordat ze antwoord kan geven verontschuldigt hij zich.

'Ik weet het alweer,' zegt hij berouwvol. 'Het spijt me. Ik dacht aan mijn vrouw en de hechte band die ze met Julia had.'

Hij praat maar door in een poging zijn lompheid te verbergen, zich ervan bewust dat de sfeer minder feestelijk is geworden. Dan komt Dot binnen met een speciale zoete lekkernij die ze heeft gemaakt en dankzij de bewonderende en verrukte kreten keert de vrolijkheid terug. James slaakt een zucht van verlichting en pakt zijn glas. Simon heeft goede wijn meegebracht; hij kan maar beter niet vragen hoe hij daaraan komt...

'Geschikte kerel,' mompelt hij goedkeurend. Hij is blij als hij ziet dat Simon Honors aandacht heeft weten te trekken – hij zegt iets over Emma en de pudding – en haar aan het lachen heeft gemaakt. Hij glimlacht naar zijn familie, heft zijn glas naar Julia die naar hem teruglacht. Alles gaat goed.

15 augustus 1947

Vandaag wordt India onafhankelijk, Vivi, en ik voel me de hele dag al raar. Honor en Hubert zouden die gemengde gevoelens hebben begrepen. We werkten erg hard in dat kleine ziekenhuis en hadden zo'n vreemde, ingewikkelde relatie met die lieve mensen die ons soms tot razernij dreven. Wij – de Britten – waren zeer afhankelijk van de loyaliteit van de Indiërs en toch was er onderhuids altijd de diepgewortelde angst voor verraad. In Multan, van oudsher een probleemgebied, bracht dit ons – Hubert, Honor en mij – heel dicht tot elkaar.

Heb je je niet afgevraagd hoe ik aan geld kom, Vivi? Ik had met moeite geld voor de reis bijeengescharreld, maar gelukkig kreeg James het geldprobleem door en hij is me te hulp geschoten. Ik heb voorgesteld te gaan werken, maar daar wil hij niets van weten – hij houdt vol dat de kinderen me hier nodig hebben – en daarom heeft hij een bankrekening voor me geopend en krijg ik een kleine toelage van hem. Tot mijn schrik heeft hij gevraagd hoe het zit met Huberts pensioen. Ik schrok me wezenloos toen hij daarover begon.

'Heb je Huberts overlijdensakte?' vroeg hij.

Ja, die heb ik. Ik heb ze alle drie. Die van Honor en Emma zitten voorzichtig vastgeplakt tussen de harde kaft en de papieren omslag van Goblin Market, samen met mijn eigen papieren. Ik heb een telegram naar Multan gestuurd waarin stond dat dokter Hubert Trevannion en mevrouw Madeleine Uttworth en haar dochter aan botulisme waren overleden en dat zijn vrouw en kinderen onderweg waren naar Engeland.

Ik moest vlug iets verzinnen, maar daar ben ik altijd al goed in geweest, hè? Jij was het verstandige en praktische meisje, maar in een crisissituatie was ik degene met de briljante ideeën. Weet je nog dat mama altijd zei dat je veel moet onthouden om goed te kunnen liegen? Nou, dat is waar. Toen ik met Johnny was getrouwd, moest ik ons vaak – onverwacht – uit netelige situaties zien te redden en heb ik geleerd om snel een beslissing te nemen. Je moet dan niet alleen weten wat je eerder hebt gezegd, maar je moet ook vooruit kunnen kijken om eventuele valkuilen te zien. Dat kon hij, Vivi, en hij wist dubieuze handelingen met glamour te bekleden. Hij kon het zo brengen dat oprechte, deugdzame mensen fantasieloos en saai leken. Toch bleef het diep vanbinnen een beetje aan me knagen dat alles een verachtelijke bijsmaak had. Aanvankelijk maakte dat niet uit, want ik hield van hem. Ik aanbad hem en hij kon me met gemak inpalmen. Toen Lottie eenmaal was geboren veranderde dat. Ik wilde voor haar geen geknoei en oplichterij, kun je je dat voorstellen?

Ik was vroeger altijd jaloers op Honor en Hubert. Zij hadden bereikt wat mij voor ogen had gestaan toen ik destijds besloot om voor de zending naar India te gaan in plaats van als verpleegster voor het leger te gaan werken. Ik wilde tussen de Indiërs wonen, wilde werken op een plek waar ik echt iets kon betekenen, maar op een of andere manier raakte ik door Johnny uit de koers. Ik werkte wel degelijk hard, maar Honor en Hubert deden dat met hart en ziel en dat kon ik niet opbrengen. Toen ik Johnny leerde kennen waren zijn liefde en goedkeuring belangrijker voor me dan de rest. Het ging net als vroeger met Robert Talbot en hij leidde me af van mijn zendingsdrang.

Honor en Hubert hadden hun leven op orde en ik benijdde hen erom. Soms heb ik het gevoel dat ik een deel van hun leven ben geworden en dat iets van hun goedheid en wijsheid op me afstraalt. Ik had grote bewondering voor Honor. En dan bedoel ik niet in lichamelijk opzicht. Ze had geen sex-appeal en had aanleg om dik te worden, vooral nadat de kinderen waren geboren, maar ze straalde een onwrikbare sereniteit uit. Ze was meelevend zonder door te slaan en van medelijden in tranen uit te barsten, wat mij soms overkwam. Vivi, je kunt je geen voorstelling maken van de armoede en wreedheid die ik heb gezien! Honor was erg verstandig en praktisch ingesteld zonder persoonlijk te zeer betrokken te raken en te veel hooi op haar vork te nemen. Dat deed ik wel. Ik probeerde het iedereen naar de zin te maken en daardoor kon ik mijn werk niet goed doen.

Toch hielden Honor en Hubert van me. Dat verbaasde me altijd.

'Zorg voor de kinderen als er iets met me gebeurt,' had ze gezegd. Dat beloofden we elkaar. Het was in die tijd in India ontzettend belangrijk om te weten dat we op elkaar konden rekenen.

'Je bent een muts, Mutt,' zei Hubert na de een of andere ramp. 'Wat een vrouw!'

Maar uiteindelijk was ik degene die Honor bij zich wilde hebben. Ze vroeg naar me en wist dat ik zou komen omdat ik dat altijd had beloofd.

Ik draag zelfs haar kleren. Ik had niet veel meer bij me dan de kleren die ik aanhad en de rantsoenering is zo streng dat ik Honors kleren wel moet dragen. Ik heb tegen iedereen gezegd dat ik na Huberts dood ben afgevallen en ik gebruik de Singer-naaimachine van zijn moeder om de naden in te nemen en de zomen uit te leggen.

'Ben je ook langer geworden?' vroeg Mousie. Het enige wat ik wist te zeggen was dat ik die korte rokken zat was. Tjonge, soms ben ik doodsbang.

Heb jij in Amerika een leven als een vorstin, Vivi? Ik hoop het voor je.

Veel liefs, Madeleine

30 augustus

Ik werd vanmorgen vroeg wakker, Vivi. Ik wou dat ik je Paradise kon laten zien. Als ik uit mijn slaapkamerraam naar buiten leun en voorbij de tuinen kijk, zie ik hoge fragiele bomen – dun met iele takken – die met vlekkerig houtskool getekend lijken te zijn tegen zachte dikke mist die vanaf de kust de vallei binnen rolt. Een wollige gestalte beweegt op het grasland beneden. Het schaap loopt de helling af, een konijnenspoor volgend. Je ziet een donker smal pad in het zilverachtige bedauwde gras. Er komen andere schapen aan en er strijkt een kraai neer, die met stijve poten rondloopt en zijn glanzende kop schuin houdt, terwijl hij met pientere ogen rondkijkt of hij een lekker hapje voor het ontbijt ziet. Even later wordt het tafereel ondergedompeld in een gouden gloed als de zon opklimt boven de rand van de wereld en verblindend licht uitstort over 'de gouden kop' – onze vallei – en doordringt tot in de schaduwrijke hoeken van de tuin.

Toen Margaret – Huberts moeder – was overleden, is James permanent in zijn kleedkamer aan de achterkant van het huis gaan wonen. Hij zegt dat hij het prettig vindt om op stormachtige nachten de zee te horen en bovendien heeft hij daar al zijn spullen, maar ik voel me nogal schuldig omdat ik deze prachtige kamer voor mezelf heb. Gisteren heeft er een ontroerende korte plechtigheid plaatsgevonden (het was Honors verjaardag; je moest eens weten hoe raar en onwerkelijk dat allemaal was). Hij heeft me Margarets juwelen gegeven en nog wat kostbare spullen. Ze bezat enkele prachtige sieraden: een fraai parelsnoer met een dubbele rij parels en bijpassende oorbellen, een mooie ketting met granaten in zilveren zetting, enkele ringen – één met een diamant, één met een robijn en een mooie verlovingsring met een saffier.

'Ik weet dat ze het fijn zou hebben gevonden als jij ze zou dragen,' zei hij nogal kortaf – het ging allemaal heel snel omdat ik zag dat de kleine gebeurtenis hem behoorlijk aangreep – en ik gaf hem een zoen en zei dat het me diep raakte dat ik ze mocht hebben.

Je kunt je voorstellen hoe ik me voelde, Vivi! Ik houd mezelf voor dat alles naar Bruno zal gaan en dat het daarom uiteindelijk zal kloppen, maar dan pieker ik er weer over hoe Emma het zal vinden als het zover is en er niets voor haar blijkt te zijn. Ik probeer daar op het moment maar niet aan te denken.

Ik hoor haar boven zingen in haar kinderledikant. Het is een vrolijk, hartelijk en lief kind. Bruno en Emma zijn gek op elkaar. Ik denk dat Bruno India probeert te vergeten. Hij wil niet meer praten over die kleine dagelijkse dingen die kernmerkend waren voor zijn leven daar. Ik denk dat hij bang is in de war te raken en zijn mond voorbij te praten. Ik weet precies hoe hij zich voelt! Dat geldt niet voor zijn vaders werk. Hij vindt het fijn om daarover te horen, maar het gebeurt steeds vaker dat hij gesprekken over typisch Indiase dingen, zoals Sushila en de oude mali, vriendelijk maar beleefd afhoudt en ik vraag me af of hij dit doet omdat hij dan aan Honor en gelukkiger tijden moet denken.

Emma maakt steeds meer herrie. Ik ga haar uit bed halen.

In zijn eigen kamer luistert Bruno naar Emma's dwingende geschreeuw en hij breekt het verhaal dat hij zichzelf aan het vertellen is op een handig punt af. Hij vraagt zich af of er tijd zal zijn om voor de thee naar The Lookout te wandelen. Hij houdt van het vreemde oude huis op het klif en het komt voor in veel van de verhalen die hij verzint. Jessie heeft hem over strandjutters en smokkelaars verteld en hij vervlecht deze verhalen met dingen die hij zich herinnert over India, zodat de enge stukken minder angstaanjagend worden en hun verschrikking draaglijk wordt. Als het een erg goed verhaal is, speelt hij het soms na, wat dagenlang kan duren. De volwassenen hebben vaak ook rollen, hoewel ze daar zelf geen weet van hebben, maar Emma is te jong om mee te spelen. Zelfs als ze oud genoeg zou zijn, heeft hij het idee dat ze de ernst van het spel niet goed zou snappen. Dit gevoel, dat uit dezelfde plek in zijn binnenste komt als de ideeën voor zijn verhalen, waarschuwt hem dat ze, zo jong als ze is, al met beide benen in de werkelijkheid staat. Haar kleine voeten zijn stevig verankerd en ze kent alleen lichamelijke behoeften: ze wil eten, warmte en gezelschap. Als hij midden in een verhaal zit of met behulp van woorden vormen in zijn hoofd laat ontstaan, vergeet hij alles. Emma laat zich echter nooit helemaal meeslepen door muziek of door de magische stilte van de schemering. Alleen wilde elementaire dingen – de zee die tegen de kliffen beukt of een harde westerstorm – roepen in haar dat diepe genot op. Hij weet dat ze die vreugde probeert te uiten als ze het geluid van een stoomtrein nadoet of brult als een leeuw.

Hij hoort haar nu. Ze zingt hard en springt op en neer in haar kinderledikant. Hij hoort ook dat Mutt de trap op komt en hij denkt aan de korte ceremonie van gisteren toen opa haar de juwelen van zijn oma heeft gegeven. Hij raakt eraan gewend dat Mutt soms geagiteerd raakt. Zo noemt tante Julia dat en dat moeilijke woord beschrijft precies hoe Mutt zich gedraagt als de gebeurtenissen uit India zich opdringen aan het leven op Paradise. Hij snapt waarom Mutt toneelspeelt en doet graag met haar mee. Ook al houdt hij veel van tante Julia, Mousie en Rafe, hij zou er niet tegen kunnen als Mutt en Emma niet meer bij hem zouden zijn. Ook als hij zichzelf er doelbewust aan herinnert dat hij papa, mama en kleine Emma nooit meer zal zien, is het net of dat door de aanwezigheid van Mutt en Emma niet helemaal waar is. Het lijkt of alle personen in elkaar overvloeien en hoewel hij zich slecht voelt – alsof hij niet genoeg om papa, mama en kleine Emma geeft – waarschuwt een gevoel hem dat deze acceptatie moet plaatsvinden.

'Doe precies wat Mutt zegt,' had mama tegen hem gezegd op die afschuwelijke plek van hitte en verschrikking en hij had aangevoeld dat het een opluchting voor haar was dat hij met Mutt naar een veiliger oord zou gaan.

Soms is het alsof mama en Mutt een en dezelfde persoon zijn en Emma – die ooit Lottie heette – echt zijn zusje Emma is. Hij is blij dat papa gewoon papa is gebleven en dat hij met Mousie en zijn opa over hem kan praten, al moet hij wel oppassen dat het gesprek geen andere wending neemt. Daarom zijn de verhalen zo goed, omdat hij dan de vreselijke droefheid in iets opwindends of dappers kan veranderen en dan voelt hij zich prettiger. Hij vraagt zich af hoe Mutt dat klaarspeelt en omhelst haar soms troostend om te laten merken dat hij weet hoe bang ze moet zijn. Dan kijkt ze op een bepaalde manier naar hem, met de vreemde blik van iemand die dankbaar is en zich tegelijkertijd schaamt. Geagiteerd.

Bruno komt van zijn bed af en loopt de kinderkamer in, waar Mutt Emma uit haar ledikantje tilt. Emma kraait van plezier en hij voelt zich weer veilig en gelukkig.

Beneden vouwt James zijn krant op en schudt zichzelf wakker. Hoewel hij vaak blij is dat hij kan wegglippen naar de rust van zijn studeerkamer, geniet hij van de geluiden van het gezin die weer leven brengen in dit oude huis. Hij luistert naar de voetstappen boven, naar Emma's geschreeuw en Bruno's kinderstem, en hij glimlacht tevreden als hij terugdenkt aan de ceremonie.

Julia had hem op het idee gebracht.

'Het is een aardige geste,' had ze gezegd. 'Huberts vrouw hoort Margarets juwelen te krijgen en het zou een zeer gul gebaar zijn. Alsof je haar hier welkom heet, James. Snap je? Haar op een formele manier laten merken dat ze hier thuishoort. Margaret zou het zo gewild hebben.'

Het zat hem dwars dat hij daar zelf niet aan had gedacht en hij had vlug de weinige sieraden gepakt die van Margaret waren geweest. Niet dat ze veel waarde aan juwelen had gehecht, zijn dierbare Meg. Ze had meer belangstelling gehad voor de tuin en haar borduurwerk dan voor persoonlijke opschik, maar Julia had gelijk. Hij was nooit een ster geweest in bloemrijke toespraken, maar hij vond dat hij het er ditmaal, alles bij elkaar genomen, redelijk van af had gebracht en Honor was ontroerd door het gebaar.

Terwijl hij naar de geluiden boven luistert, denkt James aan de manier waarop ze bijna nederig naar de juwelen had gekeken, alsof ze aarzelde of ze die wel kon aannemen. Hij had kordaat moeten optreden, had gezegd dat Margaret gewild zou hebben dat zij ze kreeg. Hij raakte van zijn stuk toen hij bedacht dat zijn dierbare Meg deze lieve vrouw of Huberts kinderen nooit zou kennen en de woorden klonken verstikt en kortaf. Honor zag dat hij het moeilijk had en bedankte hem heel vriendelijk, haar eigen emoties de baas blijvend en het feit negerend dat hij bijna in tranen uitbarstte. Ze gaf hem vlug een zoen en zei dat ze de sieraden graag wilde hebben. Verder niets: geen sentimenteel gedoe of zo. Daar was hij dankbaar voor: hij kon niet tegen al die onzin.

Hij legt de krant weg en loopt de studeerkamer uit om hen onder aan de trap op te wachten.

'Rafe heeft gebeld,' zegt hij. 'Hij vroeg of je zin had om te gaan zeilen.'

Later

Rafe is vandaag met ons gaan zeilen. Op het water voel ik me het gelukkigst, Vivi, weg van het land en alle verantwoordelijkheden die daar op me wachten. We roeien dan voorbij de rotsen – ik word steeds sterker en kan het best alleen, hoewel Rafe en ik meestal allebei een roeispaan nemen – en als we voorbij de kaap zijn, hijsen we de zeilen. De boot is hier voor de oorlog op de werf gebouwd. Het is raar om een boot mooi te vinden, maar de *Kittiwake* is echt prachtig, heeft zulke fraaie lijnen. Rafe is erg trots op de boot en hij leert Bruno zeilen. Hij laat hem het roer vasthouden, leert hem hoe hij kan zien of het waait en wijst hem op kattenpootjes op het water. Emma is uitgelaten en lacht verrukt van verbazing.

Ooit zal ik in mijn eentje in de *Kittiwake* zeilen. Wat zal ik me vrij voelen als de boot reageert op mijn aanraking en ik zie hoe de wind de zeilen vult. Ooit, maar nu nog niet. Ik moet nog veel leren. Ik weet inmiddels dat de zee sterk is – niet wreed, maar gewoon onverschillig – en ik snap dat je die kracht moet respecteren. Rafe weet zo veel dat ik groot ontzag voor hem heb, maar hij deelt zijn stuurmanskunst graag en is opgetogen als we vooruitgang boeken.

De kinderen zijn rozig van de zon en de zeelucht, zitten te knikkebollen onder het eten, terwijl James bij ons zit en welwillend glimlacht. Zijn flanellen pantalon valt kaarsrecht naar beneden vanaf zijn magere, over elkaar geslagen knieën en zijn verschoten overhemd is zacht als boter. Ik leg mijn hand op zijn schouder als ik opsta om iets te pakken en hij glimlacht hartverscheurend naar me, zoals Hubert dat deed.

'Ik hield ontzettend veel van Hubert,' zeg ik opeens tegen hem. En dat is waar, Vivi. Ik hield echt van Hubert, maar niet op die manier. Is het verkeerd om James zo te misleiden? We troosten hem, dat weet ik zeker. Hij kijkt me heel vriendelijk aan en zegt: 'Ik ook.' Bruno kijkt naar ons vanaf de andere kant van de tafel en het bekende schuldgevoel steekt de kop weer op. Ik kan het hem namelijk nog niet uitleggen; daar is hij te jong voor. Stel dat hij opgroeit en me haat omdat ik een leugenaar van hem heb gemaakt.

Nee, nee, daar moet ik niet aan denken. Denk aan de zee, het opwindende gevoel van de zachte warme lucht die langs mijn huid strijkt, het klokkende geluid van het water onder de kiel. Hubert zou het fantastisch vinden om Bruno te zien zeilen in de *Kittiwake*. Misschien ziet hij hem wel. Diep vanbinnen ben ik ervan overtuigd dat God ondanks alles nog over me waakt.

Veel liefs, Madeleine

15 september

Het is heel leuk, Vivi. Simon is een paar dagen hier. We zijn allemaal erg blij dat hij er is. Had ik al geschreven dat hij huisarts is – hij heeft een praktijk in Exeter – en dat hij één dag per week in het ziekenhuis werkt, in het Royal Devon and Exeter Hospital? Dat is fijn, want het betekent dat ik op niveau met hem over zijn werk kan praten. Het is duidelijk dat hij zijn taak als Bruno's peetvader heel serieus opvat en hij heeft me van alles gevraagd over scholen en zo. Je kunt je voorstellen hoe ik reageerde bij deze nieuwe valkuilen. Los van het feit dat ik geen idee had waar Hubert op school had gezeten, drong het ook tot me door dat alles wat met onderwijs te maken heeft erg gevaarlijk kan zijn. Stel je voor dat ik op Bruno's eerste schooldag met hem meeloop en zeg dat ik zijn moeder ben. Hoe moet ik dat doen? Hoe zal Bruno reageren?

James schoot me te hulp door te zeggen: 'Hij gaat natuurlijk naar Truro, net als Hubert.' Dat gaf me een aanwijzing en daarna hadden ze het over hun eigen schooltijd, wat mij de kans gaf me te vermannen. Gelukkig wordt Bruno in december pas vijf, zodat we nog een jaar hebben om ons voor te bereiden op die eerste beproeving. Simon was er nog toen Emma haar tweede verjaardag vierde. Vivi, kun je je voorstellen hoe raar het is om de verjaardag van je kind op de verkeerde dag te vieren? Lottie is op 13 oktober geboren en zal de rest van haar leven precies een maand ouder zijn dan ze in werkelijkheid is. Ik probeerde er niet aan te denken. De rantsoenering maakt het lastig om een echt goed cadeau te kopen, maar ze had toch een geweldige verjaardag. Die lieve oude Dot had ieders rantsoen van vet en suiker opgespaard en een prachtige taart gemaakt – met twee kaarsjes erop – en tante Julia had een prachtige pop voor haar gebreid die was opgevuld met oude sokken. Emma was er meteen weg van. Ik werd helemaal blij toen ik het gezicht van tante Julia zag, heel tevreden, terwijl ze probeerde dat niet te laten merken. Rafe, die lieverd, had een houten poppenwieg gemaakt en Mousie en Jessie hadden samen kleine lakens en kussens gemaakt en een gekleurde deken gehaakt.

Ik kan niet onder woorden brengen hoe diep het me raakte dat ze zich gezamenlijk hadden ingespannen: het was een echt familiecadeau. Ik ben weggeglipt naar de keuken onder het mom dat ik de ketel ging opzetten en heb kort maar hevig in de theedoek gehuild. Vivi, kun jij je onze verjaardagen nog herinneren? Papa had altijd geweldige verrassingen voor ons. Herinner jij je Flopsy nog, het angorakonijn, en je elfjesfiets? Wat was ik jaloers op die fiets. Ik was gewoon sprakeloos, zo graag wilde ik hem zelf hebben.

Ik had een feestjurk voor Emma gemaakt van een avondjurk die ik Honor maar twee keer had zien dragen: van mooie blauwe tafzijde en totaal niet mijn smaak. Het lukte me een stuk garnering los te krijgen door de oude steken voorzichtig uit te halen. Daarna heb ik het stukje stof gewassen en gestreken, zodat Bruno haar een bijpassend haarlint kon geven. Hij had ook met de bakker in Polzeath onderhandeld over zijn zoetrantsoen en had zo een roze muis van suikerwerk bemachtigd. Wat een luxe! James was behoorlijk ontdaan door de hele gebeurtenis. Voor hem is een acceptabel geschenk een boek, maar hij had heel lief in de tuin een boeketje bloemen geplukt en had dat in een klein vaasje naast Emma's ontbijtbord neergezet.

Ze had eigenlijk geen idee wat er gebeurde, maar ze genoot met volle teugen. We zongen voor haar voordat we 's middags thee gingen drinken, terwijl ze in haar feestjurk op haar stoel stond. Haar stralende ogen waren net zo blauw als de tafzijde en ze hield haar pop stevig tegen zich aan geklemd. Toen de taart met de brandende kaarsjes werd binnengebracht gilde ze van opwinding. Bruno hielp haar om de kaarsjes uit te blazen en toen haalde Simon zijn cadeau te voorschijn. Twee lapjeskatten, Vivi, de mooiste die je ooit hebt gezien. Het was ontzettend aardig en slim van hem om er twee te geven, want op het moment dat Bruno ze zag, begonnen zijn ogen te stralen van blijdschap.

'Voor allebei een,' zei Simon resoluut. 'Bruno, ik verwacht dat jij voor ze zorgt totdat Emma wat ouder is.'

Emma was gefascineerd door de katten, maar tot mijn opluchting ging haar liefde voor de pop niet op de katten over, want dat had kwetsend kunnen zijn voor tante Julia. Ik was blij toen ik Bruno en Simon zag weglopen om een doos te zoeken waar de katjes op een oude deken in konden liggen. Hij leek opeens langer en ouder – Bruno, niet Simon – en ik wou dat ik er zelf aan had gedacht. Het is een prima manier om Bruno af te leiden van zijn vreselijke verlies en hem verantwoordelijkheid te geven. Gelukkig eten we hier veel vis!

Toen ik later die avond bij Emma ging kijken, was ze in diepe slaap – met haar jurk nog aan, want ze had geweigerd die uit te trekken – en ze hield Dolly stevig tegen het gekreukelde bovenlijfje aan, dat onder de vlekken zat, en er lag een gelukzalige glimlach op haar gezicht.

Toen Bruno op bed lag, heeft Simon me meegenomen naar een hotel in Polzeath om daar te dineren en we hebben gedanst.

Ze legt de pen neer en steunt met haar ellebogen op het bureau, terwijl ze zich afvraagt hoe ze verder moet gaan. Simon gaat straks weg, zal terugrijden naar Exeter, en toch heeft ze er behoefte aan om hem, iedereen, even niet te zien. De brief is een smoesje – 'Ik had hem al veel eerder moeten schrijven,' zegt ze berouwvol. 'Hij moet vandaag nog op de post.' – en ze glipt weg in de hoop dat ze door de gebeurtenissen op te schrijven er rationeler tegenaan kan kijken. Het geeft haar rust op deze manier aan Vivi te schrijven. Als ze haar gevoelens analyseert voor haar zus worden dingen duidelijker. Ze duwt haar haar weg uit haar gezicht en sluit haar ogen: door Emma's verjaardagsfeest en het dansen is het een erg emotioneel weekend geweest.

Ze schrikt als er zacht op de deur wordt geklopt en Mousie haar hoofd om de hoek steekt. Mutt schuift de brief snel weg en draait zich dan vlug glimlachend om.

'Zal ik de brief voor je op de post doen?' vraagt Mousie, waarbij ze naar haar teruglacht. 'Ik ben met de fiets dus het is een kleine moeite en ik ga nu naar huis.'

'Dat is erg aardig van je.' Ze trekt komisch een wanhopig gezicht. 'Maar ik heb hem nog steeds niet af. Het is echt hopeloos. Ik ben gewoon niet in de stemming, maar bedankt voor het aanbod.'

Mousie knikt en laat Mutt met rust, maar ze fronst haar wenkbrauwen als ze haar vest aanschiet en via de keuken naar buiten loopt, de schemering in. Ze denkt na over Honors reactie. Ze heeft het idee dat Mutt de brief in een reflex verstopte, zoals een schoolkind dat niet wil dat een ander bij hem afkijkt. Er is altijd een onzichtbare barrière tussen hen en Honors gedrag maakt Mousie verdrietig en ergert haar ook.

In een poging er een verklaring voor te vinden, vraagt ze zich af of Hubert en Honor misschien niet gelukkig waren en of Honor moeite moet doen om te verbergen dat ze niet zo'n goed huwelijk hadden als Huberts familie denkt. Diep vanbinnen vermoedt ze dat deze vreselijke wens de vader van de gedachte is en dat deze ideeën voortkomen uit haar eigen jaloezie, maar ze snapt niet dat Honor niet over Hubert wil praten en ze heeft sterk het gevoel dat er iets niet klopt.

Mousie gaat op het zadel zitten en fietst zonder te trappen de oprijlaan af en de weg op. Ze wilde dat ze vriendinnen konden zijn. Af en toe vangt ze een glimp op van een andere Honor die zorgeloos, hartelijk en grappig is, en ze denkt dat er een hechte vriendschap zou kunnen ontstaan als de barrière kon worden opgeheven. Ze vermoedt dat Simon die andere Honor ook ziet en zich sterk tot haar aangetrokken voelt. Vandaag hing er een vreemde geforceerde stemming, alsof ze niet openlijk hun ware gevoelens durven te tonen, aan zichzelf en aan de familie.

Mousie vraagt zich af of meer mensen dat hebben gemerkt, maar is niet van plan het onder de aandacht van haar moeder te brengen. Er is haar al vaker verweten dat ze te veel fantasie heeft en haar moeder is erg beschermend als het gaat om Honors status als weduwe. Maar als ze vlug over de kleine brug naar The Row fietst, moet Mousie weer aan Honors reactie denken en ze vraagt zich af aan wie Honor brieven schrijft.

In de salon op Paradise vraagt Simon zich dat ook af. Hij ergert zich als Mutt iets over een brief mompelt en wegglipt. Goede manieren dicteren dat hij naar haar glimlacht en knikt als ze de kamer uit gaat, terwijl hij beleefd naar James blijft luisteren die uitweidt over Dennis Compton, de beroemde cricketspeler die dit seizoen erg goed in vorm is. Hij had gehoopt even met haar alleen te kunnen zijn en hij is teleurgesteld. Even later zegt Mousie dat ze naar huis gaat. Ze heeft geholpen de kinderen in bad te doen en op bed te leggen en zegt dat ze te laat thuis zal zijn voor het avondeten als ze nu niet vertrekt. Als ze een tijdje weg is, zegt Simon dat hij ook naar huis moet. James kijkt op de klok, verontschuldigt zich voor het feit dat hij de conversatie volledig naar zich toe heeft getrokken en komt overeind.

‘Doe maar rustig aan,’ zegt Simon snel. ‘Ik moet mijn tassen nog naar beneden brengen. Ik zeg het wel als ik klaar ben om te vertrekken.’

James knikt, gaat weer in zijn stoel zitten en pakt de krant. Simon loopt de gang in en blijft even staan luisteren. Hij hoort een geluid op

de overloop en als hij opkijkt, ziet hij Bruno naar hem staan kijken.
'Hé, Bruno,' zegt hij kalm. 'Is er iets?'

Bruno komt langzaam, stap voor stap de trap af. Zijn haar staat alle kanten op en zijn grote ogen kijken verward. Simon loopt vlug de trap op en gaat op een tree bijna bovenaan zitten.

'Heb je eng gedroomd?' vraagt hij meelevend, en als Bruno knikt, slaat hij beschermend een arm om hem heen en trekt hem tegen zich aan. 'Wil je erover praten?'

Bruno schudt zijn hoofd. Hij gaat naast Simon zitten en leunt tegen hem aan. Terwijl ze daar samen zitten, kijkt Simon naar de gang beneden. Hij houdt het kind voorzichtig vast, maar maakt in zijn hoofd al plannen. Het is een fraai klein landhuis en de vallei is prachtig, maar hij ziet zichzelf hier nog niet wonen. Hij is geïnteresseerd in cardiovasculair onderzoek, wat kan betekenen dat hij naar Amerika of Australië zal moeten. Hij vraagt zich af hoe Bruno, na de eerdere ontwrichting, zal reageren op weer een verhuizing en of hij het erg zal vinden om uit zijn vaders huis te worden weggehaald om in een ver land te gaan wonen. Emma is te jong om zich haar vader te herinneren en hij twijfelt er niet aan dat ze zich snel zal aanpassen, maar Bruno is een ander verhaal. Hij heeft een levendige fantasie en is gevoelig. Het zal voor Mutt misschien moeilijk zijn om haar nieuwe loyaliteit uit te leggen...

Simon trekt een lelijk gezicht. Hij loopt een beetje op de zaken vooruit en beschouwt sommige dingen als vanzelfsprekend, maar toen hij met haar danste, wist hij dat hij haar niet koud liet. Ze gedroegen zich keurig, hielden zich aan alle sociale conventies, maar daaronder voelde hij dat ze op hem reageerde. Hij moet haar niet opjutten, brengt hij zichzelf in herinnering – dat zou rampzalige gevolgen kunnen hebben – maar ze is te hartelijk en te zeer aan het leven gehecht om de rest van haar leven als weduwe op deze afgelegen plek te blijven wonen, hoe mooi het hier ook is. Bovendien is ze intelligent, dat is erg belangrijk, en ze kan meepraten over zijn werk.

Hij glimlacht bij de herinnering, terwijl hij wacht tot Bruno's nachtmerrie verdwijnt. Toen hij haar mee uit nam, had ze er prachtig uitgezien in haar jurk met vreemde kleuren. Ze was zich blijkbaar niet bewust van de bewonderende blikken die andere mannen haar toewierpen, maar het was vooral erg fijn dat ze een geweldige avond hadden gehad. Het was zo'n opluchting om weg te zijn van de familie en zich te kunnen ontspannen, al wisten ze aanvankelijk van verlegenheid niet wat ze tegen elkaar moesten zeggen. Toen ze eenmaal wat hadden gedronken, waren ze een beetje losgekomen. Ze lachten om dezelfde dingen en hij genoot van de ondeugende twinkeling in haar ogen waarmee ze de spot dreef met de nogal suffe stellen die stijf rechtop dansten.

'Het was erg gezellig,' zei ze, maar toen keek ze opeens geschrokken. Ze dacht waarschijnlijk aan Hubert en voelde zich schuldig, en hij moest haar eraan helpen herinneren dat ze nog steeds een jonge vrouw was en nu en dan gelukkig mocht zijn. Hij was heel beheerst en hij besefte dat dit in zijn voordeel was. Ze was erg dankbaar dat hij de katjes op de kop had getikt voor de kinderen en ze hadden veel pret bij het bedenken van rare namen voor de beestjes.

'Bruno wil ze Pipsqueak en Wilfred noemen,' zei ze.

Daaraan terugdenkend kijkt Simon naar Bruno, die inmiddels ontspannen tegen hem aan leunt en bijna slaapt.

'Gaat het weer, jongen?' vraagt hij.

Bruno knikt en Simon gaat met hem naar zijn kamer, stopt hem in bed en gaat zijn tassen halen.

In James' studeerkamer kijkt Mutt naar het vel briefpapier, herleest de laatste zin, maar komt niet verder. Nu is het Simon die op de deur klopt. Hij zegt dat hij naar Exeter vertrekt. Ze vouwt de velletjes op, legt ze in het schrijfbakje, loopt naar hem toe en trekt de deur achter zich dicht.

Later

Het is ruim een week geleden dat ik die laatste zin heb geschreven, Vivi. Als je de brief had gelezen, had je dat vast meteen geraden. Dan had je geweten dat het minder vluchtig en ongecompliceerd was dan ik het had verwoord in die ene simpele zin. Ik wist gewoon niet wat ik daarna moest schrijven.

Het was heerlijk om iets moois aan te trekken, weer een jurk van Honor, maar deze was van donkere roodpaarse zijde en ik hoefde er weinig aan te veranderen om hem passend te maken. Wat een geluk dat mama ons altijd zo achter de vodden zat met naaien. Ik kan Honors schoenen alleen niet aan. Ze had grotere voeten dan ik. Ik heb gezegd dat we in India vooral sandalen droegen en dat ik dus degelijke schoenen zal moeten kopen voordat het winter wordt. Daar zit een kern van waarheid in. Ik heb veel van haar spullen in een hutkoffer gestopt, die nu in een oude rommelkamer staat en die ik op een dag moet vernietigen. In de tussentijd zal ik het moeten doen met een paar oude sandalen met bandjes. Ik heb wel een prachtige met kralen versierde fluwelen tas van haar gevonden, wat het geheel een feestelijk tintje gaf.

Simon zag er heel aantrekkelijk uit in zijn smoking. Hij is korter dan Johnny en Hubert, heeft erg donker haar en verontrustende bruine ogen. Het tegenovergestelde van Johnny, die blond en rossig was. We overrompelden elkaar toen we eenmaal omgekleed waren en plotseling werden we allebei verlegen. Het was muisstil in de auto – totdat hij opeens zei dat hij wekenlang benzinebonnen had opgespaard om op bezoek te kunnen komen – en pas na een drankje of twee begonnen we ons te ontspannen. Ik vermande me en informeerde naar zijn werk, wat ik fascinerend vind, maar pas toen we gingen dansen kon ik mijn zelfcontrole laten varen.

Het was zo'n typisch hotel aan zee met een klein orkest dat achter grote potten met palmen zat en de gasten waren nogal saai en beleefd, zodat ik opeens erg veel zin had om te giechelen en me te misdragen. Ik wist dat Simon er ook zo over dacht. Hij bleef telkens proberen mijn blik te vangen en daagde me uit om te lachen. Ik voelde me weer jong – weet je nog dat we soms op de meest onhandige plekken een giechelbui kregen? – en ik koesterde diepe genegenheid voor hem. Ik zei dat het zo slim van hem was om de poesjes te kopen en dat Bruno ze Pipsqueak en Wilfred wilde noemen. Pip, Squeak en Wilfred zijn stripfiguren en Bruno is dol op die stripboeken. Daarna gingen we zelf namen verzinnen en we gingen steeds dwazer doen.

Het punt was dat we allebei even vergaten dat ik de door leed getroffen Honor Trevannion was. Ik kon mezelf zijn, Madeleine.

O, wat een heerlijke opluchting. Hij noemde me inmiddels Mutt, dat had hij van de kinderen overgenomen, en het was geweldig om daar te zijn, alleen aan het heden te denken en ons te vermaken.

En toen gingen we dansen. Het is nu een week later en ik weet nog steeds niet wat ik moet schrijven. Ik weet niet hoe ik moet beschrijven wat ik voelde toen hij zijn armen om me heen sloeg. Hij is iemand die je tijdens het dansen stevig vasthoudt, maar niet op een suggestieve manier. Hij boog zijn hoofd een beetje, zodat zijn wang bijna mijn haar raakte en ik hoorde hem zacht neuriën. Vergeleken met die andere ontzettend formele mannen – kin omhoog, blik op oneindig, handen stevig midden op de schouderbladen van hun danspartner – had hij een heel verfijnde manier van dansen, tegelijkertijd intiem en ontspannen, en het was onmogelijk een verkeerde danspas te maken. Ik voelde me ontzettend vrouwelijk en sexy en ik wilde dat de muziek altijd door zou blijven gaan. Het orkest speelde 'The Way You Look Tonight' en opeens herinnerde ik me dat ik met Johnny op dit nummer had gedanst op een feest in Lahore.

Toen we gingen zitten was ik erg stil en hij keek een beetje bezorgd en vroeg of het wel goed met me ging. Ik zei luchtig: 'Ach, wat herinneringen.' Zijn gelaatsuitdrukking veranderde alsof het opeens weer tot hem doordrong dat ik Honor Trevannion was, een treurende vrouw die enkele maanden geleden weduwe was geworden. Maar dat wilde ik niet en ik wist niet hoe ik de eerdere ongedwongenheid weer kon oproepen zonder harteloos te lijken. Hubert was immers zijn vriend. Ik vroeg me af wat hij van me dacht. Het idee dat hij me opeens verachtte was onverdraaglijk en ik flapte eruit: 'Je moest eens weten hoe belangrijk het voor me is om weer te genieten.'

Toen ik die woorden zei, besefte ik al dat ze verkeerd opgevat konden worden, maar gelukkig reageerde hij helemaal niet zo.

'Je hebt een vreselijke tijd achter de rug,' zei hij, 'en het kan geen kwaad om dat een paar uur te vergeten.'

Ik was zo blij dat ik wel kon janken. Gek, hè? Ik denk dat de spanning me begint op te breken.

'Het was erg gezellig,' zei ik. 'Het is heerlijk hier in Cornwall en het is een grote opluchting me weer veilig te voelen na de rellen en moorden, maar er zijn veel dingen die ik mis.'

Toen hield ik mijn mond, Vivi, want ik stond op het punt te zeggen dat ik mijn werk miste en vooral de kameraadschap van Honor en Hubert en ik wist dat ik dan in moeilijkheden zou komen. Ik mis allerlei dingen van India: het Holi-feest dat de Hindoes in het voorjaar vieren, waarbij mensen gekleurde verf over elkaar heen gooien als teken van liefde en vruchtbaarheid, en Divali, het lichtfeest in oktober, en het grote suikerfeest van de moslims na afloop van de vastenmaand ramadan. Vivi, de reden dat ik zo veel probeer te verdringen is dat het gevaarlijk en pijnlijk is om me dingen te herinneren. Johnny en ik gingen vaak naar Kasjmir als we verlof hadden. Eerst een lange treinreis van Lahore naar Rawalpindi en vervolgens per taxi naar Srinagar. Daar huurden we een shikara – een enorme woonboot compleet met personeel – op het Nagin Bagh-meer. Het was zo mooi, Vivi. De tuinen vol verstrengelde rozen, het meer omzoomd met wilgen en het water dat de roze en witte bloesem van de boomgaarden met pruimen-, kersen- en amandelbomen weerspiegelde. We zagen buulbuuls en ijsvogels en hoppen, en in de verte lagen adembenemend de bergen van de Himalaya waarvan de hoogste toppen met sneeuw bedekt waren. We hadden het erg naar onze zin.

Toen ik over de tafel heen naar Simon keek, wist ik dat ik hem of wie dan ook – met uitzondering van jou – heel weinig kan vertellen over die jaren. Hij schreef mijn aarzeling toe aan een ander soort verwarring.

'Je moet niet vergeten dat je een vreselijke klap te verwerken hebt gekregen en in heel angstaanjagende omstandigheden hebt verkeerd,' zei hij, 'maar je bent nog steeds een jonge vrouw en daar moet je ook aan denken. Gun jezelf de kans om nu en dan gelukkig te zijn.'

'Ik ben ook gelukkig,' verzekerde ik hem. En toen kon ik mijn tong wel afbijten. 'Zo gelukkig als in deze omstandigheden mogelijk is,' voegde ik er vlug aan toe. 'Iedereen is heel aardig voor me.'

Toen glimlachte hij naar me – o, Vivi, het was een geweldige glimlach – en hij zei: 'Dat geloof ik graag.'

Ik voelde dat ik diep tot in mijn haar bloosde. Hij stond op, stak zijn hand naar me uit en ik volgde hem zonder iets te zeggen naar de dansvloer. Het orkest speelde 'Every Time We Say Goodbye' en ditmaal was het dansen met hem anders. Hij hield me precies hetzelfde vast als eerst, maar er was een zekere opwinding en ik was ervan overtuigd dat hij mijn hart hoorde bonzen. Als dat al het geval was, liet hij er niets van merken en toen we teruggingen naar onze tafel omdat het eten was gebracht – we aten weer vis; er staat altijd vis op het menu! – begon hij te praten over een onderzoek waar hij mee bezig is en hij beschreef een oudere patiënt die het goedvindt om een soort proefkonijn te zijn. We slaagden erin allebei weer normaal te doen – nou ja, bijna dan – en ik was blij met zijn sociale gevoel.

Achteraf vroeg ik me af hoe Honor gereageerd zou hebben. Je kon erg met haar lachen en ze was heel hartelijk, maar je miste iets, een zekere luchthartigheid. Dat heb ik niet goed verwoord, hè? Door te zeggen dat ze 'iets miste' suggereer ik dat ze een eigenschap miste die goed of belangrijk was. Eigenlijk is het precies andersom. Ook voordat we waren getrouwd, toen we allebei de verpleegstersopleiding volgden, behandelden mannen haar altijd met respect. Ze gingen nooit te ver bij haar. Haar goedheid kwam diep vanuit haar binnenste en dit hield mannen vanzelf op een afstand. Mijn probleem is dat ik altijd van mannen heb gehouden en dat ik graag in hun gezelschap verkeer.

Maar goed, ik probeerde dus te verzinnen hoe Honor gereageerd zou hebben op Simon en vroeg me af hoeveel Hubert zijn oude vriend over haar had geschreven. Op een of andere manier kon ik me niet voorstellen dat Hubert, zoals ik hem kende, het geduld kon opbrengen om lang genoeg te blijven zitten om uitvoerige brieven aan iemand te schrijven – hoewel ik niet mag vergeten dat hij dit soort brieven wel degelijk aan Mousie schreef – en als Honor ooit aan zijn familie heeft geschreven, dan heeft niemand daar tot nu toe iets over gezegd. Ze heeft mij in ieder geval nooit verteld dat ze dat deed.

Dat maakt het zo lastig, Vivi. Er kan elk moment iets onverwachts gebeuren. Die korte tijd met Simon, toen we allebei alles om ons heen vergaten, was een heerlijke opluchting. Het punt is dat ik niet mag vergeten dat ik níét mezelf ben. Ik ben niet Madeleine Grosjean, zelfs niet Madeleine Uttworth: ik ben Honor Trevannion.

We namen op formele wijze afscheid van elkaar – hij drukte even zijn lippen op mijn wang – en we dronken nog een slaapmutsje met James, wat heel gemoedelijk verliep. En daar bleef het bij.

Veel liefs, Madeleine

Joss stond op. Ze voelde zich stijf en moe en had zin om te huilen. Ze had het opgegeven om te bepalen of Mutts daden wel of niet door de beugel konden en liet zich helemaal meeslepen door het verhaal. Het voorval bij het beekje, dat met zo veel tederheid was beschreven, had Joss diep geraakt. Hoe vaak had ze niet naar dit soort intimiteit met George verlangd, precies zoals Mutt het beschreef: '... het gezelschap en de grapjes... wetend dat hij van jou is... dicht tegen elkaar aan dansen... naar hem kijken terwijl hij slaapt.' Hoe vaak had ze niet aan de luxe van zo'n relatie met George gedacht, wetend dat het gevoel genegeerd moest worden, terwijl ze tot in het diepst van haar wezen voelde dat het goed was. Ze kon zich goed voorstellen dat Simons warme blote huid zacht langs de wang van Mutt streek, gevolgd door de uitzinnige wilde hartslag. En wat een troost om het natte wriemelende lijfje van je kind in je armen te sluiten om jezelf de gelegenheid te geven bij te komen.

Die arme Mutt had haar echtgenoot en haar beste vrienden verloren en toch gaf iets haar de moed om ondanks haar angsten door te gaan.

Het geloof legt de grondslag voor alles waarop we hopen, het overtuigt ons van de waarheid van wat we niet zien.

Ook al had ze de wortels van haar geloof verborgen, het had haar geholpen om overeind te blijven.

Joss haalde diep en beverig adem en ging de kamer uit, liep door de gang en ging de keuken in. Terwijl ze de ketel vulde, dacht ze weer aan het verjaardagsfeest: haar eigen moeder, Lottie/Emma, die op een stoel stond, terwijl de familie voor haar zong. Joss glimlachte vertederd. Het was niet moeilijk zich de kleine Emma in zo'n staat van opwinding voor te stellen. Haar moeder kon nog steeds uitbundig feestvieren en genieten in een feestjurk, ook al stond ze er niet meer op dat ze hem ook in bed aan mocht.

Joss dacht nu aan de jonge Mutt die zich boven omkleedde om te gaan dansen: ronddraaiend voor de spiegel, kritisch kijkend hoe ze eruitzag in Honors vermaakte jurk. Ze stelde zich Mutt voor die gespannen voor zich uit neuriede, terwijl ze de zwarte fluwelen tas pakte en Simon, lang en knap in zijn smoking, beneden in de salon op haar wachtte. Ze herkende de ademloze opwinding, verboden en toch onweerstaanbaar en de heerlijke verlegenheid die uitmondde in gegiechel en uitzinnig geluk.

En toen gingen we dansen.

Joss huiverde en sloeg haar armen om zich heen. 'George,' mompelde ze melancholiek en wanhopig. 'O, George, ik hou van je.'

De ketel floot. Ze zette koffie en nam de mok mee naar de salon.

2 oktober

Wat zou je gelachen hebben, Vivi, als je ons vandaag had kunnen zien. Je had vast aan onze kindertijd moeten denken: warme nazomers in de hete stoffige lanen van Wiltshire waar we bramen plukten voor mama. We gingen op pad met onze manden. Emma en Dolly zaten in een ouderwetse opvouwbare wandelwagen waar Hubert ooit in had gezeten en tante Julia had de leiding. Het sappige fruit – iedere braam leek wel een bolletje glanzende zwarte speldenknoppen – werd met zorg geplukt. Zelfs Emma mocht helpen, hoewel ze de bramen steeds fijnkneep tussen haar kleine vingers en haar mond zag paars tegen de tijd dat we klaar waren. Er bloeit nog steeds kamperfoelie in de heggen en ik plukte een tere, bleke bloemkroon en stak die door het knoopsgat van mijn blouse. Bruno liep plichtsgetrouw verder met tante Julia, maar Emma was het bramen plukken gauw zat en begon de laatste zomerbloemen uit de droge greppels te trekken, rende heen en weer totdat ze uitgeput was en blij was dat ze met Dolly en haar buit weer in de wandelwagen mocht zitten.

Tante Julia had generaal moeten worden: geen tak hing te

hoog – ze trok de takken gewoon met een wandelstok naar beneden – en geen moeite was te veel. Bruno mocht geen enkele braam laten hangen. Ze wees naar elk exemplaar dat ze met haar arendsblik ontdekte. Hij mag haar erg graag en ze werkten gezellig samen. Ik vormde de achterhoede, spoorde Emma aan door te lopen en duwde de kleine wandelwagen. Julia is erg aardig voor me – ze heeft immers ook haar echtgenoot verloren in de oorlog – maar net als James is ze wars van het tonen van emoties. Ze hebben allebei manieren om hun medeleven te laten blijken – een kordaat klopje op de arm, een gemompeld 'goed zo' als teken van goedkeuring – maar je moest eens weten hoezeer ik soms verlang naar een omhelzing. Hubert was daar goed in. 'Dom gansje,' zei hij dan. 'Je bent echt een muts, Mutt.' En dan glimlachte Honor. Het waren allebei hartelijke, liefdevolle mensen. Onze kinderen brachten Honor en mij nog dichter bij elkaar en ik mis die hechte band met mensen van mijn eigen leeftijd. Daarom was het zo fijn toen Simon er was.

Onze inspanningen werden beloond met een kleine traktatie: picknicken bij de Saint's Well. Tante Julia was erin geslaagd een paar kleine cakejes te bakken, er was melk voor Bruno en Emma, en er was een thermosfles met thee. Volgens mij sparen Julia, Jessie en Dot al hun bonnen voor vet en suiker op om zo lekkere dingen voor de kinderen te kunnen maken, die genoten van het feestje, hoewel Emma hardhandig tegengehouden moest worden omdat ze anders met haar schoenen en sokken nog aan was gaan pootjebaden.

We lieten tante Julia achter bij The Row en staken het bruggetje over naar Paradise. Bruno gaat altijd graag naar The Lookout. Het is net een vuurtoren met het grote gebogen raam dat uitsteekt boven zee. Voor de oorlog woonde de directeur van de werf daar en het is een stevig, maar nogal vochtig huis. Om een of andere reden stimuleert het huis Bruno's levendige fantasie en het is voor hem een soort speelhuis. Ik moet toegeven dat het een prachtig decor is voor fantasiespelletjes. We hadden de sleutel niet bij ons dus moest hij zich tevreden stellen met over het rotsige pad rennen en door het keukenraam naar binnen kijken, terwijl wij op de weg bleven wachten.

Toen we door de wei naar huis liepen, stegen er zwermen kleine witte motten op uit het hoge vochtige gras. Gniffelend van pret stak Emma haar handen uit om ze te pakken. Ik speel wel eens met de gedachte een pony voor de kinderen te kopen – Hubert had er een toen hij klein was – maar ik weet niet hoe duur het is om die te onderhouden.

Ik heb een brief gekregen van Simon, waarin hij me bedankt voor het weekend. Hij schreef dat hij het fijn had gevonden om even weg te zijn van zijn werk en in een familiekring te verkeren. Aan het eind vroeg hij of ik met hem mee wil gaan naar de trouwerij van een vriend van hem. Het was erg duidelijk dat hij bij die vriend zou logeren – Simon is zijn getuige – en hij voerde aan dat het, hoewel ik het misschien niet prettig zal vinden om aan mijn lot overgelaten te worden terwijl hij zijn plichten vervult, de rest van de tijd best gezellig zou kunnen zijn. Hij schrijft dat hij een hotelkamer voor me zal boeken en de reis zal regelen en vraagt in een PS of ik zin heb om met hem naar het theater te gaan.

Aardig van hem dat hij aan me denkt, hè?

We hebben dus een fijne dag gehad op Paradise. Ik vraag me af of ik het je ooit kan laten zien. Wat heerlijk om me voor te stellen dat je hier bent. Kon ik je maar echt zien, Vivi, dan zou ik alles goed kunnen uitleggen. Je zou het begrijpen, dat weet ik zeker.

Gods zegen, schat.

Veel liefs, Madeleine

23 oktober

Wetend hoe scherpzinnig en praktisch je bent, Vivi, zal het je verbazen te lezen dat ik een paar dagen heb nagedacht over Simons uitnodiging. Jij zou meteen hebben gezegd dat ik vanwege de complicaties niet kon gaan. Ik denk dat ik dat diep vanbinnen ook wel wist, maar dat wilde ik niet toegeven. Ik wilde er dolgraag naartoe, Vivi. Ik zag het al helemaal voor me: de kans om me op te tutten, de lol, het gezelschap van mensen van mijn eigen leeftijd. Dat had ik namelijk al eens met hem meegemaakt, zo'n moment van alles vergeten en gewoon jezelf zijn – Simon en Madeleine – zonder de verantwoordelijkheden die we met ons meedragen. Op dat moment was ik niet iemands moeder of vrouw of weduwe en deed ik niet of ik iemand anders was. Ik was gewoon mezelf en dat was heerlijk bevrijdend. Ik heb het fruit van de kabouters geproefd, Vivi, en ik wil meer. Weet je nog dat stuk uit Goblin Market?

Ik smulde, at mijn buikje rond,
maar 't water loopt me in de mond.
Morgen in de avondstond
ga ik weer fruit kopen.

Alleen heb ik mijn buikje niet rond gegeten, ik heb maar een klein beetje geproefd, en Simons uitnodiging beloofde meer. Ik dacht echt dat ik naar Londen kon gaan. Ik ging naar mijn slaapkamer om een mantelpakje van tussah-zijde te zoeken – van Honor natuurlijk – waar ik iets fatsoenlijks van zou kunnen maken en ik vroeg me af of ik genoeg kledingbonnen had voor een leuke hoed of een nieuwe blouse om het geheel op te fleuren. Ik denk dat het mantelpakje wat te klein voor haar was, want je ziet dat het bijna nooit gedragen is en ik hoef het niet in te nemen. Alleen de rok is iets te kort. Ik was aan het passen en neuriede 'Every Time We Say Goodbye' toen Bruno plotseling binnenkwam en achter me stond.

Ik draaide me niet om. We keken elkaar in de spiegel aan en ik zag hem naar het mantelpakje kijken. Weet je, Vivi, ik kon geen woord uitbrengen; ik wist niet wat ik tegen hem moest zeggen. Ik schaamde me omdat ik goede sier wilde maken in de kleren van zijn overleden moeder. Ik wist niet hoe ik de situatie moest uitleggen aan een jongen van nog geen vijf jaar oud.

Hij verdween even stil en vlug als hij was gekomen en ik ging, met het mantelpakje nog aan, op de rand van het bed zitten en zag onder ogen dat ik helemaal nergens naartoe ging. Terwijl ik daar zat, huiverde ik van afschuw over wat ik van plan was geweest. Simons vriend is immers ook dokter en het zou kunnen dat er iemand op die trouwerij is die bij ons op de opleiding heeft gezeten en zich Honor of mij nog herinnert. Het drong tot me door dat ik buiten Paradise erg kwetsbaar ben en op dat sombere moment voelde ik het net rondom me sluiten.

Ik trok het mantelpakje uit en ging meteen naar beneden om Simons brief te beantwoorden. Ik schreef zinnen als: *Het is nog te vroeg om zo'n emotionele gelegenheid aan te kunnen* en *Ik denk dat ik me niet erg op mijn gemak zal voelen tussen zo veel vreemden*. Daarna ging ik Bruno zoeken.

Ik hoorde Dot in de keuken tegen Emma praten, die haar graag 'helpt' met koken. Dat betekent lepels aflikken en met haar kleine vingers door de beslagkommen gaan om de restjes heerlijk beslag eruit te schrapen. Bruno's stem hoorde ik niet en omdat ik hen niet wilde storen liep ik door de gang en ging de portiek in. Het was een rustige middag na een week van zware westerstormen en in de tuin hing die vreedzame afwachtende sfeer van de late herfst. Die is heel anders dan de ademloze verwachtingsvolle sfeer van de lente. Dat is een rusteloze periode vol verlangen waarin je de enorme energie voelt die binnenkort vrijkomt. Het vroege voorjaar heeft een opwindende gewelddadigheid. Vind je niet, Vivi? Uitlopers – fijn maar sterk – banen zich een weg omhoog uit de koude zware aarde, terwijl kwetsbare nieuwe bloemknoppen losbreken uit hun harnas om blaadjes te vormen. Vogels, die de wintermaanden vreedzaam in groepen hebben geleefd, vechten met hun voormalige metgezellen om een partner. Vervolgens krijgt een wilde drang het platteland in zijn greep, zodat het wachten bijna onverdraaglijk lijkt.

Alleen de beuken aan het eind van de oprijlaan zullen nog als laatste hun gouden bladeren verliezen en er staan nog blauwbruine herfstasters in de border bij de muur. Dit wachten in de herfst is een steeds meer voldaan afstand nemen van dingen die zijn bereikt: een serene acceptatie van de hoognodige periode van braak liggen.

Ik zag Bruno meteen. Hij reed op Huberts oude driewieler over de oprijlaan: voorovergebogen, ellebogen naar buiten gedraaid, fanatiek trappend. Hij ging gewoon door. Bij het hek maakte hij een scherpe bocht, zodat het grind onder de rubberbanden vandaan schoot en toen stopte hij: hij hield zijn hoofd naar één kant, benen gespreid en voerde een lang en indringend gesprek met iemand die ik niet kon zien. Daarna pakte hij het stuur weer vast en reed terug over de oprijlaan. Hij hield zijn hoofd naar beneden en mompelde heftig, maar halverwege bleef hij opnieuw staan om tegen zijn onzichtbare metgezel te schreeuwen en ik ving het woord 'rotvent' op. Met een diepe zucht – alsof hij zich ergerde aan het onbegrip van de ander gleed hij van het zadel af, maakte het klepje aan de achterkant van de driewieler open, haalde er een kleine katapult uit en schoot een steentje de bosjes in. Hij sprong weer op zijn driewieler en reed hard verder. Ik stapte gauw uit het zicht en kwam pas weer te voorschijn toen hij vlak bij het huis was, hoewel ik deed of ik nog maar net uit de portiek kwam.

Ik hoefde maar één blik op zijn kleine gezicht te werpen om te weten dat hij midden in een spannend zelfverzonnen spel zat, een wereld ver weg van mij en Honors zijden mantelpakje, en ik voelde me slap van opluchting. Ik zag even verwarring in zijn ogen toen de twee werelden samenvielen en ik glimlachte naar hem.

'Ik denk dat er zoete broodjes bij de thee zijn,' zei ik tegen hem, 'met bramenjam en slagroom. Ik hoop dat Pipsqueak en Wilfred de slagroom niet te pakken hebben gekregen. Zullen we eens gaan kijken?'

Hij gleed van het zadel af en keek me aan. Ik ging op één knie zitten en stak mijn armen naar hem uit.

'Ik hou van je,' zei ik tegen hem, terwijl ik hem stevig omhelsde, 'en ik wil dat je gelukkig bent.'

'Ik ben gelukkig, Mutt,' zei hij heel ernstig alsof hij me gerust wilde stellen. 'Ik vind het heerlijk hier met jou en Emma en de hele familie.'

Toen pakte hij mijn hand, Vivi, en we zijn samen het huis in gelopen.

Terwijl hij reepjes geroosterd brood in zijn ei doopt, denkt Bruno aan hoe hij zich voelde toen hij Mutts slaapkamer binnen liep en zijn hart even stilstond toen hij dacht dat hij zijn moeder zag staan, met haar rug naar hem toe. Het mantelpakje en de geur van zijde riepen zo veel flarden herinneringen op dat hij overstuur raakte: de wereld van Paradise botste keihard met die van India. Toen had hij Mutts gezicht in de spiegel gezien. Hij was opgelucht en in de war en was vlug weer weggerend. Hij wist dat hij misschien in tranen zou uitbarsten als hij zijn gevoelens toeliet, omdat de herinneringen hem deden denken aan alle mensen en dingen die hij had verloren, maar een ander deel van hem verzon al een verhaal dat afleidde van het verdriet. Hij had zich laten meeslepen door het verhaal, had zijn driewieler gepakt en was er vlug op weggereden, speelde het verhaal na, terwijl het zich ontvouwde in zijn hoofd. Het was een goed verhaal en toen Mutt was verschenen, was hij bijna vergeten wat er eerder was gebeurd. Hij zag dat zij het nog wel wist. Ze keek geagiteerd; ze vond het vervelend dat ze toneel moesten spelen, maar ze wist geen andere oplossing. Ze had hem omhelsd.

'Ik hou van je,' zei ze, 'en ik wil dat je gelukkig bent.'

Hij weet dat dit waar is en hij probeerde haar te troosten door te zeggen dat hij hier gelukkig is met zijn hele familie om zich heen.

Nu hij zijn ei opeet en naar Pipsqueak en Wilfred kijkt, die op de vloer spelen, weet hij dat hij niet wil dat er iets zou veranderen.

Emma's gezicht zit onder de jam en het zit zelfs in haar haar. Mutt lacht naar haar. Ze kijkt hem aan en trekt een gek gezicht alsof ze wil zeggen: 'Hopeloos, hè?' Hij trekt ook een gek gezicht. Hij vindt het fijn dat ze hem het gevoel geeft volwassen te zijn.

'Misschien kunnen we na de thee naar The Lookout gaan,' zegt hij terloops. Hij speelt eigenlijk vals, omdat hij weet dat de kans groter is dat hij op bepaalde punten zijn zin krijgt als Mutt geagiteerd is geweest. 'Heel even maar,' voegt hij er vlug aan toe.

Het punt is dat hij zijn beste ideeën in dat vreemde huis krijgt, als hij bij het grote raam staat dat uitkijkt over zee. Verhalen, vreemde woorden en herinneringen aan dingen die hem ooit zijn voorgelezen gaan zijn hoofd in en uit zoals de zee over de rotsen spoelt.

'We zien wel,' zegt Mutt. 'Misschien heel even.' Ze glimlachen en weten dat ze elkaar volledig begrijpen.

december

Het is bijna kerst, Vivi, en er zijn ruim zes weken verstreken sinds ik die laatste brief heb geschreven: een maand van storm en regen en een vreselijke griep, waartegen Jessie, Dot en Julia in The Row onvoldoende bestand bleken. Daarna werden James en de kinderen ziek. Mousie, Rafe en ik zijn de dans ontsprongen en hebben de oudere en jongere familieleden weer op de been gekregen. Bijna niemand had door dat Bruno jarig was en we zijn van plan zijn verjaardag met kerst alsnog te vieren. Ik ben doodmoe en ik ben een paar kilo afgevallen doordat ik tussen The Row en Paradise heen en weer heb lopen rennen, maar het was fijn om me nuttig te kunnen maken en mijn ervaring als verpleegster weer eens te benutten. Mousie wordt een heel goede verpleegster, daar ben ik van overtuigd, en Rafe is een rots in de branding.

Vivi, ik hoef je natuurlijk niet te vertellen dat ik altijd al beter met mannen overweg heb gekund. Ze zitten minder gecompliceerd in elkaar dan wij. 'En,' hoor ik je bijna sarcastisch zeggen, 'ze zijn veel ontvankelijker.' Tja, dat kan ik niet ontkennen. Ik denk dat Rafe een beetje verliefd op me is – hij bloost hevig als ik langs zijn arm strijk en hij stottert soms als we alleen zijn – het is heel aandoenlijk. Mousie vindt het walgelijk. Ze schaamt zich voor hem en omdat ze zijn zelfrespect wil verdedigen, krijg ik de schuld en is ze woedend op hem. Vijftien is een lastige leeftijd voor een jongen, hoewel Rafe in feite erg onafhankelijk en volwassen is. Omdat hij geen vader meer heeft, moest hij vlug volwassen worden en Julia zorgt ervoor dat hij in zijn vaders plaats de familieverantwoordelijkheden op zich neemt. Julia is erg hard, lijkt veel op de legervrouwen die ik in India heb gekend, en ik vermoed dat ze me nogal nonchalant en emotioneel vindt in de omgang met de kinderen.

Er ontbreekt iets aan me, Vivi. Ik heb die superieure wijsheid niet die bij volwassenheid hoort. Dat komt doordat ik – van de ene op de andere dag – volwassen werd, getrouwd was of moeder werd. Wanneer vindt die magische overgang plaats? Misschien is het een complot en denkt iedereen er net zo over als ik, maar wil niemand dat toegeven. Honor had die volwassen eigenschap trouwens wel, een soort plechtstatigheid waardoor je je veilig bij haar voelde, maar je kon ook met haar lachen. Als ik bepaalde kledingstukken van haar draag, heb ik soms het gevoel dat er iets van die plechtstatigheid op me afstraalt, alsof het elfenpoeder is. In haar tweedkleding ben ik kalmer. Dan heb ik het gevoel dat ik beter opgewassen ben tegen calamiteiten en – daar zul je om lachen, Vivi – op dagen waarvan ik van tevoren weet dat ze moeilijk zullen worden, trek ik met opzet die kleren aan. In haar grijze flanellen mantelpakje en met degelijke golfschoenen aan mijn voeten bén ik Honor Trevannion. Zo ga ik naar Polzeath om postzegels te kopen bij het postkantoor en om sinaasappelsap voor de kinderen op te halen bij de huisarts.

Ik ben nu Honor Trevannion. Zo laat ik me noemen. Ik draag haar kleren, woon in haar huis en zorg voor haar zoon. Het is niet meer dan billijk om te proberen te doen wat zij gedaan zou hebben.

Toen ik eenmaal een besluit had genomen over Simons uitnodiging heb ik nog iets ontdekt, Vivi. Ik kan deze brieven niet versturen, hè? Misschien wist ik dat al, maar wilde ik dat gewoon niet onder ogen zien. Naar jou schrijven is mijn reddingslijn naar de waarheid, naar wie ik werkelijk ben, en ik durf die reddingslijn niet los te laten voor het geval ik de waarheid vergeet en mezelf helemaal verlies. Ik denk dat we er allemaal naar verlangen één iemand in ons leven te hebben die ons ten diepste kent en ondanks alles onvoorwaardelijk van ons houdt. Ik kan deze brieven toch niet opsturen? Misschien zul jij je verplicht voelen het aan je echtgenoot te vertellen en wat dan? Dan is er weer iemand die het geheim kent en het is niet alleen mijn geheim, Vivi. Als ik 's avonds alleen ben, pieker ik me suf om een oplossing te vinden. Ik bid om een wonder: ik zou dit jaar met kerst graag naar de mis gaan. Als ik zou biechten, hoe kan ik dan daarna dit leugenachtige leven voortzetten? In feite wil ik vrijuit gaan en de zegen krijgen over wat ik hier op Paradise doe.

Heb je al geraden dat het een van die zeldzame avonden is waarop ik alleen ben en te veel van James' whisky op heb? Ik mis hem als hij er niet is. Hij beschermt me tegen mezelf.

Ik denk aan je, lieve Vivi, en vraag me af wat jij dit jaar met kerst zult doen.

Het is waar dat Rafe verliefd is op Honor. Haar kwetsbaarheid en moed doen zijn ridderlijkheid ontwaken en hij doet er alles aan om het haar gemakkelijker te maken. Hij helpt in de tuin, hakt hout en brengt brieven naar de brievenbus aan de weg naar Polzeath. Zijn moeder vindt het vanzelfsprekend dat hij deze dingen voor haar doet – hij is de man des huizes sinds zijn vader is overleden – maar Honor reageert anders als hij haar helpt. 'Wat een geluk dat we jou hebben,' zegt ze bijvoorbeeld, of: 'Wat hadden we zonder jou gemoeten?' Hij krijgt het warm van haar dankbaarheid al probeert hij dat niet te laten merken.

Mousie heeft het echter door. Zijn zus vindt dat hij zichzelf belachelijk maakt en bij het horen van Honors dankbare uitingen van genegenheid werpt ze hem van die zusterlijke blikken toe – een vreemde mengeling van geamuseerdheid, verontwaardiging en gêne – en hij voelt zich dom. Hij weet dat het komt doordat ze het niet kan aanzien dat hij zich onwaardig gedraagt, maar zo kijkt hij er niet tegenaan. Sinds zijn vader is overleden heeft zijn moeder hoge verwachtingen van hem en Mousie doet daar nog eens een schepje bovenop, zodat hij altijd het gevoel heeft dat hij op zijn tenen moet lopen. Bij Honor kan hij zich ontspannen. Ze heeft gek genoeg de neiging hem als een gelijke te beschouwen en toch heeft hij bij haar helemaal niet het idee dat hij aan bepaalde verwachtingen moet voldoen, wat hij wel heeft bij zijn moeder en zijn zus. Hij vindt het vooral erg leuk om haar mee te nemen in de boot om haar te leren zeilen, haar aan te moedigen erop te vertrouwen dat ze de *Kittiwake* de baas is. Hij merkt dat ze zich op zee vrij voelt en hij geniet ervan haar te helpen onafhankelijk te worden.

Op een avond na een middag op het water, als James met wat vrienden op stap is en de kinderen op bed liggen, maakt ze eten voor hem klaar: ze zijn slechts met z'n tweeën. Ze kletst heel ongedwongen, vraagt niet wat hij gaat doen als hij van school komt en behandelt hem niet als een kind, maar praat echt met hem. Ze wisselen gedachten en ideeën uit en even later schenkt ze iets te drinken voor hen in. Hij kijkt geschrokken toe als ze een bodempje whisky afmeet en het glas verder aanvult met water. Hij drinkt het wel op. Hij is te verlegen om te zeggen dat zijn moeder hem niet graag ziet drinken en is er trots op dat Honor hem net zo behandelt als haar volwassen vrienden, zoals Simon.

'Het was erg leuk,' zegt ze tegen hem als hij opstaat om naar huis te gaan en ze kust hem licht op zijn wang, terwijl haar ene hand op zijn schouder ligt.

Op dat soort momenten voelt hij dat hij bloost en hij vermoedt dat hij er, om met de woorden van Mousie te spreken, uitziet als 'een volslagen idioot'. Hij is erg verward. Hij gaat via het klifpad naar huis, zodat de frisse zeewind zijn wangen kan verkoelen en eenmaal binnen drinkt hij een paar bekers koud water uit de kraan in de hoop dat zijn moeder de whisky niet zal ruiken.

15 januari 1948

Ik heb die laatste alinea net opnieuw gelezen, Vivi, en ondanks de nogal sombere toon hebben we een geweldige kerst gehad. Het was een herhaling van Emma's verjaardag, maar met een kerstboom en prachtige zelfgemaakte cadeaus voor iedereen. Simon had een gans meegebracht. Had ik al geschreven dat hij met kerst zou komen? James had hem uitgenodigd en ik moet zeggen dat zijn aanwezigheid de feestvreugde flink verhoogde. Hij kan heel goed met de kinderen opschieten en had veel kleine traktaties op de kop weten te tikken waar we in Polzeath en Wadebridge niet aan kunnen komen. Het was fijn om thuis te zijn voor een traditioneel kerstfeest en Bruno was dolenthousiast. Ik wou dat je had kunnen zien hoe aandachtig hij naar de versieringen in de kerstboom keek, dezelfde die Hubert in de kerstboom had gehangen toen hij zo oud was als Bruno nu: fijne gematteerde glazen ballen in allerlei vormen – een uil, een klok, een muis – en Victoriaanse kerstklokjes van papier-maché die met de hand rood en groen geschilderd waren en piepkleine klepels hadden. Er waren kleine houten muziekinstrumenten en vogeltjes, en op elke tak stond een kaarsje. Toen ze op kerstavond waren aangestoken en de kinderen de donkere zitkamer in mochten om de opgetuigde kerstboom te zien, vond ik de schitterende magische aanblik adembenemend. Simon en James stonden aan weerszijden van de kerstboom en glommen van trots. Vivi, ik moet zeggen dat ik blij was dat het een beetje donker was. Toen ik de met ontzag vervulde gezichten van de kinderen zag – een van die zeldzame gelegenheden waarbij Emma stil is doordat de gebeurtenissen haar bevattingsvermogen te boven gaan – dacht ik aan Honor en Hubert, en moest ik huilen.

Emma's zwijgen duurt nooit lang en gelukkig verbrak ze de stilte toen ze de engel boven in de boom zag en opgetild wilde worden om hem van dichtbij te zien. Ik zag Simon naar me kijken vanaf de andere kant van de kamer, maar verbazingwekkend genoeg was het Mousie die een arm om mijn schouders sloeg en me omhelsde.

'Het moet wel raar zijn na India,' zei ze. Ik knikte dankbaar, hoewel het veel ingewikkelder lag.

'Het is geweldig,' antwoordde ik oprecht, terwijl ik mijn tranen wegveegde. 'Jullie hebben ons echt het gevoel gegeven dat we hier thuishoren. Ik weet niet hoe ik jullie allemaal moet bedanken.'

'Dat hoeft niet,' antwoordde ze op haar directe manier. 'Dit is je thuis. Je hoort nu bij onze familie.'

Het was zo'n moment in het leven waarop je de band met iemand kunt versterken, de relatie naar een ander niveau kunt tillen en kunt laten groeien. Je moest eens weten hoe graag ik dat wilde. Qua leeftijd komt ze het dichtst bij me in de buurt. Ze heeft hetzelfde vak gekozen en ze is dol op de kinderen. Maar toen we elkaar aankeken, voelde ik angst. Zij is de enige van de familie die intuïtief aanvoelt dat er iets niet klopt. Het zou onmogelijk zijn vertrouwelijk met haar om te gaan en niets te verzwijgen. Als we vriendinnen worden, is het alles of niets, volledig en zonder concessies, en dat moet van beide kanten komen. Ze bood me een kostbaar geschenk aan, maar ik kon het niet aannemen.

Ik kon het risico niet nemen.

Ik beantwoordde haar omhelzing en maakte een opmerking over de kinderen, maar we wisten het allebei. Ze glimlachte naar me, liet me alleen en ging naar Bruno. Even wist ik niet wat ik moest doen of waar ik naartoe moest. Ik stond koud en alleen buiten de magische kring. Toen stond Simon opeens naast me, bood me een glas sherry aan, mompelde iets onzinnigs en bracht me weer bij mijn positieven. Zijn woorden, die alleen voor mij bestemd waren, waren even verwarmend als de sherry en ik voelde me met hem verbonden omdat hij ook een buitenstaander is. Simon vermoedt gelukkig niets, maar hij hoopt dat ik me kan voorstellen dat hij Huberts plaats zal innemen als er een fatsoenlijke tijd is verstreken. Als hij kansen krijgt, zal hij die benutten, maar dat is mannen eigen. Zijn intuïtie – zo heel anders dan die van Mousie – laat hem weten dat hij me niet koud laat en dat ik zijn geduld op den duur zal belonen. Op zijn eigen manier heeft hij net zo'n scherpe blik als Mousie en hoewel hij andere eisen stelt, is het op de lange termijn ook onmogelijk hem te misleiden.

Simon zou me ware kameraadschap kunnen geven – emotioneel, geestelijk, lichamelijk – en meer kinderen. Het is duidelijk dat hij zelf kinderen wil en hij zou een geweldige vader zijn voor Bruno en Emma. Het zou vriendschap met mensen van onze eigen leeftijd betekenen en simpel, gewoon plezier.

Ik heb me wel eens afgevraagd of ik, toen mijn liefde voor Johnny was bekoeld en ik doorhad wie hij werkelijk was, verliefd was op Hubert. Ik hield zeker van hem, maar meer als van een broer. Dat maakte ik mezelf althans wijs. Later vroeg ik me af of het meer was geweest, maar ik weet nu dat het niet zo was. Ik ben verliefd op Simon, Vivi.

Gelukkig nieuwjaar, schat.

Ze is verliefd op hem, denkt Mousie, als ze vanaf de andere kant van de kamer naar hen kijkt. Misschien is dat wel Honors geheim. Is ze verliefd op hem geworden toen hij haar van de boot kwam halen? Misschien is ze bang dat de familie erachter komt en geschokt zal zijn. Hubert was immers nog maar enkele weken overleden toen ze in Liverpool aankwamen.

Mousie voelt de bekende mengeling van irritatie en verdriet. Toen ze tranen in Honors ogen zag glimmen, werden haar eigen emoties even weggespoeld door een vlaag van ware genegenheid. Misschien kwam het door de magie van de kerstboom, de kinderen die vol ontzag keken of de trots op het gezicht van oom James dat ze iets voor deze wereldwijzere vrouw voelde wat groter was dan haar jaloezie, iets wat haar ergernis over Rafes overduidelijke aanbidding van Honor en haar verdenkingen ten opzichte van Huberts weduwe oversteeg. Mousie zag het verdriet op Honors gezicht en dat maakte haar duidelijk dat oordelen over een ander tot vreselijk onrecht kan leiden. Ze had automatisch een arm om haar heen geslagen.

'Dit is je thuis. Je hoort nu bij onze familie,' had ze gezegd.

Ze hadden elkaar, ongehinderd door vooroordelen en emoties, even aangekeken en toen kroop Honor weer in haar schulp. Ze beantwoordde de omhelzing, maakte een grappige opmerking over de kinderen, maar het moment waarop hun vriendschap hechter had kunnen worden ging voorbij en ze zijn geen stap verder.

Maar is dat wel zo? Als ze naar Honor kijkt, die even alleen in een donkere hoek staat, weet Mousie dat er diep vanbinnen bij haarzelf iets is veranderd. Ze vindt het kwetsend dat Honor zich terugtrekt en ze voelt de dwaasheid van te zijn afgewezen, maar als Simon naast Honor gaat staan en ze op zo'n intieme manier met elkaar beginnen te praten, heeft Mousie diep medelijden met Honor. Ze ziet dat Honors verlangen naar Simon even alomvattend is als Emma's voorliefde voor de engel in de kerstboom. Emma schreeuwt inmiddels dat ze de engel wil vasthouden. Opgetild worden om hem te bekijken is niet genoeg; ze moet hem vasthouden. Op Honors gezicht ligt eenzelfde uitdrukking, alsof ze iets betoverends heeft gezien wat voor haar verboden is.

Arme Honor, denkt Mousie. Hoe haar leven met Hubert ook is geweest, ze verkeert nu in een zeer moeilijke situatie.

Als Bruno Emma's tranenvloed ziet – omdat ze de engel niet krijgt – is hij blij dat tante Julia er is. Haar standvastigheid kalmeert hem. Het komt niet bij haar op om toe te geven aan Emma's hartstochtelijke gejammer, maar ze legt haar het zwijgen op door een snoepje in haar mond te stoppen. Emma's gekrijs gaat over in een zielig onderbroken gejengel, haar wang puilt uit en haar mollige handjes grijpen bereidwillig naar het kleinere houten speelgoed dat ze wel mag vasthouden. Hij kent het woord 'hedonist' niet, maar hij weet dat Emma wil dat het leven een aaneenschakeling is van fijne dingen: piepkleine eilandjes van plezier die op regelmatige afstand van elkaar de alledaagse sleur doorbreken. Ze reageert altijd zo verrukt op traktaties dat de meeste mensen haar die graag gunnen vanwege het plezier dat ze zelf beleven aan haar overweldigende vreugde.

'Heb je het naar je zin?' Zijn grootvader glimlacht naar hem met zijn gerimpelde oude gezicht en Bruno ziet zijn eigen vader als een jonge krachtige geest naar hem glimlachen.

Hij knikt, kan opeens niets zeggen, en zijn grootvader klopt vol begrip op zijn arm.

'Brave jongen. Brave jongen,' zegt hij nogal kortaf, en dan loopt hij weg om met Rafe te gaan praten.

'Kijk,' zegt Mousie, die hem het kleine houten speelgoedje laat zien, terwijl Emma stralend naar hem lacht. 'Vogel,' zegt ze met een zware tong omdat ze de toffee nog steeds in haar mond heeft. Ze wil dat Bruno meegeniet van haar plezier om de kleine vogel. Tante Julia geeft hem ook een toffee en aait over zijn bol als ze langsloopt. Bruno weet dat ze met dit gebaar hetzelfde uitdrukt als toen zijn grootvader 'brave jongen' mompelde. Met het gebaar geeft ze te kennen dat ze het fijn vindt dat hij niet gilt om zijn zin te krijgen. Hij heeft vaag door dat Emma's hartstochtelijke optreden op een of andere manier onverdiende beloningen voor hemzelf oplevert en hij voelt een golf van dankbaarheid voor haar.

'Het is een beste jongen,' zegt James tegen zijn schoonzus. 'Hij lijkt veel op Hubert, vind je niet?'

'Inderdaad.' Julia staat zichzelf toe te glimlachen als ze naar het groepje kijkt. 'Hubert zou trots op hem zijn. Het is een dappere jongen. Emma is natuurlijk te jong om te begrijpen wat er is gebeurd, maar het is een schatje.'

'We doen het zelf ook niet slecht, Julia.' Hij staat zichzelf toe een moment van ongebruikelijke zelfgenoegzaamheid met haar te delen. 'Je kunt trots zijn op die twee van jou.'

Even gaan hun gedachten naar kerstfeesten uit het verleden: Julia denkt aan Hugh, thuis met verlof, spelend met Mousie en Rafe in die jaren voor de oorlog. James denkt aan Margaret en de rustige, gelukkige tijd samen, en hij denkt ook aan zijn zoon. Ze kijken elkaar lang aan, erkennen allebei zwijgend de pijn van de ander en dan hullen ze zich weer in een mantel van stoïcisme. Ze rechten hun schouders, steken hun kin in de lucht en kijken vrolijk om zich heen. Het feest is een groot succes.

19 februari

Ik was vergeten hoe melancholisch het Engelse voorjaar kan zijn, Vivi. Ik zit in de salon naar de schemering buiten te kijken. Achter me knappert een haardvuur en ik zie hoe de lucht verandert van kleur: stukken staalgrijs, het blauw van een ei van een roodborstje, zalmroze. Op het gazon ligt een dun laagje sneeuw dat de sneeuwklokjes en krokussen bedekt, die in het gras bloeien, en ik hoor een lijster zingen tussen de camelia's. Een merel scheert vlug en laag over de stille tuin en gaat met een gestamelde waarschuwingskreet op een kale tak zitten en er blaten lammetjes in de velden onder het huis. Opeens vloeit al het karmozijnrood van de zonsondergang weg uit de lucht en ik zie hoe de dunne matzilveren sikkel van de maan verstrikt raakt tussen de zwarte twijgen van een meidoorn.

Dit is Paradise, Vivi, ons paradijs. En de slang is een kronkelend, knagend schepsel dat Ontevredenheid heet: het steken van een wesp, het prikken van een brandnetel, het priemen van de meidoorn; het hoort er allemaal bij. Denk je dat God ons straft? Ik denk het niet. We straffen onszelf door Hem klein te maken, Hem in een hokje te stoppen dat slechts groot genoeg is voor een mens, Hem naar ons beeld te scheppen en te veronderstellen dat Hij net zo denkt als wij. Op avonden zoals deze vang ik een glimp, slechts een zweem op van wat Hij ons biedt. Gek is dat, hè, dat Satan Christus – en ons – dingen aanbiedt waarvan wij denken dat ze goddelijk zijn: koninkrijken, beschermengelen, geen honger of gebrek. Satan wil ons doen geloven dat we deze dingen nodig hebben om ons veilig, geweldig en gelukkig te voelen, fluistert ons in en creëert zo een zekere rusteloosheid. God zwijgt, biedt ons aldoor armoede van geest en belooft alleen liefde.

Sorry, Vivi. Ik merk dat ik steeds vaker dingen moet overdenken om te proberen grip te krijgen op mijn gevoelens. Dat gaat het beste als ik ga zitten en op deze manier aan je schrijf en alles met je deel, net als jaren geleden voor de oorlog. Ik hoor je stem en stel me voor wat je tegen me zou zeggen.

Ik hou van Simon.

'Denk aan Robert Talbot en Geoffrey Stack,' hoor ik je roepen. 'En aan de jonge priester. Weet je nog dat we met elkaar wedijverden om zijn spirituele goedkeuring? Denk ook aan de jonge man die ons een heel semester kunstgeschiedenis onderwees.'

Ik denk ook aan hen – en aan alle anderen, onder wie Johnny – maar Simon is anders. Ik hoor je minachtend snuiven. O, wat zou ik je gezicht graag zien! Zijn er meisjes ooit zo verliefd geweest als wij, Vivi? Het lijkt wel alsof we vanaf ons twaalfde doorlopend verliefd waren en het maakte niet uit of degene met wie we dweepten uit een boek kwam of de baas van de lokale manege was. Ik werd verliefd op Geoffrey omdat je zijn lange benen zo goed zag als hij een rijbroek en paardrijlaarzen aanhad. Wat waren we onschuldig! Mijn hart stond stil bij zijn heerlijke kuise kussen; de opwinding als hij me onverwacht – maar zeer gewild – aanraakte. Maar ik heb van het fruit van Goblin Market gegeten en nu wil ik meer, veel meer.

We hebben Bruno meegenomen naar de pantomime in Bodmin als verlaat verjaardagsuitje. Hij had nog nooit zoiets gezien en was sprakeloos van verrukking. Hij keek onafgebroken naar het podium, Vivi, en dat deed ik zelf ook. Hij zat tussen Simon en mij in – Mousie, Rafe en tante Julia zaten verderop in de rij – en Simon legde zijn arm over de rugleuning van Bruno's stoel, zodat zijn vingers min of meer toevallig op mijn schouder rustten. Ik kon nergens anders meer aan denken. De aanraking van zijn vingers brandde door de dunne stof van mijn jurk heen. Honors jurk. Gek genoeg kwam het daardoor dat ik mijn zelfbeheersing niet verloor. Het idee dat zij die jurk had gedragen weerhield me ervan mijn hand op de zijne te leggen en ik deed net alsof ik het niet doorhad.

Ik staarde zonder iets te zien voor me uit. Aladdins benarde toestand kon me niet boeien. Ik dacht aan Honor en stelde me voor hoe zij gereageerd zou hebben. Het was zinloos: Honor zou het nooit zover hebben laten komen. Het zien van de fijne blauwe wollen stof die over mijn knie viel en een glimp van de fraaie belijning van de mouw hield me kalm. Ik applaudisseerde op de juiste momenten, met mijn handen hoog in de lucht, glimlachend van oor tot oor, en boog bezorgd naar Bruno toe om zijn plezier te delen en hem af en toe de verhaallijn uit te leggen.

Ik wist dat Simon naar me keek, me bewonderde in mijn rol van moeder, en dat hij mijn liefde en tederheid voor mijn zoon, Honors zoon, goedkeurde. Bruno's verrukking, de manier waarop hij me vastgreep toen de geest uit het valluik omhoogschoot, hield me ook overeind. De liefde is wederzijds, Vivi, en dat maakt het allemaal ontzettend ingewikkeld.

Ik stel me voor dat je zegt dat het al gecompliceerd was, dat vanaf het moment dat ik in de hotelkamer in Karachi dat besluit nam mijn leven nooit meer eenvoudig zou zijn. Ik bedenk korte scenario's voor mezelf, sprookjes waarin alles uiteindelijk goed komt en we nog lang en gelukkig leven. De slang fluistert me in dat ik het allemaal kan hebben, dat ik alleen mijn hand maar hoef uit te steken om het te pakken en zijn onophoudelijke gefluister verdrijft de stilte waarin God huist.

In rust en inkeer ligt jullie redding, in geduld en vertrouwen ligt jullie kracht.

Het is verbazingwekkend hoeveel ik onbewust moet hebben opgestoken tijdens die jaren in het klooster. Nu komen die woorden terug en troosten me.

Het is inmiddels avond. De maan is losgeraakt uit de meidoorn. Zijn kille schijnsel zorgt ervoor dat het bevroren gras zilverkleurig lijkt en de bomen werpen scherpe zwarte schaduwen over de oprijlaan. Ik hoor James uit zijn studeerkamer komen. Hij is toe aan een borrel.

Vandaag ben ik jarig, Vivi. Ik ben achtentwintig geworden.

Veel liefs.

Simon kan zijn ogen nauwelijks van haar afhouden. Ze ziet er beeldschoon uit, maar ze is vanavond een beetje afstandelijk, wat zijn zelfvertrouwen ondermijnt en hem tegelijkertijd vastberadener maakt. Het is frustrerend dat de familie erbij is en hij merkt dat ze hem op een afstand houdt omdat iedereen – met uitzondering van James en Emma (Jessie past op haar) – hier is om alsnog Bruno's verjaardag te vieren. Simon trekt meewarig een lelijk gezicht: ze is net buiten zijn bereik. Hij kan het niet laten zijn arm over de rugleuning van Bruno's stoel te leggen, zodat zijn vingers Mutts schouder net raken. Hij doet het heel onopvallend, zodat het automatisch lijkt te gaan omdat hij achteroverleunt om lekkerder te gaan zitten. Vanwege zijn lengte en lange benen zit hij aan het eind van de rij en hij zit er heel ontspannen bij.

Bruno gaat helemaal op in de pantomime en heeft niet door wat zijn peetoom doet, maar Mutt merkt het wel, dat weet Simon. Ze reageert vanavond anders. Ze gedraagt zich erg moederlijk en al haar aandacht is erop gericht het Bruno naar de zin te maken. Het verbaast Simon dat hij, ondanks dat hij haar gedrag ten opzichte van haar zoon goedkeurt, ongewoon jaloers is en zelfs nog vastberadener wordt om een reactie van haar te krijgen, hoe miniem ook.

Er is echter iets veranderd: een nieuwe gereserveerdheid onderdrukt de warmte van haar persoonlijkheid. Hij merkt dat hij haar over Bruno's hoofd heen heimelijk opneemt. Komt het door haar haar of door haar kleren? Ze kijkt naar het podium, gaat daar blijkbaar volledig in op, is zich er niet van bewust dat hij naar haar kijkt en hij verplaatst zijn vingers, zodat ze de dunne stof van haar jurk en de warme schouder eronder ràken. Plotseling heeft hij door dat Mousie, verderop in de rij, naar hem kijkt. Hij glimlacht vlug en gaat verzitten, kruist zijn armen voor zijn borst.

Hoewel hij op de juiste momenten lacht en applaudisseert, denkt hij diep na en maakt hij plannen: hij moet een manier zien te vinden om haar opnieuw alleen te ontmoeten.

Later

Ik geloof dat ik nooit heb geschreven wat ik met kerst van James heb gekregen. Hij is geen man voor cadeaus – en met die rantsoenering is het helemaal lastig – maar ik heb het borduurraam van zijn vrouw gekregen. Ik ontvang liever dit soort cadeaus, iets speciaals wat jarenlang in de familie is geweest, en ik was er dolblij mee. Hij zat erover in dat ik het vervelend zou vinden dat er een half afgemaakt borduurwerk op het grote kantelbare frame was opgespannen, maar ik vond het juist een ontroerend idee dat ik verder zou gaan waar Margaret was gestopt. Het is duidelijk dat ze erg handig was met naald en draad: donkerrode bloemen van een camelia zaten stevig vast aan een dikke tak met felgroene bladeren en dit alles tegen een roomwitte achtergrond. Er is ook een kleine borduurring en een naaidoos vol zijde en wol.

Weet je nog dat ik altijd goede cijfers kreeg voor borduren, Vivi? Jij vond het saai en vervelend werk, maar het was een van de weinige vaardigheden waarmee ik moeder hoopte te behagen. Overal in huis zie je Margarets werk: indrukwekkende hoezen over de stoelen in de eetkamer, een groot middeleeuws wandtapijt op de overloop en kleinere fraaie bloemenstudies in prachtige strakke lijsten.

James was heel blij met mijn reactie. Ik heb het grote borduurraam in de eetkamer neergezet. Ik had het graag in het kantoor van James neergezet – twee grote ramen op het noorden en het oosten; o, wat benijd ik hem zijn privacy – maar dit gaat ook prima. Hij is erg goed voor ons. Het zal niet gemakkelijk zijn als je opeens twee kleine kinderen op je dak krijgt, maar het gaat hem heel goed af. Hij kan afstand nemen, waardoor hij boven de dagelijkse beslommeringen uitstijgt, zodat hij kan opgaan in een boek of in zijn kantoor kan zitten...

Hij heeft me gisteren verteld dat de twee boerderijen na zijn overlijden verkocht moeten worden om de successierechten te kunnen betalen. Je kunt je voorstellen dat ik schrok toen dit onderwerp opeens ter sprake kwam. Ik zei dat ik niet over zijn dood wilde praten. Hij lachte, een lieve glimlach die me aan Hubert deed denken, en zei dat hij nog geen datum had geprikt, maar dat we bepaalde zaken toch moesten bespreken.

'Alles is voor jou en de kinderen,' zei hij. 'Dat blijft zo. Het wordt natuurlijk anders als je zou hertrouwen...'

Hij aarzelde en ik wist dat hij aan Simon dacht. Ik voelde mijn gezicht gloeien en mijn maag kromp ineen.

'Ik ga niet hertrouwen,' antwoordde ik.

Ik zei het erg vlug en heel stellig en meteen daarna kwam er een grote rust over me.

'Je bent erg jong om dat besluit nu al te nemen,' zei James. Hij keek heel vriendelijk en vol begrip. 'Je hoeft de mogelijkheid niet uit te sluiten, maar als je hertrouwt, laat ik een nieuw testament opstellen. Dan gaat het landgoed naar Huberts kinderen en wordt het in een trust opgenomen totdat ze meerderjarig zijn.'

Toen had ik door dat hij niet wilde dat Paradise en St Meriadoc geërfd konden worden door eventuele kinderen van Simon en mij, en opeens werd ik weer met mijn neus op deze afschuwelijke misleiding gedrukt. Als hij de waarheid wist, zou hij ook niet willen dat Emma of ik iets kregen, en mijn korte moment van rust was verstoord.

'Voor Margaret en mij lag het eenvoudig omdat we maar één kind hadden,' zei hij. 'Je moet het me maar vergeven dat ik erover begon, maar als het enigszins in mijn vermogen ligt, wil ik je goed verzorgd achterlaten, zodat je niet afhankelijk zult zijn van Bruno's echtgenote of Emma's echtgenoot. Daarom krijg jij alles en ik vertrouw erop dat jij het aan Huberts kinderen zult nalaten. Ik heb een trustfonds opgericht om hun schoolgeld te kunnen betalen, maar verder zul je het financieel helaas zwaar krijgen. Je ontvangt natuurlijk huur van The Row...'

'Ik heb mijn pensioen,' zei ik snel. 'We redden het wel. Maakt u zich alstublieft geen zorgen.'

'Het landgoed staat er goed voor,' zei hij. 'Daar heb ik voor gezorgd, maar na de oorlog zijn er dingen veranderd. Maar goed, we zullen het er nu niet meer over hebben. Wil je iets drinken?'

Ik krijg Paradise dus, Vivi, maar nu nog niet. Ik heb vanmorgen een brief van Simon gekregen. Hij begint me een beetje onder druk te zetten en stelt voor dat ik naar Exeter kom. Hij deelt een appartement met een andere arts en zijn voorstellen zijn allemaal heel fatsoenlijk, maar ik heb het idee dat hij vindt dat er binnenkort een einde moet komen aan de rouwperiode. Hij komt met Pasen hierheen.

Wat moet ik doen?

Net als eerder bij Margarets juwelen is het Julia die James aanspoort in actie te komen wat betreft zijn testament.

'Je moet Honor laten weten waar ze aan toe is,' zegt ze tegen hem. 'Wij worden er niet jonger op en ze moet begrijpen hoe de vork in de steel zit.'

'Ik zie het probleem niet,' mompelt hij, omdat hij het gevoel heeft dat het een gênante situatie kan worden. 'Ik heb mijn testament veranderd toen Hubert een zoon kreeg. Alles gaat naar zijn weduwe. Mocht ik haar overleven, dan gaat alles naar Huberts kinderen. Het is zo simpel als wat.'

'Maar dat weet Honor toch niet,' houdt Julia vol. 'Misschien denkt ze wel dat ze moet verhuizen als jij komt te overlijden.'

'Wat een onzin,' zegt hij geïrriteerd, maar hij geeft toe dat dit mogelijk is en hij dwingt zichzelf om er met haar over te praten.

Eerst geeft hij haar tijdens een kleine ceremonie de borduurramen. Honor zegt regelmatig dat ze Margarets borduurwerk prachtig vindt en hij vindt het prettig om te weten dat Margarets nalatenschap in goede handen is. Honor is dolblij en daardoor is het gemakkelijker om over het testament te beginnen. Het is duidelijk dat ze zich net zo ongemakkelijk voelt als hij en ze probeert het onderwerp te negeren. Hij moet haar vertellen wat er gaat gebeuren als ze hertrouwt – dat heeft Julia ook gezegd – maar ze reageert heel snel.

'Ik ga niet hertrouwen,' zegt ze. Hij heeft opeens diep medelijden met haar omdat ze op jonge leeftijd met twee kleine kinderen is achtergebleven. Toen hij haar met Simon zag lachen, had hij zich afgevraagd of ze verliefd waren en hoewel hij het haar beslist niet kwalijk zou nemen, is hij vastbesloten dat St Meriadoc veiliggesteld moet worden voor Huberts kinderen. Als ze na zijn dood hertrouwt, kan hij er natuurlijk niets meer aan doen en hij vraagt zich af of hij een nieuw testament moet opstellen waarin hij het landgoed in een trustfonds aan de kinderen nalaat. Maar ze is heel stellig.

'Ik ga niet hertrouwen.'

Hij zal de kwestie een tijdje laten rusten en zien wat er gebeurt. Hij wil dat ze veilig is als ze ouder wordt, niet afhankelijk zal zijn van de grillen van een eventuele schoonzoon of -dochter, en ze is gelukkig hier op Paradise. Zo zou Hubert het gewild hebben.

Hij vindt het fijn om te zien dat ze al begonnen is aan het grote, half afgemaakte wandtapijt en om een of andere reden sterkt dit hem in het vertrouwen dat hij de juiste beslissing heeft genomen en dat hij haar kan vertrouwen.

23 maart

We zijn vandaag via het klifpad naar The Lookout gelopen. De dag begon met een dichte mist die als rook binnendreef vanaf de zee, de wasachtige bloemen van de magnolia aan het zicht onttrok en ervoor zorgde dat de ramen besloegen. Opeens waaide er een briesje door de tuin, dat het wolkendek uiteenrukte en een iel stukje blauwe lucht onthulde. Plotseling begon het hard te regenen. Vervolgens stak de wind op en werden de wolken weggeblazen. Toen we uiteindelijk vertrokken, scheen de zon fel en zag je heldere kleuren: het bleekgroen van de woeste zee, het goud van de forsythia en het rozerood van de ribes. Alles was fel van kleur, terwijl een uur daarvoor alles nog grijs en mat was. Nadat we de beschutte tuin hadden verlaten, liepen we over het hooggelegen klifpad dat aan weer en wind is blootgesteld: de wind trok aan ons, blies ons haar in onze mond en prikte in onze ogen. Onze kleren werden om onze benen heen gewikkeld en we moesten schreeuwen om onszelf verstaanbaar te maken. Ik tilde Emma op omdat ze niet vooruitkwam op haar korte beentjes. Bruno had mijn hand goed vast en we keken naar beneden door het omhoogvliegende roomwitte schuim naar het hevig deinende water dat om het klif heen kolkte en stuksloeg op de rotsen beneden.

We waren blij toen we de relatieve rust van The Lookout bereikten en het magnifieke drama van zee en lucht vanuit het grote gebogen raam konden bekijken, hoewel het leek alsof de storm zelfs dit stevige stenen fort deed schudden.

'Ik vind het heerlijk hier,' zei Bruno, terwijl hij naar buiten keek en zijn armen op de brede lage vensterbank liet rusten. 'Als ik groot ben, ga ik met Pipsqueak en Wilfred in The Lookout wonen. Emma en jij kunnen op Paradise blijven en ik ga hier wonen.'

'Dat is een goed idee,' antwoordde ik luchtig.

Ik vraag nooit ver door over Bruno's toekomstplannen. Dit in tegenstelling tot tante Julia die altijd vraagt of hij later dokter wil worden – net als zijn vader – of zeeman, net als zijn oom. Ze zou het geweldig vinden als hij bij de marine ging en zo de traditie van haar kant van de familie zou voortzetten, maar ik val hem nooit lastig met dat soort vragen. Het duurt nog zo lang...

'Dat is een goed idee,' zei ik, 'en dan komen Emma en ik op bezoek.'

'Dan gaan we hier aan tafel zitten om thee te drinken en lekkere dingen te eten,' zei hij. Zijn gezicht straalde al bij voorbaat en hij wees naar de grote tafel vlak bij het raam. 'En daarna gaan we bij de open haard zitten en dan vertellen we elkaar verhalen. Mag de haard vandaag aan?'

Dat is altijd een feest. James heeft ons toestemming gegeven de haard aan te steken in dit enorme vertrek. Volgens hem droogt het huis dan beter, maar we moeten wel controleren of het vuur echt uit is als we weggaan. Bruno en ik gingen aan de slag met stokjes en lucifers en wat proppen papier en algauw brandde de haard goed. Emma lummelde rond, zong zacht en hulde zich in de lakens die over de weinige meubels gedrapeerd waren. Nadat The Lookout helemaal was verkend, de ramen boven waren opengezet en we een beetje hadden schoongemaakt, volgde de onvermijdelijke picknick.

'Jullie mogen hier ook wel wonen,' flapte Bruno er later opeens uit, omdat hij misschien bang was dat ik me beledigd voelde. 'Maar wie moet er dan op Paradise wonen?'

'Opa natuurlijk,' zei ik.

'Maar niet altijd,' antwoordde hij bezorgd. 'Opa is oud en soms voelt hij zich niet lekker. Jij blijft er toch wel wonen, hè, Mutt?'

Vanuit het niets hoorde ik Honors stem: 'Wil jij voor de kinderen zorgen als er iets met Hubert en mij gebeurt? Wil je dat doen, Mutt? Je weet dat ik voor Lottie zal zorgen.'

Dat hadden we elkaar altijd beloofd en we meenden het. We waren net zussen en dan moest ik vaak aan Goblin Market en aan jou denken.

Toen ze eenmaal waren getrouwd
en zelf kinderen hadden,
toen sloeg de schrik hun om het hart
om al wat hun was toevertrouwd.
Dan riep Laura de kind'ren bij zich,

en verhaalde van haar jeugd,
van fijne dagen van weleer
en van vervlogen vreugd.

Alleen ben jij de enige met wie ik over die heerlijke tijd van vroeger kan praten.

'Natuurlijk blijf ik op Paradise wonen,' zei ik tegen Bruno. 'Dat beloof ik.'

Emma was via een stoel op tafel geklommen, viel er op een of andere manier af en begon hard te huilen. We renden allebei naar haar toe en het moment ging voorbij doordat we de picknickspullen te voorschijn moesten halen om haar af te leiden. Het hielp inderdaad om het rantsoen uit te stallen, want toen ze de kleine broodjes met chocoladevlokken zag, verdwenen haar tranen meteen. Ze zat op de tafel, bungelend met haar dikke beentjes, en at met grote dankbaarheid. De verbijsterende blauwgroene gloed van de zee en de lucht weerspiegelde in haar grote ogen en toen ik naar haar keek, werd ik overvallen door de bekende angst die iedere moeder kent.

Hoe zou Emma het vinden als ik met Simon ging trouwen en meer kinderen kreeg? Zou hij van haar houden alsof het zijn eigen kind was? Ik probeerde me voor te stellen dat hij bij ons op Paradise woonde, maar dat lukte niet: hij paste niet in het plaatje. Hij sprak hartstochtelijk over bepaalde onderzoeksterreinen, heeft het al gehad over in het buitenland werken en ik probeerde me voor te stellen dat ik dit allemaal aan Bruno moest uitleggen: waarom ik met Simon ging trouwen en waarom we weer gingen verhuizen en niet op Paradise bleven wonen. Zou Bruno het begrijpen? Zou hij vinden dat ik vals speel? Heb ik het recht om hem uit dit huis weg te halen? Ik kan hem toch niet achterlaten en Emma meenemen zonder alles te vertellen? Hoe zou ik hem trouwens ooit in de steek kunnen laten? Ik hou van hem. Hij was met zijn broodje teruggelopen naar het raam en keek verrukt naar buiten: zijn kleine onbeweeglijke gestalte leek deel uit te maken van het tafereel. Hij hoort hier, Vivi, en ik heb het hem beloofd...

Ik vraag me af of jij kinderen hebt. Vast wel: misschien een zoon die een miniatuurversie is van je echtgenoot Don of een dochtertje dat er precies zo uitziet als jij vroeger. Alles verandert als je eenmaal een kind hebt.

Vivi, los van dat alles kan ik het risico toch niet nemen om met Simon te trouwen? Stel je voor hoe gemakkelijk ik een fout zou kunnen maken als de barrières eenmaal zijn opgeheven en ik niet meer zo alert ben. Dan zeg ik misschien zoiets als: 'Ik weet nog dat Honor en Hubert...' En denk eens aan de meer persoonlijke vragen die Simon me zou kunnen stellen als we eenmaal getrouwd zijn. Op een bepaalde manier zou dat natuurlijk de oplossing zijn voor mijn huidige dilemma. Ik zou gewoon mevrouw Dalloway worden. Er zouden geen vragen meer worden gesteld als die vreselijke formaliteiten – trouwformulieren, overlijdensaktes, et cetera – eenmaal achter de rug zouden zijn, maar het risico is gewoon te groot. Als ik hem nu de waarheid niet durf te vertellen omdat ik niet zeker weet of hij wel genoeg van me houdt, mag ik zeker het risico niet nemen dat hij er later achter komt als de zaak nog ingewikkelder ligt.

Ik hoop dat hij me zal geloven als ik zeg dat ik niet van hem hou.

Ditmaal kon Joss haar tranen niet bedwingen. Op een bepaald niveau van haar bewustzijn stelde ze vol ontzetting vast dat deze brieven een bedreiging voor haar eigen veiligheid vormden, maar ze liet het werkelijke besef nog niet tot zich doordringen, geboeid als ze was door de lastige situatie waarin haar grootmoeder verkeerde. Joss was onder de indruk van de ontwikkeling van Mutts zelfkennis en de dappere – maar volkomen menselijke – manier waarop ze omging met hoop en vrees en haar onwankelbare geloof.

Ze hoefde niet verder te lezen om te weten dat de liefde tussen Mutt en Simon geen toekomst had: Mutt had een besluit genomen en moest de consequenties daarvan aanvaarden. Met het ware mededogen van iemand die het gevoel uit ervaring kent, pakte Joss de slinkende stapel en begon de overgebleven brieven te lezen.

29 maart

Het is gebeurd. Hij is vanmiddag teruggegaan naar Exeter en hoewel het al laat is, moet ik je dit gewoon schrijven. Ik voel me zo raar, Vivi: opgetogen, bibberig en dwaas omdat hij heeft gezegd dat hij van me houdt. Hij overviel me er namelijk mee. Mousie had de kinderen zaterdag na de lunch meegenomen naar The Row, zodat ik paaseieren kon verven en verstoppen. We hadden ze eerder die dag gekookt, zodat ze al helemaal koud waren en ik had een oude verfdoos met kleine vakjes felgekleurde verf gevonden, al was de verf wel hard en gebarsten.

De kinderen gingen vrolijk op pad en ik deed een oude schort voor en ging aan de keukentafel zitten. James was naar de boerderij gegaan en Simon zou later komen voor het diner. Ik zat naar de radio te luisteren, vrolijke dansmuziek op de zender met lichte muziek, toen de deur opeens openging en hij binnenstapte.

O, Vivi, het was een ramp. Ik vergat mijn plan, dacht er niet meer aan gereserveerd en verstandig te doen. Ik vergat dat ik Honor Trevannion was. Ik zat daar maar, met mijn penseel in de lucht, stralend naar hem te lachen. Ik zei 'hallo' of zoiets onzinnigs en bleef lachen. Mijn hart klopte wild en ik bedacht me hoe dierbaar hij me was. Het was het stomste wat ik ooit heb gedaan. Hij reageerde heel vanzelfsprekend. Hij deed de deur achter zich dicht, liep om de tafel heen en kuste me.

Dom als ik was, heb ik zijn kus beantwoord, Vivi. Dat kwam door de schrik. Ik had helemaal in mijn hoofd hoe het zou gaan. Ik zou naar beneden komen voor het avondeten, de kinderen zouden op bed liggen en die lieve oude Dot zou ervoor gezorgd hebben dat het eten bijna klaar was. Ik zou hem koel, maar heel vriendelijk begroeten, zoals Honor dat gedaan zou hebben, zodat de juiste toon voor de avond zou zijn gezet. Ik had ook bedacht dat ik zou wegglippen naar bed als James en hij een slaapmutsje namen, zodat de eerste avond probleemloos zou verlopen en ik het gevoel zou hebben dat ik alles onder controle had.

Voor zondag was er al een probleem. Tante Julia had voorgesteld om op eerste paasdag samen met haar naar St Endellion te gaan voor de vroege ochtenddienst (meestal gaat de hele familie naar de ochtenddienst of 's zomers naar de avonddienst). Hoe moet ik tegen haar zeggen dat ik niet kan deelnemen aan de Avondmaalsviering? Het was al erg genoeg dat ik met kerst niet naar de kerstnachtdienst kon, maar ik kan met Pasen echt niet meedoen aan de Avondmaalstafel. Ik zag dat het door haar hoofd schoot dat ik misschien geen belijdenis had gedaan en nadat ze hier even over had nagedacht, had ze het er verder niet meer over. Ik voel me een verrader omdat ik heel goed weet dat de familie me er al praktisch van verdenkt atheïst te zijn, hoewel er normaal gesproken niemand naar de vroege ochtenddienst gaat; dat doen ze alleen bij speciale gelegenheden. Weet je nog dat we op Goede Vrijdag altijd met zuster Julian de kruisweg liepen en dat we op eerste paasdag allemaal riepen: 'Hij is opgestaan!' Ik heb het gevoel dat ik Hem, net als Petrus, verloochen. Zelfs als ik er een draai aan zou geven door te zeggen dat ik katholiek ben (iets wat Hubert bijna zeker geschreven zou hebben), kan ik pas weer aan de Avondmaalstafel deelnemen nadat ik mijn zonden heb beleden. En wat dan? Ik vraag me af wat de priester tegen me zal zeggen.

Maar goed, ik was dus van plan koel, beheerst en in gezelschap te blijven. Zondag zou een familiedag worden. Na het middageten zouden we paaseieren gaan zoeken. Daarna zouden we theedrinken met allerlei lekkere hapjes erbij en ik had gevraagd of tante Julia, Mousie en Rafe 's avonds kwamen dineren. Ik was erg verstandig geweest en had het helemaal uitgedacht, zodat Simon en ik pas op het laatste moment de gelegenheid zouden hebben om alleen te zijn en dan was het te laat. Ik zou afstandelijk en kalm doen en hem dan pas duidelijk maken dat ik over ons had nagedacht en dat ik tot de conclusie was gekomen dat ik een verkeerde indruk had gewekt. Ik zou tegen hem zeggen dat ik hem graag mocht, maar dat ik niet van plan was te hertrouwen.

Maar in plaats daarvan was hij in de keuken en kuste me. Ik zat nog steeds aan tafel, met een ei in mijn ene hand en het penseel in de andere, en ik beantwoordde zijn kus als een smoorverliefd meisje. Nee, dat is niet waar. Ik kuste hem zoals iedere vrouw die ooit een minnaar heeft gehad een man kust op wie ze haar zinnen heeft gezet. Er is geen man die dat signaal verkeerd opvat. Simon snapte het. Hij trok me overeind, bleef even staan zodat hij me kon verlossen van het ei en het penseel, en ging toen verder waar we waren gebleven. Ik dacht pas veel te laat aan mijn plan, maar uiteindelijk had ik mezelf voldoende in de hand om me van hem los te maken. Hij vermande zich ook en er was een moment van vreselijke schaamte bij ons allebei.

Dat had niet gehoeven. Het had zo fijn kunnen zijn als ik niet had besloten dat ik er niet mee kon doorgaan. Het was zo gemakkelijk geweest om naar hem te lachen en hem te laten merken dat het goed was, hem duidelijk te maken dat hij niet vrijpostig was, maar slechts spontaan reageerde op de signalen die ik de afgelopen zes maanden had uitgezonden. In die paar tellen zag ik heel duidelijk voor me hoe geweldig het met hem kon zijn: er was liefde en hartstocht en we zaten op dezelfde golflengte. Het leek op dat moment misdadig om een einde te maken aan iets wat zo goed was.

Ik krijg dus geen hoog cijfer, Vivi, want je hebt vast al geraden dat ik het niet goed heb aangepakt. Ik ben laf geweest en heb gezegd dat ik er nog niet aan toe was om verliefd te worden. Ondertussen wekte ik de indruk dat als hij maar lang genoeg in de buurt bleef ik misschien van gedachten zou veranderen. Ik verontschuldigde me omdat ik hem had misleid – hij zei natuurlijk meteen dat het zijn fout was – en mompelde iets over eenzaam zijn en hem erg aantrekkelijk vinden. Dot arriveerde bij de achterdeur op het moment dat hij zei dat hij op me zou blijven wachten, waarop ik zei dat ik niet van plan was te hertrouwen. Gelukkig hoorden we haar tijdig aankomen, zodat we ons konden herstellen. Ik was alweer een ei aan het verven toen ze de keuken in stapte en Simon kondigde luidkeels aan dat hij zijn spullen boven ging zetten en vroeg of hij in dezelfde kamer sliep als altijd. Opeens was alles voorbij.

Als Dot al iets vermoedde, liet ze dat in ieder geval niet merken. Ze begon voorbereidingen voor het diner te treffen en liep te kletsen, wat ze altijd doet, terwijl ik eieren zat te verven alsof mijn leven ervan afhing. Het voorval wierp echter een ander licht over het weekend, alsof we allebei elektrisch geladen waren en er vonken van de een naar de ander schoten. We konden de kus allebei niet vergeten en hoewel ik me aan mijn plan hield en hem niet meer alleen zag, was het eerder alsof we ergens aan waren begonnen dan dat we iets hadden beëindigd.

Heb jij een goed huwelijk, Vivi? Op de trouwfoto lijk je heel gelukkig en hij ziet er goed uit, stoer en sterk. Ik zal het nooit weten, hè? Wat is het gemakkelijk om je in te beelden dat iets wat je voorgoed bent kwijtgeraakt het enige was wat je ooit echt hebt gewild. Op dit moment verlang ik naar de band die we hadden: die vreemde, hechte en vaak pijnlijke kameraadschap die kenmerkend is tussen kinderen uit hetzelfde gezin. Ik hunker naar mijn eigen religie, die ooit zo vanzelfsprekend voor me was als ademhalen en een wezenlijk onderdeel van mijn leven vormde. En ik wil Simon.

Ik heb alles verloren waar ik waarde aan hecht, maar ik heb Paradise gewonnen.

Het paaseieren zoeken is een groot succes, hoewel Emma het niet helemaal snapt. Nadat Bruno het eerste ei heeft gevonden – dat voorzichtig tussen de lagere takken van de wisteria was gelegd – verwacht ze overal waar ze kijkt een ei te vinden en de uitroepen van teleurstelling worden afgewisseld met vreugdekreten. Rafe helpt hen, leidt hen naar de geverfde eieren en doet of hij net zo verbaasd is als zijzelf als er een wordt gevonden. Rafe heeft het naar zijn zin. Vaak is Mutt bij hem in de buurt. Ze laat hem weten waar ze de eieren heeft verstopt en ze lachen samen als ze zien dat Emma doelbewust achter Bruno aan waggelt en hem met geschreeuw aanmoedigt. Emma is ook blij als Bruno er een vindt, want bezitterigheid is haar volkomen vreemd, en bovendien deelt hij de eieren eerlijk.

'Omdat ze te klein is om ze zelf te vinden,' zegt hij ernstig tegen Rafe.

Rafe legt het ei in het mandje bij de andere eieren en grijnst naar Mutt.

'Ik hoop dat Emma hardgekookte eieren lust,' zegt hij. 'Dit lijkt wel het rantsoen voor een hele week.'

Mutt trekt een gek gezicht. 'Gelukkig hoort er een boerderij bij het landgoed,' zegt ze, 'en Emma eet alles. Weet je, Rafe, ik heb lopen denken. Kunnen we zelf geen kippen houden? Er is ruimte genoeg in de moestuin.'

Even brengt hun liefde voor de tuin hen bij elkaar. Mutt werkt met steeds meer plezier in de tuinen van Paradise. Ze vindt tuinieren bijna even leuk als zeilen. Rafe stimuleert haar en helpt haar graag. James is er altijd voor te porren te beschrijven hoe fraai de tuinen er vroeger bij lagen en heeft hun de vrije hand gegeven. Ze hebben al plannen gemaakt voor de lappen grond die sinds het begin van de oorlog slecht zijn onderhouden. Doordat er geen sterke man meer was die kon meehelpen en doordat Margaret ziek was geworden, zijn grote stukken land verwaarloosd en Mutt en Rafe willen ze graag in de oude glorie herstellen.

Opeens gaat Emma op een nat stuk gras zitten en begint te huilen. Mutt rent naar haar toe en tilt haar op. Er is abrupt een eind gekomen aan hun gesprek, maar Rafe voelt een warme gloed omdat hij iets met haar heeft gedeeld. De blijdschap van alles wat nog gaat komen, geeft hem een tevreden gevoel.

Bruno is ook gelukkig. Dat hij de geverfde eieren met Emma deelt, is niet helemaal onbaatzuchtig. Zijn natuurlijke gulheid wordt gestimuleerd doordat hij weet wat Simon voor hen heeft meegebracht uit Exeter. Hij heeft een bakker gevonden die twee chocolade-eieren heeft gemaakt met hun namen erop in suikerglazuur. Het is even stil als Simon de kartonnen dozen opent om ze te laten zien – zulke luxe hebben ze in jaren niet gezien – en dan praat iedereen door elkaar. Bruno snuift de speciale, heerlijke geur van chocolade op. In de kerk en tijdens het middageten denkt hij aan de eieren. Een heerlijke heimelijke gedachte.

En hij heeft nog iets gekregen: iets wat alleen voor hem is. Hij stopt zijn hand in de zak van zijn korte broek en voelt de vorm van de kleine rode bus.

'Je bent immers mijn petekind,' zegt Simon. 'Wij mannen moeten solidair zijn.'

Bruno vindt het niet erg om zijn peetoom met Emma te delen – hij snapt dat het oneerlijk zou zijn als de poesjes en de chocolade-eieren niet ook voor haar waren – maar het is fijn om iets voor zichzelf te hebben.

Hij ziet dat Simon ook blij is, en dat is fijn, maar hij wendt zich nu automatisch tot Rafe. Bij Rafe voelt hij zich net zo op zijn gemak als bij tante Julia en Mousie.

'Die zus van je,' zegt Rafe meelevend. Bruno lacht, haalt zijn schouders op en slaat zijn ogen ten hemel, want hij heeft gezien dat de volwassenen zo reageren op Emma's dolle streken.

Terwijl hij naar Mutt kijkt, die Emma hoog optilt om haar af te leiden van haar natte onderbroek, heeft hij intens het gevoel dat hij hier thuishoort.

'Theetijd,' roept Mutt, en ze lopen allemaal naar het huis.

9 april

Ik heb een paar dagen geleden een brief van Simon gekregen. Hij lag naast mijn bord bij het ontbijt. James keek toe terwijl ik hem openmaakte, hoewel hij deed of hij opging in zijn eigen post. Misschien hebben andere mensen tijdens dat weekend ook gemerkt dat het bijzonder goed klikte tussen Simon en mij. Ik ben gespannen en voel me schuldig. Ik vraag me af wat James van me denkt. Ik had hem immers verteld dat ik niet zou hertrouwen. Ik ben bang dat hij het verkeerd begrijpt en het op een of andere manier afkeurt. In een poging kalm en onaangedaan te lijken voerde ik Emma een paar lepels pap en sneed het kapje van Bruno's ei af.

We ontbijten in de eetkamer. Soms stroomt het zonlicht naar binnen, omlijst Emma's hoofd met een vage gouden stralenkrans en geeft extra glans aan het palissanderhout van de ovale tafel. Dan schittert het zonlicht op het patroon van de porseleinen theepot die breekbaar is als eierschaal – donkerblauw met bladgoud – en strijkt langs de zijden steken van het grote, door Margaret geborduurde wandtapijt. Dan maakt de warmte ons vrolijk en maken we enthousiast plannen voor de dag die voor ons ligt.

Op de ochtend van Simons brief regende het. Uit de vaalgrijze lucht viel meedogenloze motregen en in de kamer hing een kille, sombere sfeer. We hadden een warme periode gehad – het voorjaar komt en gaat hier, laat ons verleidelijk zijn pracht zien en trekt zich dan terug achter een westerstorm of een stevige regen- of hagelbui – en deze plotselinge terugval naar de winter was deprimerend. Emma jengelde – even irritant en aanhoudend als de regen buiten – en Bruno vroeg of we na het ontbijt over het klif naar The Lookout konden lopen. James glimlachte goedig naar niemand in het bijzonder en uitte op die manier zijn medeleven met mij en zijn tolerantie ten opzichte van de kinderen.

'Dat zien we straks wel,' zei ik tegen Bruno. 'Als het beter weer wordt misschien.' Toen begon ik Simons brief te lezen.

Tot mijn schrik zag ik dat mijn handen trilden, ook al was het maar een beetje. Ik legde de brief snel naast mijn bord, terwijl ik deed of ik tante Julia's bramenjam op mijn geroosterde brood wilde smeren. Ik boog mijn hoofd over het bord en mijn ogen vlogen over de regels met het kleine slordige handschrift. Het was een aardige brief, Vivi. Hij verontschuldigde zich voor het feit dat hij misbruik had gemaakt van mijn 'kwetsbare staat' en schreef dat hij verliefd op me was. Er stond: *Het zou me niet moeten verbazen dat ik deze gevoelens voor je koester. Na alles wat Hubert over je had geschreven, was ik bijna al verliefd op je voordat ik je ooit ontmoette...*

Wat onhandig verzekerde hij me verder dat Hubert het prettig zou vinden te weten dat we elkaar troostten, maar een kille angst had de kop al opgestoken.

Alles wat Hubert over je had geschreven.

Wat had Hubert aan zijn oudste vriend geschreven over zijn vrouw? Mijn eerste reactie was een overweldigende opluchting omdat ik me niet al aan hem had gegeven. Ik keek op en ontmoette de blik van James. Er lag zo veel wijsheid en genegenheid in zijn ogen dat de angst me om het hart sloeg. Op dat moment wist ik dat ik het niet zou kunnen verdragen om desillusie en afschuw in die ogen te zien en dat er niets anders op zat dan voort te gaan op de ingeslagen weg.

Ik glimlachte naar hem. 'Een bedankje van Simon,' zei ik luchtig. 'Hij bedankt ons allemaal voor het heerlijke weekend.' Gek genoeg had ik moeite met praten: ik had het gevoel dat mijn borst werd platgedrukt en de woorden kwamen op fluistertoon uit mijn mond. Ik vouwde de brief op en schoof hem voorzichtig terug in de envelop. Daarna veegde ik Bruno's vingers af en liet Dolly op tafel dansen om Emma af te leiden. 'Misschien heeft Bruno gelijk. We kunnen beter naar The Lookout gaan om het huis te laten drogen, maar we gaan wel over de weg. Het is te nat voor het klifpad. Wat ga jij doen, James?'

'O, ik zit vanochtend helaas op kantoor.' Hij dronk zijn theekopje leeg en schoof zijn stoel naar achteren. 'Eentonig werk, saaie paperassen.'

Hij glipte weg en ik glimlachte naar de kinderen. Deze twee waren nu mijn leven, mijn werk, mijn toekomst. Precies zoals ik het me had voorgesteld in die hotelkamer in Karachi en niets mocht me daarvan afleiden. Geen roepende kabouters meer, geen heerlijk fruit, geen kussen...

Na de lunch schreef ik een brief terug aan Simon, terwijl de kinderen boven op bed lagen en James in zijn kantoor over de krant gebogen zat. Ik zat aan de tafel in de eetkamer en schreef hem dat er geen toekomst voor ons was, dat mijn besluit vaststond en dat ik, omdat ik ware liefde en kameraadschap had gekend, wist dat ik niet op die manier van hem hield. Ik vroeg hem het verder te laten rusten en niet moeilijk te doen, al voegde ik er wel aan toe dat ik hem erg graag mocht en hoopte dat we altijd vrienden konden blijven.

Door me te schrijven had hij het me gemakkelijker gemaakt, want het is altijd prettiger dit soort dingen op afstand te doen. Ik had nooit naar Exeter kunnen gaan om Simon te ontmoeten en daarom vond ik het geoorloofd hem te schrijven. Je moet echter niet denken dat het me gemakkelijk afging, Vivi. Ik vond het afschuwelijk. De hele ochtend, terwijl ik de kinderen shawls omdeed en hen met hun warme kleine voeten in rubberlaarzen liet stappen, was ik in gedachten met de brief bezig. Flarden en zinnen schoten door mijn hoofd toen we over de oprijlaan liepen. Emma sprong enthousiast in iedere plas en ik oefende de brief wel duizend keer terwijl we een vuurtje maakten en Bruno aan één stuk door tegen mij en enkele denkbeeldige vrienden kletste, die deel uitmaken van zijn leven.

Tante Julia kwam na de thee naar Paradise. Dat doet ze wel vaker. Ze helpt dan om de kinderen in bad te doen en op bed te leggen. Ik liet haar een verhaaltje voorlezen en glipte weg, liep de oprijlaan af om de brief in de brievenbus aan de weg naar Polzeath te gooien. Ik was bang dat ik dat niet meer zou durven als ik het niet meteen deed.

Het was een mooie koude avond en in het westen zag je al de nieuwemaan. Er bloeide judaspenning langs de weg, die samen met koekoeksbloemen en silene beschutting zocht onder de kale doornstruiken. De ruwe wilde vlakten boven op het klif werden doorkruist door grote bermen met geel bloeiende gaspeldoorns en de schuimwitte bloemen van de sleedoorn. Er ging een grote rust van uit. De zee klotste zacht tegen de steile kliffen en het hese krassen van een raaf steeg op uit de vallei vlak bij de Saint's Well.

Ik stond een minuut of vijf bij de brievenbus met de brief in mijn jaszak. Ik heb gebeden, Vivi. Ik heb God om leiding en wijsheid gevraagd, zodat ik zou doen wat voor ons allemaal het beste was en al die tijd voelde ik een soort vreedzaamheid. De wandeling, de stilte en de schoonheid hadden me gekalmeerd en op dat moment wilde ik niets liever dan hier blijven, veilig weg van kwellende hartstocht en pijnlijke liefde. Ik behield dat vreedzame gevoel de hele weg naar huis.

Tante Julia leest Bruno's verhaal uit, luistert als hij bidt en stopt hem dan lekker in.

'Welterusten, lieve jongen,' zegt ze. 'Slaap lekker.' Dan gaat ze haastig naar beneden.

James zit rustig in de salon te lezen, maar hij kijkt op als ze binnenkomt en legt zijn boek weg: aan haar gezicht ziet hij dat er iets mis is. Julia doet de deur stevig maar beheerst achter zich dicht en gaat op de bank zitten.

'Ik maak me zorgen om Honor.' Ze komt meteen ter zake. 'Ze lijkt er met haar gedachten niet bij en sinds Pasen loop ik me al af te vragen of ze verliefd is op Simon. Wat denk jij?'

Dat is klare taal, zelfs voor Julia, en James slaat zijn ene been over het andere, terwijl hij bedenkt wat hij zal antwoorden. Hij heeft tijdens het paasweekend ook gemerkt dat Honor en Simon zich sterk van elkaars aanwezigheid bewust waren en toen er eerder die week een brief van Simon kwam, kon James haar reactie erop niet negeren.

'Een bedankje van Simon,' had ze luchtig gezegd, maar hij had gezien dat haar handen trilden en merkte dat ze afwezig reageerde op de kinderen.

Hij heeft erg met haar te doen. Hij kan zich voorstellen hoe vreselijk ze zich moet voelen vanwege het loyaliteitsconflict. James vermoedt dat Honor vindt dat Huberts kinderen hier in St Meriadoc moeten opgroeien en hij vraagt zich af hoe Simon de lastige situatie zal aanpakken van zich thuis te gaan voelen op een plek waar hij tot dan toe altijd te gast is geweest en hoe hij, wat nog moeilijker is, een onderdeel denkt te worden van het gezin van zijn vroegere vriend. Dat is een afschrikwekkend vooruitzicht, zelfs voor iemand met zo veel zelfvertrouwen als Simon.

Hij gaat verzitten en is zich ervan bewust dat Julia's ogen op hem gericht zijn.

'Dat zou kunnen,' begint hij voorzichtig. 'Maar zelfs als dat zo is, zou ik niet weten wat we eraan kunnen doen. Ik vind dat we haar moeten vertrouwen.'

'Het zou helemaal niet goed voor Bruno zijn om hem weer uit zijn vertrouwde omgeving te halen,' zegt Julia met klem. 'Hij begint net over de dood van zijn vader heen te komen en ik denk dat het rampzalig zal zijn als hij aan een nieuwe vader moet wennen en zijn familie moet achterlaten. Emma is te jong om problemen te veroorzaken, maar ook zij heeft het hier erg naar haar zin.'

'Maar wat kan ik daaraan doen?' vraagt James machteloos. 'Ik kan ze niet verbieden verliefd te worden.'

Julia steekt haar kin in de lucht – hij moet aan Margaret denken – en kijkt hem recht aan.

'Misschien moet je haar vertellen dat je geen verwarring over de erfenis van de kinderen wilt.'

Hij kijkt haar geschrokken aan. 'Ik heb haar al uitgelegd dat het landgoed in een trustfonds voor Bruno en Emma komt als ze hertrouwt. Ze zei dat ze niet van plan is te hertrouwen en ik geloofde haar. Dat heb ik tegen je gezegd.'

'Ja, dat klopt.' Julia fronst haar wenkbrauwen. 'Maar toen ik hen met Pasen in de gaten hield, had ik durven zweren dat er meer tussen die twee is dan alleen vriendschap. Ze is de hele week al in gedachten verzonken, is gespannen en vanavond was ze er met haar hoofd helemaal niet bij. Je moet niet denken dat ik kritiek op haar lever, James. Simon is een charmante, aantrekkelijke man en ze is jong – ik heb wel degelijk medelijden met haar! – maar de hele situatie moet voor haar wel helder zijn. Het is zo'n lieve vrouw en ik wil niet dat ze overdonderd wordt.'

'Denk je dat dit een reactie zou kunnen zijn op Huberts dood?'

Julia zwijgt even. 'Dat zou kunnen,' zegt ze uiteindelijk. 'Ik weet nog hoe ik me voelde toen Hugh was omgekomen. Het zou af en toe zalig zijn geweest om de last op de schouders van een sterke man te kunnen leggen en alles aan hem over te laten. Gelukkig kon ik bij Margaret en jou aankloppen voordat ik een stommiteit beging. Honor is jonger dan ik destijds en ik vermoed dat ze veel ontvankelijker is. Ik wil niet dat ze een fout maakt.'

James kijkt haar nieuwsgierig aan. 'Mag je Simon niet?'

'O, het is best een aardige vent. Ze zou het slechter kunnen treffen, maar ik wil niet dat ze een overhaaste beslissing neemt. Simon gedraagt zich erg netjes en zoals het hoort, maar moet je zijn kaaklijn eens zien! Hij is een man die gewend is zijn zin te krijgen en op dit moment wil hij Honor.'

'Je klinkt nogal stellig.'

'Ik wist al bijna zeker dat Simon verliefd was op Honor, maar nu denk ik dat zij voor hem dezelfde gevoelens koestert. Aanvankelijk dacht ik dat het daar veel te vroeg voor was en dat haar liefde voor Hubert haar zou beschermen, maar ik vraag me af of ze van de weeromstuit niet zelf ook verliefd is geworden. Door Simons liefde te beantwoorden kan ze het verdriet van zich afzetten en heeft ze iets opwindends om aan te denken. Ik vind dat heel begrijpelijk.'

'En toch vind je het niet goed voor haar.'

'Het zou niet goed voor haar kúnnen zijn,' corrigeert Julia hem. 'Ze heeft tijd nodig en ik heb het gevoel dat als Simon zijn kans schoon ziet, hij zijn zin zal doordrukken.'

'Misschien moet jíj eens met haar gaan praten,' oppert James. 'Het is toch beter om dit soort dingen van een vrouw te horen?'

Ze schudt haar hoofd. 'Zo vertrouwelijk gaan we niet met elkaar om en Mousie is te jong. Ondanks haar natuurlijke vriendelijkheid bewaart Honor nog steeds een zekere afstand tot ons. Prima, ik moet zelf ook niet veel hebben van emotionele toestanden. Daarom moet jij met haar gaan praten, met als uitgangspunt het testament.'

'Ik weet niet hoe ik moet beginnen,' zegt James ellendig. 'Verdorie, Julia! Wat moet ik zeggen? Ik ben haar vader niet.'

'Je bent de grootvader van de kinderen,' zegt ze, maar ze snapt zijn dilemma. 'We hebben iets nodig wat haar zal dwingen de situatie nog eens zorgvuldig onder de loep te nemen. Ze moet iets hebben waarmee ze zich kan beschermen als Simon te sterk aandringt.'
Julia zwijgt, heft waarschuwend haar hand op en even later komt Honor binnen. Ze glimlacht bijna dromerig naar hen alsof ze een grote innerlijke rust kent.
'Degene die dit landgoed Paradise heeft genoemd, heeft gelijk,' zegt ze. 'Het is de mooiste plek ter wereld, echt een paradijs. Wat ben ik toch een geluksvogel dat ik hier mag wonen.' Haar glimlach wordt nuchterder en ze kijkt met grote genegenheid naar de twee oudere mensen. 'Ik ga het avondeten regelen.'
Ze zwijgen tot ze geluiden uit de keuken horen komen. Dan trekt James vragend een wenkbrauw op en Julia haalt haar schouders op.
'Misschien heeft ze toch iets om zichzelf te beschermen,' oppert hij vriendelijk.

12 april

Hij is gisteren hiernaartoe gekomen terwijl de familie naar de kerk was. Ik had op de helling bij de Saint's Well met hem afgesproken. Hij had gebeld, Vivi. Ik had al zo'n vermoeden dat hij zich niet zomaar bij de brief zou neerleggen en na een dag of twee werd ik zenuwachtig. Het vreedzame gevoel verdween. Ik voelde me gespannen en wist dat er iets stond te gebeuren. Het was gemakkelijker geweest als hij verder geen nauwe banden met deze familie had gehad, maar hij kan nu niet zomaar uit ons leven verdwijnen. Ik vroeg me af hoe hij mijn boodschap had opgevat en toen was het maar een kleine gedachtesprong naar een soort verwachting: me voorstellen hoe het zou zijn als ik hem weer zag. Het was gedaan met mijn rust en ik was nerveus. Telkens als de telefoon ging, schrok ik en begon te trillen. Uiteindelijk belde Simon.
'Ik kom naar je toe,' zei hij meteen. 'Ik wil je onder vier ogen spreken, Mutt. Niet protesteren. Geef me deze ene kans. Ik heb iets bedacht...'
Zijn plan was dat ik niet naar de ochtenddienst zou gaan met

als smoes dat ik hoofdpijn had en dat ik hem op de helling zou ontmoeten. Hij zou zijn auto langs de weg naar Polzeath laten staan en verder komen lopen.

'Ik zie je rond een uur of elf bij de bron,' zei hij, en toen hing hij op.

Ik besef nu dat het verstandiger was geweest als ik tegen James had gezegd dat Simon me ten huwelijk had gevraagd en dat ik hem had afgewezen, maar ik maakte de zaak ingewikkelder door met Simons plan in te stemmen. Zodra de anderen naar de kerk waren vertrokken, glipte ik weg. Terwijl ik door de vallei liep, dacht ik aan de picknick waarmee het allemaal was begonnen, deze kwestie tussen ons, toen Mousie met Emma bij het beekje speelde en Rafe en Bruno de dam bouwden. Ik herinnerde me de warme zon en de leeuwerik die hoog boven ons zong in de stille lucht...

Hoger en hoger vliegt hij op,
onze vallei is zijn gouden kop...

Hij stond me op te wachten. Het was een natte, kille ochtend. Er zongen geen leeuweriken en hij stond met zijn handen in de zakken van de overjas die bij zijn tenue als legerofficier hoort. Hij was natuurlijk gespannen en defensief, maar zijn lichaamshouding was agressief en dat hielp. Omdat ik mijn zwakheden ken, had ik Honors tweedmantelpakje en degelijke wandelschoenen aangetrokken en net als anders straalde er iets van haar wezen op me af. Daardoor was ik in staat mijn rug te rechten en mijn kin in de lucht te steken. Ditmaal luisterde ik niet naar sentimentele dansmuziek en was ik geen eieren aan het verven; ik was nu voorbereid.

Ik wist precies wat Honor gedaan zou hebben in het onwaarschijnlijke geval dat ze ooit in zo'n situatie zou belanden. Ze zou kordaat zijn opgetreden en heel vriendelijk zijn geweest; niet brutaal en recht voor zijn raap, zoals jij vroeger je arme vrijers aanpakte, Vivi, maar minstens zo effectief. Al vanaf het begin had de hele ontmoeting iets onwerkelijks en ik wist opeens dat het een inschattingsfout van hem was geweest erop aan te dringen.

Op een of andere manier had zijn intuïtie hem volkomen in de steek gelaten. Het was veel verstandiger geweest als hij zich een tijdje gedeisd had gehouden en na verloop van tijd weer was langsgekomen voor een gezellig weekend. Dan had hij cadeautjes voor de kinderen kunnen meebrengen en onder het genot van een glas whisky met James herinneringen kunnen ophalen. Dan was er vanzelf een soort verstandhouding tussen ons ontstaan. Dan hadden we kunnen gaan zeilen of wandelen en dan zou de oude magie zijn teruggekeerd en mijn voornemens hebben ondermijnd.

Er was die ochtend geen magie bij de Saint's Well: alleen het heldere, koele geluid van het water en de scherpe, indringende geur van daslook. Hij keek naar me terwijl ik de helling op liep. Hij hield zijn hoofd wat gebogen en zijn gezicht was uitdrukkingsloos. Ik versnelde mijn pas niet toen ik hem zag, maar keek vriendelijk, zelfs liefdevol. Ik denk dat hij op mijn eerdere reactie had gerekend en toen die uitbleef, maakte mijn kalmte hem nog zenuwachtiger en ik zag hem zijn schouders ophalen in de camel jas.

Ik voelde me sterk en had mezelf goed onder controle, maar toch bad ik zacht: 'Help me! Help me!' Ik weet nog steeds niet of ik tot de heilige of tot God bad. Simons stugge houding maakte het gemakkelijker en dat werd nog eens versterkt door de manier waarop hij de naam Honor uitsprak. Niets had me beter kunnen herinneren aan wat ik probeerde te bereiken. Ik dacht aan de kinderen en mijn verantwoordelijkheid jegens hen, aan die lieve oude James en de familie, en zelfs aan Honor en Hubert. Opnieuw liet zijn intuïtie het afweten: als hij de bekende vriendelijke bijnaam had gebruikt, want hij had me tot dan toe steeds Mutt genoemd, zou dat me milder hebben gestemd. Dan zou mijn eigen zwakkere aard zijn opgeroepen. De naam Honor, die hij regelmatig en bijna zenuwachtig liet vallen, was net een schild dat me in de handen werd gedrukt. Ik werd moediger en hoorde in mijn hoofd steeds een regel uit een psalm.

Hij zal je beschermen met zijn vleugels, onder zijn wieken vind je een toevlucht, zijn trouw is een veilig schild.

Het gevoel van onwerkelijkheid bleef, alsof we acteurs in een toneelstuk waren, en alle hartstocht die er met Pasen in de keuken tussen ons was geweest was nu gedoofd en verzand in een kille woordenwisseling. Ik had op een of andere manier een verlammend effect op hem. Misschien kwam het door Honors kleren en de manier waarop ik haar rol speelde. Hierdoor geloofde hij de zinnen die ik in de brief had geschreven en ik zag zijn zelfverzekerdheid wankelen en afnemen. Hij gedroeg zich alsof er een kloof tussen ons was en hij vanaf de andere kant tegen me praatte. Hij sprak over de toekomst die hij voor ons voor ogen had: hij had een baan als onderzoeker aangeboden gekregen bij het Baker Medical Research Institute in Australië en hij beschreef een nieuw leven voor ons allemaal dat vrij was van verdrietige herinneringen. Naarmate hij langer sprak, werd de kloof breder en dieper, totdat hij uiteindelijk, verward en boos, zijn nederlaag accepteerde.

Aan het eind was ik alleen nog bang voor lichamelijk contact – zijn kussen konden mijn afwerende houding ondermijnen – maar opnieuw liet zijn intuïtie het afweten. Met een kort gefrustreerd gebaar nam hij afscheid. Daarna draaide hij zich om en beende met grote passen naar de weg naar Polzeath.

Ik kan me nauwelijks herinneren dat ik ben teruggelopen naar Paradise, maar eenmaal daar voelde ik me opeens zwak. Ik werd niet meer overeind gehouden door de innerlijke kracht die ik bij de bron had gevoeld en ik ging op bed liggen. Zo vonden de kinderen me. Ze brachten me bloemen die ze langs de weg hadden geplukt. Emma klom naast me op bed, aaide met haar zachte mollige handjes over mijn gezicht en zong een liedje. Bruno stond stijf bij het bed en aan zijn strakke gezicht zag ik dat hij ongerust was.

'Ben je erg ziek, Mutt?' vroeg hij.

Ik ging rechtop zitten. Ik vroeg me af of hij terugdacht aan die vervelende griep en slaagde erin geruststellend naar hem te glimlachen.

'Ik heb gewoon hoofdpijn,' zei ik. 'Ik heb weer te veel gelezen. Maak je geen zorgen, schat.'

Toen kwam tante Julia binnen. Ze bracht me aspirine en een warme kruik en maande de kinderen tot stilte. Daarna was het rustig. Op dat moment, toen ik mijn schild had laten zakken en verzwakt was, besefte ik dat ik de kabouter nooit meer zou horen roepen en nooit meer het zalige zoete fruit zou proeven. Ik dacht aan die arme Laura die naar huis slenterde, in bed kroop en stilletjes lag te luisteren totdat Lizzie sliep:

> Toen ging ze vol verlangen zitten.
> Haar wensen bleven onvervuld.
> En knarsetandend huilde ze
> alsof haar hart zou breken.

Ik heb gehuild, Vivi, met de warme troostende kruik in mijn armen en het laken over mijn hoofd zodat niemand me zou horen. Ik huilde niet alleen om Simon en mij, maar ook om Hubert, Honor en Bruno en alles wat we hadden verloren. Pas later vroeg ik me af of het wel zo was dat Bruno aan die griep had gedacht. Misschien dacht hij aan de warme, bedompte hotelkamer in Karachi en herinnerde hij zich weer dat hij in korte tijd zijn ouders en zijn zusje had verloren. Misschien was hij bang dat ik ook dood zou gaan. Deze gedachte deed me ontwaken uit mijn golf van zelfmedelijden.

Ik stond op, waste mijn gezicht, deed wat make-up op, borstelde mijn haar en knoopte er een shawl omheen. Het was een felgele-met-blauwe katoenen shawl en ik vond een donkerblauwe coltrui die van Hubert was geweest en trok die aan op een grijze flanellen rok.

Toen ik de salondeur opendeed, waren Julia, James en Bruno aan het monopoliën aan de hangoortafel bij het raam. Ze draaiden zich om en hun gelaatsuitdrukkingen – vrolijk, gastvrij, opgelucht – waren hartverwarmend en gaven me moed. Bruno kwam van zijn stoel af en liep vlug naar me toe.

'Ben je weer beter?' vroeg hij vol verlangen.

'Ik voel me al een stuk fitter,' antwoordde ik. 'Als het spelletje is afgelopen gaan we over de kliffen naar The Lookout om de laatste spinnenwebben weg te halen.'

Ik ging bij Emma op de bank zitten, die opgekruld in diepe slaap was. Haar prachtige gladde ledematen lagen slap en haar kleine blozende gezicht straalde tevredenheid uit. Terwijl ik daar zat, haar zag slapen en naar de mompelende stemmen aan tafel luisterde, deed ik een belofte. Toen ik destijds in India een besluit nam, wist ik niet of dat goed of slecht zou uitpakken. Nu moest ik de consequenties onder ogen zien: geen fruit van de kabouters meer – 'honing voor de keel, maar gif in het bloed' – en ik moest me voor eens en voor altijd neerleggen bij dat besluit. Zou ik dat kunnen volhouden?

De hele ochtend, als hij in de kerk zit en naar huis loopt, maakt Bruno zich zorgen over Mutt. Ze zegt dat ze hoofdpijn heeft, maar hij voelt dat er meer aan de hand is, dat het erger is, en hij is ongerust. Als ze terugkomen op Paradise en ze op bed blijkt te liggen, wordt hij overspoeld door angst: het verleden dringt zich aan hem op en hij herinnert zich dat eerst zijn vader ziek werd, daarna kleine Emma en vervolgens mama. Hij weet nog dat mama tussen de natte, gekreukte lakens lag en te verzwakt was om hem te troosten. Het is alsof zijn keel wordt dichtgeknepen door tranen en hij weet dat hij er niet tegen zou kunnen als er iets met Mutt zou gebeuren. Stijf van angst staat hij bij het bed, terwijl zijn bosje bloemen verlept in zijn gebalde vuist.

'Ben je erg ziek?' vraagt hij aan haar. Hoewel ze hem nogmaals verzekert dat ze alleen hoofdpijn heeft, gelooft hij haar niet.

Tante Julia werkt Emma en hem haastig de slaapkamer uit en zegt dat zijn moeder rust nodig heeft, en hij beseft dat hij nu bijna geaccepteerd heeft dat Mutt zijn moeder is. Het is onmogelijk zich een leven zonder haar voor te stellen. Hij krijgt bij het middageten bijna geen hap door zijn keel en daarna speelt hij met tante Julia en zijn grootvader monopolie, terwijl Emma op de bank in slaap valt. Rafe is gaan zeilen en Mousie heeft dienst in het ziekenhuis, maar Bruno vindt deze twee oude mensen prettig gezelschap. Ze praten rustig tijdens het spel en geven hem de kans om aan Mutt te denken. En opeens is ze er weer, doet de deur open en glimlacht naar hen. Hij is zo opgelucht dat hij bijna niet kan praten.

'Ben je weer beter?' roept hij, en ze zegt dat ze zich al wat fitter voelt en dat ze als het spelletje is afgelopen en Emma wakker is over de kliffen naar The Lookout zullen gaan.

Gerustgesteld en vrolijk gaat hij verder met het spel. Het is Bruno die opeens over Simon begint en vraagt wanneer hij weer op bezoek komt. Hij merkt dat tante Julia haar hand op zijn schouder legt en erin knijpt, terwijl hij zijn pion verplaatst, maar hij besteedt er verder weinig aandacht aan: alles is in orde.

Julia kijkt naar Honor die naast de slapende Emma zit. Haar oudere, wijzere ogen zien dat ze veel gehuild heeft, wat ondanks de make-up en de vrolijke hoofddoek niet helemaal te verdoezelen valt, en ze ziet iets vreemds aan Honors afgewende gezicht als ze neerkijkt op haar slapende kind. Julia wordt er verdrietig van. Ze probeert de uitdrukking te plaatsen – zelfverloochening? vastberadenheid? – en als Bruno in zijn onschuld die vraag stelt, slaat de angst haar om het hart. Honor kijkt vlug op.

'Dat ben ik helemaal vergeten te zeggen,' zegt ze luchtig. 'Hij heeft een baan als onderzoeker aangeboden gekregen in Australië. Heel leuk voor hem en erg jammer voor ons. Je zult je peetoom van nu af aan niet vaak meer zien, Bruno, maar hij zal je vast wel schrijven. We zullen hem missen, hè?'

James en Julia vragen allebei niet hoe Honor opeens aan die informatie komt. In plaats daarvan kijken ze aandachtig naar het spelbord en beantwoorden Bruno's vragen over Australië. Even later wordt Emma wakker en vertrekken ze met z'n drieën naar The Lookout.

Eindelijk kijken James en Julia elkaar aan.

'Ik denk dat we haar hebben onderschat,' zegt Julia na een lange stilte.

James weerstaat de verleiding om te zeggen dat hij nooit aan haar heeft getwijfeld. Hij knikt alleen en begint het spel op te ruimen.

'Het is een goede vrouw,' mompelt hij.

Hij had het bij het rechte eind: Paradise zal veilig zijn in haar handen.

8 juni 1948

Lieve Vivi,

Dit is de laatste brief die ik je schrijf, precies een jaar nadat ik op Paradise ben aangekomen. Dit hoorde immers bij de acceptatie. Door het fruit van de kabouters moet ik doen alsof ik echt met je communiceer, alsof je op een dag deze brieven zult lezen en beantwoorden. Maar ik kan me er niet toe zetten ze te vernietigen. Deze brieven aan jou bevatten het laatste bewijs van wie ik werkelijk ben en de waarheid over wat er is gebeurd. Als ik volledig in mijn rol wil opgaan, moet ik afrekenen met Madeleine Grosjean. Ze is immers in India verdwenen.

Gisteren stond er opeens een man op de stoep – een onbekende die de weg kwijt was geraakt toen hij over de kliffen wandelde – maar ik was opeens redeloos bang. Stel dat Johnny me via Honor en Hubert probeert op te sporen of dat Don en jij navraag gaan doen. Ik neem aan dat het nieuws dat Lottie en ik samen met Hubert in Karachi zijn overleden inmiddels is doorgedrongen en dat niemand er vraagtekens bij zet. Toch deed het incident me beseffen dat ik nog steeds kwetsbaar ben en ik was bang. Trevannion is een ongebruikelijke naam en ik moet me nog door het moment heen slaan waarop de kinderen de wijde wereld in zullen gaan. Wellicht zullen er dan nieuwe gevaren opdoemen als ze bevriend raken met mensen die zich de naam herinneren.

Ik moet Honor Trevannion worden. Ik moet haar kordate vriendelijkheid, haar vastberadenheid en haar strenge manier van liefhebben geleidelijk laten bezinken in mijn persoonlijkheid. Tot nu toe is me dat aardig gelukt, maar ik kan me geen afleiding veroorloven.

Dus geen brieven meer, Vivi. Ik moet het doen zonder de troost dat ik dingen met je kan delen. Weet je nog dat we vroeger die laatste regels uit Goblin Market opzeiden? Dat we erom moesten lachen, maar ze diep vanbinnen geloofden?

Je zus is je beste vriendin
of het nu goed of slecht gaat.
Ze maakt je blij als 't tegenzat
en brengt je weer op 't rechte pad.
Ze steunt je als je wankelt
en vangt je als je valt.

Ik zal je missen, Vivi. Als ik 's nachts wakker lig en me afvraag wat ik tegen Bruno moet zeggen als hij oud genoeg is om het zwakke punt te zien en de echte vraag te stellen – 'Waarom deed je of je mijn moeder was?' – zou ik willen dat ik jou had om me erdoorheen te slepen. Ik hoop dat hij de paniek zal snappen en de manier waarop die beslissingen werden genomen, en ook hoe je door de kleinste misleiding zo vlug in de val kunt lopen.

Ik denk dat hij het zal begrijpen. Bruno straalt een zekere wijsheid uit, een gratie waar hij eigenlijk te jong voor is, en die nu al een helende werking op me heeft. Als hij naar me lacht of me omhelst – terwijl hij de waarheid weet – heb ik het gevoel dat ik de absolutie krijg die ik bij de biecht niet meer kan ontvangen.

En er is nog iets, Vivi, wat me houvast geeft als ik het gevoel heb dat ik, Madeleine, langzaam maar onherroepelijk verdwijn. Dan denk ik aan woorden die zuster Julian ons voorlas.

Wees niet bang, want ik zal je vrijkopen,
ik heb je bij je naam geroepen, je bent van mij!
Moet je door het water gaan – ik ben bij je;
of door rivieren – je wordt niet meegesleurd.
Wees niet bang, want ik ben bij je.

Als Hij mijn naam kent, dan doet de rest er toch niet toe? Dit is mijn tegengif tegen het fruit van de kabouters.

Ik zal je in de toekomst nog zo veel willen vertellen: al die kleine maar toch belangrijke gebeurtenissen die ons leven zullen kleuren als onze kinderen opgroeien. Ik zal aan je denken, Vivi, en ik zal me afvragen of je aan je eigen kinderen vertelt hoe het vroeger was en hoeveel plezier we hadden. Misschien ben ik al tante en heeft Emma een neef of nicht die ze niet zal kennen en die ik nooit zal ontmoeten.

Ik hou van je, schat. Dát zal nooit veranderen.

Je zus, Madeleine

Deel drie

16

Bruno kon niet slapen. Emma was uren geleden gapend naar boven vertrokken en hij ijsbeerde nog steeds door de grote kamer, lampen uit en gordijnen open, zodat hij de heldere nacht goed kon zien, terwijl Nellie vanaf de bank naar hem keek. Hij liep heen en weer of bleef staan om naar de duisternis buiten te kijken, aldoor worstelend met een probleem. Hoe moest hij de ingewikkelde kwestie van de erfenis regelen en tegelijkertijd Emma beschermen?

In alle gesprekken met Mutt door de jaren heen had ze hem gesmeekt Emma nooit de waarheid te vertellen. Ze wilde dat de misleiding ook na haar dood zou voortduren.

'Jij hoort hier, Bruno,' had ze gezegd. 'Dit is jouw huis en jouw familie. Ik weet dat de meeste mensen mijn daad onvergeeflijk zullen vinden, maar jij hebt altijd begrepen waarom ik het heb gedaan, hè? Hoe zal Emma zich voelen als ze weet dat ze hier niet thuishoort en dat jij haar broer niet bent?'

Haar oprechte angst had zijn uitwerking nooit gemist. Ondanks dat het vreselijk was dat hij zijn eigen familie had verloren, had hij altijd oog gehad voor haar dilemma en hij snapte waarom ze vijftig jaar geleden tijdens die vreselijke laatste dagen in Karachi zo impulsief had gehandeld. Hij voelde nog steeds de tinteling van angst op zijn huid en de wanhoop diep vanbinnen: hij herinnerde zich de overweldigende opluchting toen ze hun hotelkamer binnen was gestapt met Emma vrolijk brabbelend op haar arm. De gedachte dat Mutt er niet meer zou zijn, die onmisbare levende schakel tussen de onbekende toekomst en het schokkende verleden, was onverdraaglijk.

Hij was de enige die in de loop der jaren haar strijd had bemerkt. Het was hem duidelijk dat haar schuldgevoel haar nooit met rust zou laten en daarom vond ze niets vanzelfsprekend. Ze zorgde voor iedereen en de vallei was niet alleen haar toevluchtsoord, maar ook echt haar thuis geworden. Ze kon haar creativiteit kwijt in de tuinen van Paradise, waar Rafe en zij onvermoeibaar hadden gewerkt, en ook in haar wandtapijten die kerken in de omgeving sierden. Hij wist ook dat zeilen haar grootste passie was: als de afstand tussen de boot en de kust groter werd, zorgde diezelfde opgewekte, hartstochtelijke en zorgeloze aard ervoor dat ze de ketenen van zich afschudde waarmee de capabele weduwe en moeder, die verantwoordelijk was voor het welzijn van de familie en het landgoed, vastzat.

Bruno vond het vreemd dat hij haar het beste kende en het meest van haar hield. Het was haar schuld dat hij zijn hele leven had moeten liegen, op zijn hoede moest zijn en zijn woorden moest wegen. Hij had de herinnering aan zijn eigen moeder en zusje moeten verdringen en de misleidende situatie moeten accepteren waar ze door haar toedoen in waren beland. Toch was hij vanaf het begin doordrongen van haar moed, vooral omdat hij vermoedde dat ze die met moeite had verkregen en dat het niet in haar aard lag om zelfverzekerd en verstandig te zijn. Rare associaties zorgden ervoor dat hij, vijftig jaar na dato, zag dat zijn vader liefdevol een arm om haar heen sloeg en plagend zei: 'Je bent een muts, Mutt. Wat een vrouw!' Hij had ook toen al medelijden met haar, omdat hij aan de klank van zijn vaders stem hoorde dat hij daarmee uitdrukte dat Mutt dan wel volwassen was, maar nog steeds in staat was domme dingen te doen, zodat ze een bondgenoot van hem leek. Ze ging bij de kinderen zitten – lachend, liefdevol, klaar om lol te trappen – terwijl de volwassenen vanaf hun hogere niveau toegeeflijk toekeken.

Toen Emma opgroeide, had hij in haar dezelfde eigenschappen herkend die hij soms nog bij Mutt zag. Emma was ook hartstochtelijk, goedlachs en gul. Daardoor was het triest dat Mutt de barrière tussen haar en haar dochter nooit kon opheffen en het was zelfs bijna tragisch dat Emma zich meer als een Trevannion gedroeg dan de anderen. Ze was dol op Paradise, aanbad Bruno, Rafe en Mousie, en vertelde aan iedereen die ook maar enigszins belangstelling toonde dat haar vader als dokter in India had gewerkt. Toen ze eenmaal was getrouwd, was de geringste aanleiding al genoeg om ervoor te zorgen dat ze snel naar Cornwall kwam. Ze hield vol dat St Meriadoc haar echte thuis was en dat dat de plek was waar ze zich het meest op haar gemak voelde.

Bruno en Mutt hadden bijna ruzie gekregen over Raymond Fox. Dat was de eerste keer dat zijn sympathie voor Mutt had moeten wijken voor oprechte bezorgdheid om Emma. Er was al een knallende ruzie met Emma aan voorafgegaan, waarbij ze elkaar verweten een slechte smaak te hebben bij het kiezen van een huwelijkspartner. Later was hij naar Paradise gegaan om het uit te vechten met Mutt. Nu hij naar het ritmische sussende geluid van de zee luisterde, die tegen de rotsen onder het raam sloeg, zag hij de scène weer duidelijk voor zich, alsof die werd opgevoerd op het raam voor hem.

'Ze houdt van hem,' zegt Mutt zonder hem aan te kijken. Ze opent de laden van haar bureau en schuift ze hard weer dicht.

'Emma houdt van iedereen,' antwoordt hij ongeduldig. 'Ze is doorlopend verliefd. Sinds ze een jaar of twaalf was, heeft ze daar al last van. Ik ken geen ander meisje dat zo graag van iemand wil houden en op haar beurt liefde wil ontvangen.'

Dan draait Mutt zich om en kijkt hem over de rugleuning van haar stoel bijna geschrokken aan alsof haar een nieuw idee te binnen is geschoten. 'Maar ze heeft toch altijd wel geweten dat we veel van haar houden?' vraagt ze ongerust. 'O, Bruno, denk je dat ze haar vader erger heeft gemist dan we dachten?'

Hij vermoedt dat Mutt denkt dat ze tekort is geschoten omdat ze niet in Emma's behoeften heeft kunnen voorzien en hij wordt overvallen door een mengeling van irritatie en wroeging.

'Weet ik veel,' antwoordt hij rusteloos. Hij is niet in de stemming voor zelfanalyse. 'Die indruk heeft ze bij mij nooit gewekt. De vraag is of die ellendige Fox van haar houdt en volgens mij is dat niet het geval. Hij is kil en berekenend. Hij zal haar niet gelukkig maken, Mutt.'

Hij ziet haar gelaatsuitdrukking veranderen van bezorgde zelfbeschouwing in bedachtzaamheid, terwijl ze nadenkt over zijn woorden.

'Hij is betrouwbaar,' zegt ze uiteindelijk. 'Hij zal geen domme dingen doen of haar bedriegen met een ander.'

Hij lacht kort en hard. 'Daar heb je helemaal gelijk in,' antwoordt hij bot. 'Hij zou hartstocht nog niet herkennen als die pal voor zijn neus stond.'

'Je bent jong,' zegt ze bedaard. 'Je kunt je niet voorstellen hoe het is om in de steek gelaten te worden en geen zekerheid te hebben. Dat wil ik niet voor Emma.'

Hij kijkt haar aandachtig aan en beseft dat hij, behalve in relatie tot zijn eigen familie, erg weinig over Mutts verleden weet. Doordat ze in de beginjaren een soort zwijgende overeenkomst hebben gesloten, wordt er niet over de jaren in India gesproken. Tot nu toe dacht hij dat haar echtgenoot bij een ongeluk om het leven was gekomen. Nu vraagt hij zich af of de zaak misschien ingewikkelder ligt.

Zijn irritatie ebt een beetje weg, maar hij is nog niet van plan toe te geven.

'Zolang ik leef, zal Emma nooit aan haar lot worden overgelaten,' zegt hij. 'Zelfs de angst dat dit wel zou kunnen gebeuren, mag er niet toe leiden dat ze met een man als Raymond Fox trouwt. Er zijn meer fatsoenlijke mannen die van haar kunnen houden. Denk niet dat dit in de categorie "niemand is goed genoeg voor mijn zusje" valt. Ik wil gewoon dat ze een redelijke kans op geluk heeft.'

Mutt staat op van haar stoel en begint door de kamer te lopen, legt wat boeken op een stapel en raapt een krant op; haar vingers glijden doelloos over een borduurwerk dat op de ovale ingelegde tafel ligt.

'Je kijkt niet naar Raymond zoals een vrouw dat doet,' zegt ze uiteindelijk.

'Lijkt me logisch,' zegt hij spits.

'Als het om een huwelijk gaat, wil Emma misschien meer dan alleen charme en plezier...'

Ze gaat opeens weer aan het bureau zitten. Hij wil haar vragen of dat de eigenschappen zijn waar zij op heeft gelet bij het kiezen van een huwelijkspartner en of ze bedrogen is uitgekomen. Hij ziet haar met papieren rommelen. Ze is duidelijk overstuur, maar wil niet dat hij dat ziet en hij zucht geërgerd.

'Hij past niet bij haar,' houdt hij koppig vol.

'Dat zegt zij over Zoë ook. Ze vindt dat je om de verkeerde redenen met haar bent getrouwd. Je zult nog wel weten dat ik er zelf ook vraagtekens bij heb gezet, maar je antwoordde – en dat is je volste recht – dat je zelf over je leven mocht beslissen. Emma denkt er net zo over.'

Het kleine deel van hem dat altijd losstaat van de rest – dat als een toeschouwer naar zijn eigen leven kijkt en aantekeningen maakt – ziet haar rusteloze vingers aan een oude envelop frunniken, registreert dat de ongedwongen intimiteit, die haar oorsprong vindt in gedeelde geheimen, nu schuilgaat achter het killere, beheerste personage dat Mutt aanneemt als ze een bepaalde situatie onder controle moet krijgen. Het is een verdedigingsmechanisme dat in werking treedt als ze zich kwetsbaar en onzeker voelt, maar hij is te jong en heeft te weinig levenservaring om dat mechanisme uit te schakelen en erop te staan dat ze als gelijken over deze zaak praten.

Maar omdat Emma's geluk op het spel staat, probeert hij het opnieuw en duwt tegen de barrière aan in een poging de grens van wederzijds vertrouwen te verschuiven.

'Heb je er dan met haar over gesproken?' vraagt hij luchtig. 'Heb je gezegd dat je denkt dat ze misschien om verkeerde redenen met hem wil trouwen?'

Hij kijkt naar haar afgewende gezicht, ziet dat ze op haar lip bijt en hij heeft gek genoeg opeens de neiging om naar haar toe te gaan en zijn arm om haar heen te slaan.

'Kom op,' zou hij kunnen zeggen. 'Je bent echt een muts, Mutt. Kunnen we hier niet normaal over praten?'

Dat zou hij kunnen doen als hij tien jaar ouder of zelfverzekerder was, maar zijn eigen onzekerheid houdt hem tegen. Er valt een lange, gespannen stilte.

'We hebben het erover gehad,' antwoordt ze uiteindelijk ontwijkend. 'Natuurlijk hebben we erover gesproken. Ze is verliefd op hem en hij houdt van haar.' Ze steekt haar kin iets hoger in de lucht en houdt haar rug wat rechter. De kloof tussen hen wordt breder, ze wordt zelfverzekerder en hij verliest de moed. 'Op zijn manier heeft Raymond zijn hart aan Emma verloren. Er zal voor haar gezorgd worden en hij zal een trouwe echtgenoot en verantwoordelijke vader zijn.'

'Klinkt leuk,' zegt hij, en zijn stem klinkt kribbig vanwege zijn nederlaag. 'Je denkt niet dat een beetje hartstocht wenselijk is of dat het prettig zou zijn als ze geestverwanten waren?'

De stilte die nu valt, is anders en heeft een extra lading: een vage herinnering aan het verleden. Mutts schouders zakken en ze kijkt milder. Opeens stelt ze hem een vraag en ze overvalt hem daarmee.

'Is er de laatste tijd nog nieuws van Simon?' vraagt ze. 'Het lijkt lang geleden dat hij iets van zich heeft laten horen.'

'Ja,' zegt hij verward. 'Ik heb een maand of twee geleden een brief gekregen. Er zat een foto bij van de tweeling en Teresa op het strand van Bondi. Ik had hem nog aan je willen laten zien.'

Ze draait zich om en kijkt hem aan. 'Oordeel niet te hard over me,' zegt ze vriendelijk. 'Hartstochtelijke mensen hebben een stabiel kader nodig. Emma houdt van de goede dingen van het leven en wil die graag delen. Raymond is verliefd op haar en zal haar, voorzover dat in zijn vermogen ligt, gelukkig willen maken. Ze zal gasten kunnen onthalen, feesten kunnen geven en zich dure kleren kunnen veroorloven. Daar zal hij wel voor zorgen, want dat levert hem zakelijk voordeel op. Er zullen echter tijden komen dat Raymonds onaandoenlijkheid en gebrek aan verbeeldingskracht voor Emma van onschatbare waarde zullen zijn. Ze zal die eigenschappen – en hem – gebruiken als een verdedigingsmechanisme tegen haar eigen misplaatste passies. Vriend en vijand zullen hem de schuld geven en men zal van Emma houden om wie ze is.'

'Dat klinkt niet erg eerlijk,' zegt Bruno na een tijdje.

Mutt grinnikt. 'We moeten er het beste van zien te maken met de middelen die ons ter beschikking staan. Je vader zei altijd: "Laat het beste nooit de vijand zijn van het goede." Het is de moeite waard daar af en toe aan te denken, vooral als het om relaties gaat.'

Hij glimlacht terug. 'Dat klinkt mij nogal cynisch in de oren.'

'Mij ook,' bekent ze.

Ze staat op, licht en vlug als een jonge vrouw, en loopt met uitgestrekte armen op hem af.

'Het is heel moeilijk om voor anderen te bepalen wat goed voor hen is,' zegt ze bijna wanhopig. 'Vooral als je veel van iemand houdt. Kijk maar naar Emma en jou. Had ik je moeten tegenhouden toen je met Zoë wilde trouwen?'

Hij slaat zijn armen om haar heen, wetend dat ze troost put uit zijn standvastige liefde.

'Je maakte geen schijn van kans,' zegt hij. 'Je hebt helemaal gelijk, Mutt. Waarom denken we het voor anderen goed te weten, terwijl we er zelf een potje van maken? Als Emma's besluit vaststaat, valt er niets meer aan te doen.'

Ze kijken elkaar aan. De eenheid is hersteld, maar ze onderdrukken allebei hun heimelijke angst.

Boven ging een deur open. Bruno verstijfde en luisterde: de wc werd doorgetrokken, hij hoorde water in de stortbak lopen en daarna klonken er voetstappen. Even later ging de slaapkamerdeur dicht en was het weer stil. Opeens nam hij een besluit. Hij bracht Nellie naar haar mand in de keuken en trok zijn jas aan, ondertussen luisterend of hij Emma hoorde.

'Blijf,' zei hij tegen Nellie, haar smekende blik negerend. 'Brave hond. Blijf.'

Hij deed de keukendeur zacht achter zich dicht, bleef even staan om naar The Row te kijken, waar alles donker en rustig was, en liep het klifpad naar Paradise op.

17

Het lukte niet om weer in slaap te vallen. Emma ging op haar linkerzij liggen, zette het kussen in haar nek en probeerde zich te ontspannen.

Diep ademhalen, hield ze zichzelf voor. In en uit... in en uit... Denk aan een tuin. Wat voor tuin? Een tuin met een kronkelpad, zoals het pad tussen de rododendrons door dat van het grasland naar Paradise liep. 'The Walk to the Paradise Gardens' was een van Mutts favoriete muziekstukken. Zou Joss de tuin van Paradise te groot vinden vanwege al het werk dat erbij kwam kijken? Rafe zou er zijn, zoals dat altijd het geval was geweest: wat was hij dol op de tuinen en wat had hij er hard in gewerkt. Mutt en hij hadden veel gedaan om Paradise in de oude glorie van voor de oorlog te herstellen. Aan Bruno had je natuurlijk niets. Die trok volkomen gezonde planten uit de grond en vertrapte pas ingezaaide stukken omdat hij met zijn hoofd altijd met een verhaal bezig was. Arme Bruno. Hij had weer een neerslachtige bui gehad, dat had ze meteen gezien toen ze de deur opendeed. Wat een vreselijke toestand was dat geweest met Zoë en de baby, en toch nam hij het nog steeds voor haar op en leende haar geld... Lenen? Dat had je gedacht! Ze had hem nog nooit een cent terugbetaald. Grappig dat ze Zoë vanaf de allereerste ontmoeting al niet had gemogen. Ze had nooit begrepen wat Bruno in haar zag. Ze had veel sex-appeal, als je tenminste op sluwe ondervoede types viel, maar Emma was niet onder de indruk geweest.

'Verwar het niet met seks,' had ze tegen hem gezegd, maar hij had niet geluisterd. En vervolgens had hij het lef gehad kritiek te leveren op Raymond. Raymond had zijn fouten en tekortkomingen, maar hij had haar in ieder geval nooit in de steek gelaten. Daar had Mutt gelijk in gehad. Hij was een rots in de branding geweest. Hij was inderdaad krenterig, maar Joss en zij waren altijd op de eerste plaats gekomen. Vrienden maakten er soms grappen over dat hij altijd als laatste naar de bar ging en ze gaven elkaar veelbetekenend een knipoog als hij weer eens eindeloos uitweidde over de laatste financiële transactie die hij had gesloten. Nou en? Eerlijk gezegd had ze hem wel eens als zondebok aangewezen; hem gebruikt als excuus.

'Och, Caroline. *Der Ring des Nibelungen* van Wagner? Ik zou er dolgraag heen gaan, maar je kent Ray. Die houdt niet van opera. Aan het eind van de eerste akte zit hij zich al stierlijk te vervelen...'

'Een maand in een villa in Toscane? Met zes volwassenen en negen kinderen? Het klinkt geweldig, maar zie je het al voor je met Ray?'

'Wat een fantastisch idee, Rowena. Een winkeltje in de High Street waar je handbeschilderd aardwerk en oude meubels gaat verkopen... Compagnon worden? Wie? Ik? Ach, lieverd, het klinkt allemaal heel spannend, maar zie jij Ray het geld al ophoesten? Dat doet hij nooit. Ik wil de klanten best geld uit hun zak komen kloppen, maar compagnon worden... Het lijkt me heel leuk, daar niet van, maar ik moet helaas bedanken.'

'Zeg, Jenny, je had het over een gezamenlijk verjaardagsfeest voor als Joss en Sarah achttien worden. Ray vindt het niets. Hij wil dat zijn dochter op dat moment alle aandacht krijgt... Ja, ik weet het, maar jij hebt er nog twee rondlopen. Joss is enig kind en hij wil niet dat ze de eer moet delen. Je weet hoe vaders zijn... Ja, ik dacht ook dat hij blij zou zijn de kosten te kunnen delen. Zo zie je maar weer. Mannen zijn rare wezens. Je weet nooit waar je aan toe bent...'

Hij had haar regelmatig uit de problemen geholpen, want ze kende zichzelf: zij zou hebben toegegeven. Ze vond het vreselijk als ze zag dat mensen teleurgesteld of beledigd waren. Ze wilde graag helpen, hen troosten en aan het lachen maken en dat ging heel ver. 'Wat ben je toch een idioot,' zeiden de mensen dan tegen haar, maar op een vriendelijke manier alsof ze dat niet erg vonden en dat was fijn, want het verbaasde haar altijd dat mensen van haar hielden. Alsof het een bijzonder geschenk was dat gekoesterd moest worden. Het punt was dat ze daardoor vaak erg van streek was geraakt, totdat ze ontdekte dat die goede Ray haar, zonder het zelf te weten, tegen zichzelf kon beschermen. Maar ze had het goedgemaakt tegenover hem; ze had haar steentje bijgedragen. Al die diners voor cliënten of invloedrijke mensen, alles tot in de puntjes verzorgd waarbij kosten noch moeite werden gespaard, precies zoals hij het wilde. Ze had geglimlacht, geluisterd en geflirt, terwijl ze het vaak wel kon uitschreeuwen van verveling, maar niemand die dat ooit merkte. Zelfs Ray had niet door hoe ontzettend saai ze zijn compagnons vond, maar hij was dan ook niet gevoelig voor wat andere mensen vonden of wilden. Daar had Bruno gelijk in gehad. Raymond was tactloos en stond altijd klaar met een neerbuigend klopje op de schouder. Hij was in vele opzichten vriendelijk, maar had nooit door waar iemand echt behoefte aan had, al moest ze toegeven dat er een periode was geweest waarin zijn traagheid van begrip haar goed van pas was gekomen. Hij had nooit doorgehad hoe het zat met Tony, had nooit iets gemerkt. O, wat had ze van Tony gehouden: geheime afspraakjes, gefluisterde telefoongesprekken, korte briefjes. Ze had zich levendig, vrij en wild van geluk gevoeld en haar spieren waren slap geweest van verlangen. Alleen de gedachte aan die lieve onschuldige Joss en die dierbare Bruno had haar overeind gehouden. Ze had beneden in die grote kamer in de schommelstoel gezeten, had een ongedwongen houding aangenomen, voeten opgetrokken, en had eindeloos gepraat. En hij had haar glazen whisky en mokken koffie gegeven en liet haar haar hart uitstorten. Ze had zielsveel van Tony gehouden, maar uiteindelijk kwam er een eind aan de verhouding. Al die hartstocht was net zo vlug gedoofd als hij was opgelaaid en ze was toen erg blij geweest dat ze Ray had met zijn betrouwbaarheid waarop ze kon terugvallen. Ze was opgelucht dat ze niet was bezweken voor Tony's heftige smeekbedes en niet was ingegaan op zijn voorstel om alles achter te laten en er met hem vandoor te gaan. Dat zou een ramp zijn geworden, want Tony zou haar net als al die andere vrouwen in de steek hebben gelaten. Niet dat ze alleen bij Ray bleef omdat hij meer zekerheid bood, natuurlijk niet. Ze hield van hem...

Emma ging rusteloos op haar rug liggen. Het punt was dat diep ademhalen en aan de tuin denken helemaal niet had geholpen. Ze was nog steeds klaarwaker en het was nu – hoe laat was het eigenlijk? – bijna twee uur. Ze zou rustig gaan liggen en voor Mutt bidden. Wat zei Mutt ook alweer altijd als ze naar bed gingen toen Bruno en zij nog kinderen waar? 'Ik ga slapen, ik ben moe, 'k sluit mijn beide oogjes toe, Heere houd ook deze nacht, over mij getrouw de wacht.'

Dat gebed was nu wel toepasselijk voor Mutt. Ze haalde diep adem en bad voor Mutt. Ze hoopte maar dat de Heer vannacht getrouw over Mutt zou waken, en ook over die lieve Joss die op Paradise was en vannacht voor haar zorgde... Het was gek dat ze het gevoel had gehad dat Joss vanavond bij haar oma moest blijven. Ze had wel vaker een sterk voorgevoel, waardoor ze zich raar voelde en wat huilerig werd. Mutt en Joss hadden altijd al een speciale band gehad. Dan kwam Joss thuis nadat ze een weekend op Paradise had gelogeerd, vol verhalen over het geweldige plezier dat ze met haar vrienden had gehad. Dan vertelde ze dat Mutt een geweldige gastvrouw was, nooit gênant deed en dat iedereen dol op haar was. Dat zeiden mensen over grootouders – dat ze met hun kleinkinderen vaak meer ongedwongen omgingen dan met hun eigen kinderen – en ze had precies geweten wat Joss bedoelde. Je kon met Mutt lachen. Ze was altijd in voor een grapje en kon erg goed met jonge mensen opschieten. Het was dan ook raar dat ze wat krampachtig deed als het om familiezaken ging. Het moest afschuwelijk zijn geweest toen papa in India overleed, maar Mutt had nooit goed begrepen hoe belangrijk het voor haar, Emma, was om alles over hem en wat daar was gebeurd te weten te komen. Zoals waar ze elkaar hadden ontmoet en wat ze toen voelden en hoe het ging toen hij haar ten huwelijk vroeg. Ze snapte ook wel dat dit een pijnlijk onderwerp was, maar het was erg belangrijk voor haar. Telkens als ze erover begon, deed Mutt wat eigenaardig, al vertelde ze wel van alles over het ziekenhuis en het werk. Zelfs Bruno wilde niet over India praten.

'Het is ook mijn verleden,' zei ze dan op klaaglijke toon, maar ze namen geen van tweeën de moeite het er uitgebreid met haar over te hebben en er waren erg weinig foto's om de hiaten op te vullen. De foto's die er wel waren, bewezen dat haar vader een zeer aantrekkelijke man was geweest. Bruno leek sprekend op hem en dat hielp haar om zich een beeld van hem te vormen. Ze dacht dat ze zich bepaalde dingen herinnerde, korte flitsen, maar ze wist nooit zeker of dingen echt waren gebeurd of dat het verbeelding was. Het enige wat ze zich echt herinnerde, was haar leven hier in St Meriadoc.

Wat hadden Bruno en zij hier een gelukkige jeugd gehad. Heel veilig en gelukkig met die lieve Mousie en Rafe in The Row. Zeilen in de *Kittiwake* en picknicken op de helling bij de bron. Later bracht Bruno zijn marinevrienden mee en gaf geweldige feesten in The Lookout. Mutt was toen fantastisch geweest. Ze liet hen hun gang gaan, bemoeide zich nergens mee en stimuleerde hun vrijheid. Maar ze had vaag het gevoel dat Mutt altijd wilde dat ze Paradise waard zou zijn. Nee, dat klopte niet. Het was eerder dat het kleine landgoed – of het gedeelte dat zij, Emma, zou erven – niet iets was waar ze simpelweg recht op had, maar dat ze het moest verdienen. Ze mocht het niet vanzelfsprekend vinden het te krijgen.

Bruno en zij hadden er altijd grappen over gemaakt. 'Ik krijg Paradise en jij The Lookout,' zei ze dan. Ze hadden het nooit over de rest van het landgoed gehad, totdat Ray zijn intrede deed. Hij had meteen ontwikkelingsmogelijkheden gezien, begon daarover na elk bezoek aan St Meriadoc, en het zou ontzettend vermoeiend zijn als ze hem ooit zou moeten zien af te brengen van zijn drammerigheid met betrekking tot de inham.

Emma ging rechtop zitten, stompte het kussen in vorm en legde haar hoofd erop. Ze hoorde voor Mutt te bidden, niet het landgoed op te delen. Als ze nu eens die ontspanningsoefening ging doen waarbij ze iedere spier moest aanspannen en daarna moest ontspannen. Te beginnen met haar tenen…

Trouwens, Bruno zou het allemaal regelen. Als puntje bij paaltje kwam, zou zelfs Ray niet serieus overwegen The Row na al die jaren te slopen. Vooral niet vanwege die lieve arme Pamela die erg gehecht was aan rust om zich heen. Het zou ondenkbaar zijn en nu waren er ook nog problemen met George. Nu de voeten. Spieren aanspannen en ontspannen. Dat was prettig.

Joss wilde niets loslaten over George, maar ze wist zo ook wel dat het niet goed zat tussen Penny en George. Ze had meteen al haar bedenkingen gehad, ook al zei iedereen dat Penny heel lief was. Het was net of ze iets achterhield, er was een zekere gereserveerdheid die het erg lastig maakte om haar goed te leren kennen of van haar te houden. Nu de benen strekken. Eerst het ene been. Ja. Nu het andere. Heel goed. Waar dacht ze ook alweer aan? George. Wat een schat, een geweldige man. Het was altijd al een lieve jongen. Joss en hij waren boezemvrienden geweest, altijd aan het fietsen of op zee met de kleine boot. Wat jammer dat kinderen volwassen werden. Tjonge, lekker was dat om je armen helemaal te strekken. En nog een keer. Goed. Aan wie dacht ze ook alweer? Joss? George?

Uiteindelijk viel ze met gespreide armen in slaap, terwijl ze rustig ademhaalde.

18

Er kwam licht onder de deur van de kleine salon vandaan. Bruno bleef in de gang staan en dacht na. Zijn intuïtie had hem aangespoord over het klif naar Paradise te gaan, maar nu stond hij hier en wist hij niet wat hij moest doen. Dit onverwachte gevoel van verwarring, dat veroorzaakt werd doordat zijn intuïtie hem opeens in de steek liet, leek op de ontwrichting die hij ondervond als de twee werelden, die van zijn verbeelding en die van de realiteit, met elkaar botsten. Doordat hij met zijn hoofd bij Mutt was geweest en herinneringen uit het verleden had opgehaald, was hij Joss vergeten. Op het moment dat hij aan haar dacht, ging de salondeur open en kwam ze de gang in. Toen ze naar adem hapte van verbazing en schrik stak hij ter geruststelling zijn armen in de lucht, maar ze keek hem nog steeds aan alsof ze hem voor het eerst zag of moest wennen aan een nieuwe situatie.

'Sorry,' zei hij. 'Ik heb er niet bij nagedacht. Ik had het gevoel dat er iets met Mutt was en daarom ben ik hierheen gekomen. Ik ben er blijkbaar nog niet aan gewend dat jij hier bent. Het spijt me als ik je heb laten schrikken.'

Ze liep uit het donker op hem af en hij zag dat ze worstelde met een heftige emotie. Bruno stak zijn handen uit en pakte haar bij de schouders.

'Wat is er? Is er iets met Mutt?'

Joss schudde haar hoofd en knikte vervolgens. 'Ja, zo zou je het kunnen noemen.' Ze wendde haar geschrokken ogen af, die wazig waren van tranen. Daarna keek ze weer bezorgd naar zijn gezicht alsof ze gerustgesteld wilde worden. Zijn bekende meelevende blik gaf haar zelfvertrouwen en hij voelde haar schouders een beetje zakken toen ze zich ontspande onder zijn handen.

Zonder iets te zeggen nam hij haar mee naar de salon en duwde haar zacht in de hoek van de bank. Zorgvuldig stapelde hij verkoolde houtblokken en sintels op, pakte de blaasbalg en perste er met kleine ritmische bewegingen lucht uit, zodat het vuur beter ging branden. De grijze as gloeide fel en een klein vlammetje danste en flakkerde, terwijl er wel honderd fel oplichtende vonken uit het zwartgeblakerde hout schoten. Opgekruld op de bank, haar handen tussen haar knieën geklemd, keek ze hem zwijgend aan, terwijl haar vermoeide verstand verward deze nieuwe feiten probeerde op te nemen: Mutt had al die jaren met een leugen geleefd. Toch had Joss medelijden met haar en ze kreeg weer tranen in haar ogen toen ze terugdacht aan de woorden en zinnen die haar grootmoeder lang geleden had opgeschreven.

Bruno legde de blaasbalg neer en keek haar aan.

'Wil je erover praten?' vroeg hij.

Het afstandelijke deel van hem zag de nauwelijks waarneembare terugtrekking, de trilling die ervoor zorgde dat haar knieën en schouders gespannen raakten, registreerde dat een of andere onbenoembare angst het haar onmogelijk maakte hem recht in de ogen te kijken. Hij aarzelde, terwijl hij nog steeds op zijn hurken bij de haard zat, en besefte dat haar dilemma rechtstreeks met hem te maken had. Intuïtief voelde hij aan dat de ongedwongenheid waarmee ze hem altijd vol vertrouwen tegemoet was getreden, was beschadigd: er werden vraagtekens gezet bij zijn betrouwbaarheid. Hij zat nog steeds op zijn hurken en vloekte binnensmonds, kwam vervolgens in één vlugge beweging overeind en stak zijn handen in zijn zakken. 'Heb je misschien iets gevonden?' vroeg hij, alsof ze een raadselspelletje deden. 'Een document waar je geen raad mee weet?' Hij wierp vlug een blik op haar gekwelde gezicht, maar kwam niet verder. Opeens dacht hij aan de opmerking van Emma over de Amerikaan. 'Misschien een foto?'

Ze slikte, beet op haar lip, maar meed nog steeds zijn ogen. Hij merkte dat er naast dit nieuwe gebrek aan vertrouwen nog iets was. Hij balde zijn handen tot vuisten toen hij irritatie voelde opkomen. 'Voor de draad ermee, Joss,' wilde hij zeggen. 'Help me om je te kunnen helpen.' Maar haar bleke ongelukkige gezicht en rusteloze ogen weerhielden hem. Ze straalde onrust uit, wat erop leek te wijzen dat ze zich schuldig voelde, en opeens kreeg hij een idee.

'Je hebt toch niet toevallig een kopie van Mutts testament gevonden?' vroeg hij luchtig. 'Ik moet toegeven dat het de zaak eenvoudiger zou maken als dat wel het geval was.'

Toen keek ze hem aan. 'O ja? Dat snap ik niet.'

Haar stem klonk bijna kinderlijk opstandig en ze duwde zich tegen de kussens toen hij bij de leuning van de bank neerknielde.

'Kom op,' zei hij. 'Geen spelletjes. Wat heb je gevonden?'

'Brieven,' zei ze. Haar ogen waren groot en donker. 'Ik was niet van plan ze te lezen, maar de verleiding was te groot. Mutt had gevraagd of ik ze wilde pakken...'

Haar stem stierf weg. Het was stil en hij fronste zijn wenkbrauwen.

'Brieven? Wat voor brieven?'

'Ze heeft brieven aan haar zus geschreven, maar die heeft ze nooit verstuurd. Tientallen. Alles staat erin. Hoe ze hier terecht is gekomen en wie ze in werkelijkheid is.'

Bruno sloot even zijn ogen. 'Verdorie!' mompelde hij. 'Niet te geloven. Brieven nog wel!'

Ze keken elkaar aan. Zijn geschrokken blik bracht haar weer bij haar positieven. Ze trok haar benen op de bank en boog naar hem toe alsof ze doorhad dat hij misschien ook behoefte had aan troost.

'Ik snap het niet,' zei ze. 'Alles is anders dan ik dacht. Aanvankelijk kon ik het niet bevatten, maar na een tijdje was het niet meer zo belangrijk welke gevolgen dit voor mij – en voor ons allemaal – had en ging het veel meer om wat ik van Mutt vond.'

Ze aarzelde alsof ze op een reactie hoopte, misschien aangespoord wilde worden, maar Bruno zei niets. Hij straalde geschokt ongeloof uit en nog iets. Na een tijdje wist ze het: hij was boos.

'Brieven!' Hij kwam overeind, liep naar de haard, pakte de pook en prikte woedend naar de houtblokken. 'Al die jaren van geheimhouding, moeten beloven Emma te beschermen tegen de waarheid, goed te moeten nadenken voordat ik iets zei. En ondertussen schrijft zij alles op in die stomme brieven en laat ze rondslingeren. Mijn god! Dat is toch niet te geloven.'

Opgekruld op de bank keek Joss hem ongerust aan. Ondanks de schok tijdens die eerste momenten dat ze Bruno zag en dacht: maar hij is mijn oom helemaal niet en niets is wat het lijkt, had ze een overweldigend medelijden met haar grootmoeder gevoeld. Ze kon zich heel goed identificeren met de jonge vrouw die, vol schuldgevoel en gebrek aan zelfvertrouwen, die brieven had geschreven en niet achterom probeerde te kijken toen ze eenmaal de eerste stap had gezet.

'Ze slingerden niet rond,' was het enige wat haar te binnen schoot om Mutt te verdedigen. 'Ze lagen onder allerlei andere spullen in een la.' Maar ze wist dat het een zwak protest was.

'In een la,' herhaalde hij neerbuigend. 'O, dan is er niets aan de hand. Niemand trekt toch ooit een la open om iets te zoeken?'

Ze stond op, liep naar hem toe en pakte hem bij de arm. 'Je moet ze lezen,' zei ze. 'Het zijn niet zomaar brieven die ze voor de lol heeft geschreven. Het was Mutts manier om haar identiteit te bewaren en te proberen zich minder schuldig te voelen. Dat snap ik wel. Ik denk dat ze zich er gewoon niet toe kon zetten ze te vernietigen en later raakten de brieven op de achtergrond en dacht ze er niet meer aan.' Ze schudde ongeduldig haar hoofd. 'Ik zeg dit niet goed.'

Bruno keek haar onwelwillend aan. 'En hoe zit het met míjn identiteit?' vroeg hij. 'Mijn hele leven heb ik mijn moeder en zusje verloochend. Ik heb gelogen en eromheen gedraaid en dacht om bepaalde redenen dat het de moeite waard was. En nu mag iedereen het weten en is alles voor niets geweest omdat Mutt haar twijfels zo nodig op papier moest zetten. Waarom in vredesnaam brieven? Als je brieven schrijft, waarom verstuur je ze dan niet? Misschien zijn er brieven die ze wél heeft opgestuurd en zijn er dus andere mensen die de waarheid weten.'

Joss liet zijn arm los. 'Zo zit het niet. Je moet ze lezen, Bruno. Je moet bedenken dat ze me alleen heeft gevraagd ze te vinden. Als ik ze niet had gelezen, zou niemand iets weten. Doe het nou. Oordeel pas als je ze allemaal hebt gelezen. Per slot van rekening staat er niets in wat jij nog niet weet, behalve hoe Mutt zich in het begin voelde.'

Het was stil. Het was duidelijk dat Bruno erg zijn best deed om zijn woede in te houden: er trilde een spiertje in zijn wang en hij sloeg zijn ogen neer, zodat hij diep leek na te denken. Joss voelde een steek van angst. Hij was net een vreemde en haar gevoel van desoriëntatie keerde terug: ze waren geen familie, bijna alles wat ze over haar familie te horen had gekregen was niet waar, maar toen ze naar Bruno keek, had ze opeens een flauw vermoeden van hoe het voor hem moest zijn geweest. Ze voelde zich schuldig, maar dat gevoel werd afgezwakt doordat ze intuïtief wist dat dit de juiste weg was.

'Lees ze,' zei ze smekend. 'Oordeel pas daarna.'

Hij haalde diep, bijna berustend adem en knikte. 'Goed. Waar zijn ze?'

'Ik zal ze halen,' zei ze snel. 'Je moet ze op volgorde lezen. Zorg ervoor dat de haard goed brandt, dan zal ik koffie zetten.'

Hij keek ongeduldig, alsof hij het idee had dat hij werd gemanipuleerd en overgehaald om zijn geest open te stellen. Ze accepteerde het feit dat haar gedrag bijna uit de hoogte moest lijken. Hoe kon ze, terwijl ze de waarheid zelf nog maar enkele uren wist, veronderstellen dat ze Bruno raad kon geven, die er al vijftig jaar mee rondliep? Voordat ze haar verontschuldigingen kon aanbieden of haar gevoelens kon uitleggen, had hij zich omgedraaid en stapelde houtblokken op in de haard. Ze aarzelde even, liep toen haastig het vertrek uit en de gang door en ging de kleine salon binnen. Bij het op volgorde leggen van de brieven trilden haar handen en op een bepaald moment stopte ze even omdat ze dacht dat ze Mutts bel hoorde. Het was stil.

Bruno zat naar voren gebogen bij de haard met zijn handen losjes tussen zijn knieën. Joss trok de kleine ronde tafel naar voren en legde de brieven bij hem neer. Hij wierp er een blik op en keek haar vervolgens aan. Zijn ogen lachten een beetje.

'Sorry.' Zijn stem klonk vriendelijker. 'Het zal voor jou ook een grote schok zijn geweest.'

Ze knikte en beet op haar lip. Hij haalde zijn schouders op en schudde zijn hoofd alsof hij niet wist wat hij met de situatie aan moest.

'Ik ga koffie halen,' zei ze, en ze liet hem alleen.

Eenmaal in de keuken begon ze opeens te bibberen: haar handen trilden en haar tanden klapperden.

Dat kwam door de schrik, hield ze zichzelf voor. Het lepeltje kletterde tegen de mok en ze morste melk toen ze die in een roomkannetje schonk. Deels was ze in gedachten bij Bruno die de brieven aan het lezen was. Ze wilde dat hij meelijden zou hebben. Ook andere gedachten schoten door haar hoofd, terwijl ze wachtte tot de ketel ging fluiten. Haar moeder: wat zou die zeggen als ze het wist? Ze mocht het nooit weten. Het geheim moest bewaard blijven. Joss keek de keuken rond, kruiste haar armen voor haar borst en probeerde het feit te accepteren dat ze geen recht had om hier te zijn: dat Mutt, haar moeder en zij indringers waren. Het was onmogelijk dat te bevatten.

Opeens wilde ze naar Mutt toe. Haar grootmoeder sliep nog steeds diep toen ze een tijdje terug was gaan kijken, toen ze ongeveer de helft van de brieven had gelezen, en ze was vreemd genoeg teleurgesteld geweest. Alsof de kans voorbijging om iets essentieels uit te wisselen. Misschien was Mutt nu wel wakker en kon Joss op een of andere manier laten merken dat ze de waarheid wist en dat alles in orde was: dat wat er ook in het verleden was gebeurd of wat er ook in de toekomst kon gebeuren dit geen invloed had op Joss' liefde voor haar.

Ze zette koffie en bracht die naar de salon. Bruno keek niet op. Er lag een vastberaden uitdrukking op zijn gezicht en hij was in de brieven verdiept. Joss glipte de kamer uit en ging de trap op. Op de overloop aarzelde ze en haar hart klopte in haar keel toen ze zachtjes de deur opendeed en de slaapkamer van haar grootmoeder binnen ging.

Mutt was er niet. Nog voordat ze de levenloze gestalte op het bed zag, wist Joss dat de kamer leeg was. Mutt was overleden. Het was te laat voor de waarheid.

19

Het was bijna twee uur later toen Bruno de laatste brief opzij legde en nog even zwijgend bleef zitten voordat hij naar Joss keek, die opgekruld in de hoek van de bank tegenover hem zat. Hij had amper gemerkt dat ze er was – naarmate de avond verstreek, had ze onopvallend het vuur opgestookt en een mok verse koffie bij zijn elleboog neergezet – maar nu zag hij dat ze erg bleek was en hij dwong zichzelf om zich bezig te houden met de gevolgen van haar ontdekking. De brieven hadden hem ontroerd, maar hij was niet verbaasd over de onthullingen van Mutts dilemma. In de loop der jaren was ze te vaak naar hem toe gekomen om zich niet bewust te zijn van haar behoefte aan 'absolutie', zoals zij dat noemde. Nu kon hij alleen maar blij zijn dat hij die genereus had gegeven en haar telkens weer had gerustgesteld. Hij had de ware Mutt gekend, die schuilging achter de gereserveerde, verstandige façade van het weduweschap, had de vrolijke en meelevende vrouw meegemaakt, die tegen haar eigen demonen van schuldgevoel en onzekerheid vocht.

Wat voor Bruno wel als een verrassing kwam, was het ontroerende verslag van de liefde die korte tijd tussen haar en zijn peetoom was opgebloeid. De relatie werd verbroken en Simon was geëmigreerd toen hij nog klein was, maar toch voelde Bruno zich bijna beledigd omdat ze er nooit over had gesproken. Vanwege hun gedeelde dubbelhartigheid had hij aangenomen dat hij niet alleen Mutts enige vertrouweling was, maar ook dat zijn troost en steun voldoende voor haar waren. Nu besefte hij nederig hoe eenzaam ze moest zijn geweest. Hij had er grote behoefte aan naar haar toe te gaan.

'Je had helemaal gelijk dat ik ze moest lezen,' zei hij tegen Joss. 'En jij hebt al die tijd hier gezeten, terwijl je dit allemaal probeerde te verwerken. We zullen er straks over praten, maar ik moet eerst naar Mutt toe. Red je het...'

'Ze is dood,' zei ze. Opeens liepen er tranen over haar wangen. 'Mutt is dood, Bruno.'

'Wanneer is dat gebeurd?' riep hij, opspringend alsof het nog niet te laat was. 'Je zei dat ze sliep.'

'Dat was ook zo,' zei ze, waarbij ze naar hem opkeek. 'Ik ben naar haar toe gegaan toen jij de brieven ging lezen en toen was ze al dood. Je moet naar boven om bij haar te gaan kijken. Ze ziet er zó vredig uit dat ze vast in haar slaap is overleden. Mousie kan elk moment hier zijn – ze had beloofd heel vroeg te komen – die weet wel wat er moet gebeuren.'

Haar ogen waren rood en dik en hij vermoedde dat ze in haar eentje, verdrietig en verward, in de keuken had zitten huilen. Hij aarzelde, overweldigd door zijn eigen verdriet en medelijden met Joss, knielde vervolgens bij haar neer en sloeg zijn armen om haar heen. Hij kon nu niets meer voor Mutt doen en Joss leed. Ze begon te huilen, haar mond verwrongen van het snikken, en ze legde haar gezicht op zijn schouder. Hij hield haar voorzichtig vast en zijn hersens waren op verschillende niveaus tegelijk bezig: zijn eigen verdriet beheersen, aan bepaalde fragmenten uit de brieven denken die nog vers in zijn geheugen lagen, zich afvragen hoe ze in vredesnaam als familie verder moesten. Enerzijds begreep hij waarom Mutt er behoefte aan had gehad haar gevoelens vast te leggen. Hij snapte zelfs waarom ze de brieven niet had kunnen vernietigen. Anderzijds was hij nog steeds woedend omdat ze hem met dit vreselijke dilemma had opgezadeld. Waarom had ze niet aan hém gevraagd om die brieven te zoeken? Waarom had ze die taak aan Joss toevertrouwd en zo'n groot risico genomen?

'Wat moeten we doen?' mompelde hij hardop, terwijl hij zijn armen steviger om Joss heen sloeg, die nog steeds tegen zijn schouder aan snikte.

Ze maakte zich los, pakte dankbaar zijn zakdoek aan en snoot haar neus.

'Ik kan het gewoon niet geloven. Het was zo'n schok,' mompelde ze. 'En nu is Mutt dood...' Ze verborg haar gezicht even in de zakdoek en wreef er toen mee over haar wangen. 'Ik zat er in de keuken over na te denken, terwijl jij de brieven aan het lezen was,' zei ze. 'Ik kan niet bevatten dat we hier niet echt thuishoren. Mutt, mama en ik zijn indringers. Snap je wat ik bedoel?'

Bruno stond op en liep terug naar de bank vlak bij de haard. Hij leek kalm, maar hij zocht wanhopig naar woorden die tegelijkertijd waar waren en troost boden.

'Je bent wie je altijd bent geweest,' zei hij. 'Je bent Mutts kleindochter en Emma's dochter. Daar is niets aan veranderd. Wat je relatie tot mij betreft... Ik kan alleen maar zeggen dat ik Emma altijd als mijn zus heb beschouwd. We hebben namelijk altijd een heel hechte band gehad. Dat blijkt toch ook uit de brieven? Mutt en mijn ouders vormden een drietal. Ik kan me je grootvader alleen nauwelijks herinneren. Je moeder en mijn zus waren bijna even oud. Aangezien ik mijn moeder en mijn zusje op tragische wijze had verloren, moet je je eens indenken wat een troost het was dat ik Mutt en Emma had, die ik daarvoor al heel goed kende.'

Ze keek hem volkomen roerloos aan. Alleen aan haar handen, die aan de zakdoek frunnikten, zag je haar innerlijke strijd.

'Maar je was boos,' bracht ze hem in herinnering. 'Toen ik over de brieven vertelde, was je kwaad.'

'Natuurlijk was ik boos.' Zijn eigen onderdrukte emoties laaiden even op. 'Mutt en ik hadden een afspraak. Niemand mocht het weten. Ik heb je naar waarheid verteld hoe ik over Mutt en Emma dacht – en nog steeds denk – maar er zijn momenten geweest waarop het verdraaid lastig was. Natuurlijk ben ik kwaad en ik ben ook overstuur door de dood van Mutt. Eigenlijk kan ik niet goed nadenken. Hoe gaan we met de waarheid om nu jij die ook weet? Het heeft zeker geen zin om te zeggen dat er wat mij betreft niets is veranderd?'

Joss fronste haar wenkbrauwen, worstelde met het probleem en voelde zich bezwaard. 'Het is moeilijk,' begon ze aarzelend, 'want deels vind ik dat mama het niet mag weten. Voor mij is het al erg, maar zij zou er echt aan onderdoor gaan als ze weet dat ze geen Trevannion is en dat dit haar thuis helemaal niet is.'

'Natuurlijk is dit wel haar thuis,' zei Bruno ongeduldig. 'Ze is hier komen wonen toen ze nog geen twee jaar oud was. Wij zijn haar familie. Waar zou haar thuis anders zijn?'

'Je weet wat ik bedoel.' Joss boog naar voren in haar stoel. 'Het klopt dat ik ben wie ik altijd heb gedacht te zijn. Mutt, mijn ouders, mijn thuis; voor mij blijft alles bij het oude, maar dat geldt niet voor mama. Er is tegen haar gelogen. Hubert was haar vader niet, jij bent haar broer niet en dit is haar erfenis niet. En het betekent allemaal ontzettend veel voor haar. Ze... wordt erdoor bepaald omdat het een belangrijk deel van haar is. Ik vind dat ze de waarheid niet mag weten, maar dat betekent dat ik onbedoeld iets aanmoedig wat fout is. Paradise en St Meriadoc zijn van jouw familie, Bruno, niet van de mijne. Mousie en Rafe hebben er meer recht op dan wij, dus hoe lossen we dat op?'

Hij was onder de indruk van haar zelfbeheersing en van de intelligente manier waarop ze de situatie verwoordde, en het was een opluchting dat hij deze vreselijke verantwoordelijkheid met haar kon delen.

'Het was verkeerd van Mutt om je te vragen de brieven te pakken.' Hij besloot bij de oorzaak van deze nieuwe ontwikkelingen te beginnen. 'Ze had kunnen weten dat je een deel van de brieven zou lezen, al was het maar per ongeluk. Het was onvermijdelijk dat je oog op een regel of stukje zin zou vallen. Ze zaten tenslotte niet allemaal in een envelop. Waarom nam ze dat risico?'

'Misschien dacht ze dat ik te integer zou zijn om ze te lezen.' Joss beet op haar lip. Daar had ze in haar eentje in de keuken ook al mee geworsteld: ze had zichzelf voorgehouden dat ze uit gewetenloze nieuwsgierigheid de doos van Pandora had geopend en dat anderen als gevolg van haar zwakheid nog meer zouden lijden dan ze zelf al leed.

'Onzin!' zei Bruno ongeduldig. 'Trek nou niet het boetekleed aan. De enige logische verklaring lijkt mij dat Mutt, zonder zich daar misschien van bewust te zijn, vond dat het tijd werd dat jij de waarheid wist. Een andere reden kan ik niet bedenken.'

Joss werd getroost door Bruno's strenge, bijna botte antwoord, maar ze was het niet eens met zijn redenering.

'Nee.' Ze schudde haar hoofd. 'Mutt was er erg op gebrand dat ze gevonden zouden worden. Waarschijnlijk was ze geschrokken van het bezoek van de Amerikaan, dacht ze toen opeens aan de brieven en wilde ze dat die werden vernietigd. Ze wilde dat alleen zij en ik ervan wisten. Ze vertrouwde me.'

'Maar heeft ze ook gezegd dat je ze niet mocht lezen?' Bruno negeerde het trillen van haar stem. Hij was vastbesloten haar weg te leiden van het negatieve moeras van zelfmedelijden en schuldgevoel en haar mee te voeren naar positieve, rationele gronden, hoewel hij aan zijn eigen gelijk twijfelde. 'Het spijt me, lieverd, maar hoe langer ik erover nadenk, des te meer raak ik ervan overtuigd dat ze diep vanbinnen wilde dat je de waarheid over haar zou weten. Ik zag Mutt immers elke dag. Het was veel gemakkelijker voor haar geweest om mij over het bestaan van de brieven te vertellen en te vragen of ik ervoor wilde zorgen dat ze werden vernietigd. Ik weet dat jullie een hechte band hadden, maar ze moet hebben geweten wat voor risico ze nam. Dat is geen kritiek, Joss. Het is per slot van rekening nogal wat om zoiets aan iemand te vragen. Zeg...' Hij zweeg en toen hij weer sprak, klonk zijn stem vriendelijker. Hij schetste een beeld en riep een bepaalde sfeer op. 'Iemand van wie je hield, is overleden. Dan blijkt er een stapel brieven, een dagboek of wat dan ook te zijn, iets waar die persoon mee bezig is geweest, waarin gedachten of herinneringen zijn vastgelegd.' Hij keek haar aan. 'Het geschreven woord heeft iets speciaals, vind je niet? Het is belangrijker dan een kledingstuk dat de dierbare vaak heeft gedragen of een voorwerp waar die persoon aan gehecht was. In je handen heb je iets tastbaars van degene die je hebt gekend en van wie je hebt gehouden, iets wat je wilt bewaren en nodig hebt vanwege wat het kan onthullen. Meer informatie over die persoon en misschien wel dingen over jezelf. Dat kun je toch niet weggooien of in vlammen doen opgaan?'

'Zo voelde het inderdaad.' Joss' lippen trilden en ze sloeg haar hand voor haar mond. 'En het klopt dat je ogen automatisch op bepaalde woorden vallen, maar dan nog...'

'Dan niets,' zei Bruno resoluut. 'Mutt wist van menselijke zwakheden en verleiding. Oud en ziek als ze was, denk ik dat ze werd gedreven door een onbewust verlangen en dat staat los van wat ze bewust heeft gedacht of gezegd.'

'Misschien.' Joss wilde dat geloven, ook al had ze diep vanbinnen het idee dat het veel eenvoudiger lag: Mutt wist dat Bruno woedend zou worden als hij erachter kwam dat die brieven bestonden en daarom had ze Joss in vertrouwen genomen en gevraagd ze te vinden. 'Wat nu? Gaan we verder alsof er niets is gebeurd? Het punt is... Wat staat er in Mutts testament?'

Hij schudde zijn hoofd. 'Dat weet ik niet.'

'Eigenlijk had ze alles aan jou moeten nalaten, maar dat zou natuurlijk achterdocht wekken. Denk je dat jij Paradise en The Lookout erft? Dat zou goed zijn, hè? Als mama alleen The Row krijgt, hoeft er niets te veranderen. Dan zijn Mousie en Rafe veilig en kan ik mijn kleine huisje van het landgoed kopen. Nee, nee, niet kopen. Niets mag in andere handen komen. Ik zal het huren, net zoals Mousie en Rafe hun huis huren. Dat mag toch wel?'

Hij glimlachte een beetje omdat ze de bestaande situatie zo graag wilde handhaven zonder er zelf beter van te worden en hij vroeg zich af hoe hij zijn eigen zorgen moest verwoorden.

'Je vader heeft natuurlijk altijd grootse plannen gehad met de werf,' zei hij. 'Hij wil de oude schuur afbreken en er een hotel neerzetten.'

'Dat is waanzin,' zei ze meteen. 'Dat kan niet. O!' Hij zag dat het tot haar doordrong wat hij bedoelde. 'Je bedoelt dat hij mama misschien probeert over te halen om... O, nee!' Ze schudde haar hoofd en er stond afschuw in haar ogen te lezen. 'Dat kan hij niet maken. Het zou de inham aantasten en hoe moet het dan met The Row? Bovendien heeft hij er niets over te zeggen.'

'Als Emma de werf en The Row erft,' zei Bruno zacht, 'moeten we geen enkele mogelijkheid uitsluiten. Als er iets met Emma gebeurt, zouden ze van je vader kunnen worden omdat dat wellicht zo in háár testament staat. Ze kan natuurlijk een nieuw testament laten opmaken waarin ze alles aan jou nalaat.'

'Maar dat zou helemaal verkeerd zijn,' protesteerde ze. 'En hoe moet het met Mousie en Rafe?'

'Wat is er met Mousie en Rafe?'

Mousies stem galmde vrolijk en nogal geamuseerd door de gang en ze hoorden de voordeur achter haar dichtvallen. Het was bijna vijf uur.

20

Terwijl Joss, tijdelijk verlamd van schrik, bleef zitten verstopte Bruno de stapel brieven onder de zitting van de bank. Hij stond vlug op en liep de gang in.

'Mousie,' hoorde Joss hem zeggen. 'Lieverd, ik heb helaas slecht nieuws voor je. Mutt is dood. Vredig in haar slaap overleden. Die arme Joss heeft haar gevonden en we hebben een tijdje bij elkaar gezeten om bij te komen. We hadden het er net over dat we jou moesten inlichten.'

Een korte stilte.

'Tja, ik kan niet zeggen dat ik erg verbaasd ben.' Mousies stem was nauwelijks verstaanbaar. 'Arme Joss. Op een of andere manier zijn we er nooit op voorbereid. Misschien had ik toch moeten blijven, maar ik had gisteravond het gevoel dat Mutt alleen wilde zijn met Joss. Heeft Joss je gebeld?'

'Kom, dan gaan we naar haar toe.' Bruno negeerde de vraag. 'Volgens mij is ze nog steeds in shock.'

Joss haalde diep adem. Haar ledematen waren stijf, ze had hoofdpijn en ze merkte dat ze weer rilde. Ze stond voorzichtig op en probeerde naar Mousie te glimlachen toen die de salon binnen kwam.

'Ach, lieverd.' Mousie sloeg haar armen om Joss heen en wiegde haar alsof ze een kind was. 'Arme Joss. Tjonge, wat ben je koud. Kom eens dichter bij de haard.'

'Het gaat wel, hoor.' Joss onderdrukte het plotselinge verlangen om als een kind in snikken uit te barsten. 'Het ging heel geleidelijk en rustig. Het ene moment lag ze nog te slapen en toen ik de volgende keer naar binnen ging...' Ze slikte verdrietig. 'Ik denk niet dat ik iets had kunnen doen.'

'Helemaal niets,' zei Mousie resoluut. 'De dokter had gewaarschuwd dat dit kon gebeuren. We moeten blij zijn dat ze geen pijn heeft gehad. Ga bij de haard zitten en zorg dat je het warm krijgt. Ik ga naar haar toe.'

Ze wierp een waarschuwende blik op Bruno, die gehoorzaam meer houtblokken op de sintels stapelde en de blaasbalg pakte, glimlachte geruststellend naar Joss en verdween.

'Dit is vreselijk,' fluisterde Joss, zodra Mousie weg was. 'Ik ben de kluts kwijt. Het is net een nachtmerrie waarin dingen er nog wel hetzelfde uitzien, maar alles anders is. Net met Mousie had ik hetzelfde als toen ik jou weer zag. Ik dacht: o, het is Bruno. En daarna dacht ik: wacht even. Hij is niet wie ik altijd heb gedacht dat hij was, maar in feite ben je nog precies dezelfde persoon. Ik ben zelf anders. Hoe kan ik gewoon doorgaan nu ik de waarheid weet?' Ze boog naar voren. 'Hoe heb jij dat al die jaren gedaan?'

Hij ging op zijn hurken zitten en staarde somber naar de vlammen. 'Je moet niet vergeten dat ik in feite voor een voldongen feit werd gesteld. Je hebt weinig in te brengen als je vier bent. Bovendien had mijn moeder het zo gewild. Nee, nee,' zei hij bij het zien van haar gelaatsuitdrukking, 'niet dat Mutt blijvend in haar huid zou kruipen, maar wel dat ze me hierheen zou brengen. Voordat ze stierf, heb ik haar moeten beloven om precies te doen wat Mutt zei. Je hebt de brieven gelezen, dus je hebt een aardig idee van hoe het toen was. Mutt en Emma werden mijn familie. Mijn enige angst was dat Mutt ook zou overlijden. Emma en zij hielpen me om het verdriet en de angst draaglijk te maken. Hoe had ik hen kunnen verraden, zelfs als ik dat had gewild? En wanneer dan? Toen ik naar school ging? Op het feest ter gelegenheid van mijn eenentwintigste verjaardag? Toen ik trouwde?' Hij grinnikte even vreugdeloos. 'Mutt heeft me dit huis aangeboden toen ik trouwde, maar ik wilde het niet. Ik heb altijd alleen The Lookout gewild. Als ik Paradise had geaccepteerd, waren bepaalde dingen nu wellicht gemakkelijker geweest. Dan had ik het aan jou kunnen nalaten zonder dat er vragen over zouden worden gesteld. Dat is immers Emma's droom. En die van Mutt. Dat waren de laatste woorden die ze tegen me zei: "Maar ik wil graag dat Joss Paradise krijgt."'

'Maar hoe kan ik Paradise krijgen?' vroeg ze bijna boos. 'Dat zou helemaal verkeerd zijn...'

Ze zweeg toen Mousie haastig de trap af kwam en de salon in liep.

'Vredig in haar slaap overleden.' Ze glimlachte naar hen alsof ze hen gerust wilde stellen. 'We hadden niets voor haar kunnen doen.'

'Heere houd ook deze nacht, over mij getrouw de wacht,' mompelde Joss. Ze bloosde toen ze bedacht dat Mutt dat altijd tegen haar zei toen ze klein was en naar bed moest als ze op Paradise logeerde.

Mousie keek haar nieuwsgierig aan. 'Hup, naar bed jij,' zei ze kordaat. 'Vandaag moet je toch naar de praktijk in Bodmin? Dan hoef je niet vroeg te beginnen. Een warme kruik, wat paracetamol en een paar uur slaap. Ik zal je op tijd wakker maken, daar hoef je niet over in te zitten. Ga maar vast naar boven. Ik kom zo met de warme kruik.'

Ze gingen samen de salon uit. Bruno wachtte even, sloop vervolgens de trap op en ging stilletjes de kamer boven de portiek binnen. Ook hij merkte dat Mutts geest er niet meer was en hij keek naar de gestalte op het bed met het vreedzame, van zorgen bevrijde gezicht.

'Je wist dat ik boos zou zijn, hè?' mompelde hij. 'Terecht. Brieven! Hoe haal je het in je hoofd! Kijk nou eens wat je hebt gedaan! Je bent echt een muts, Mutt!' Hij pakte haar hand, hield die tegen zijn lippen en drukte vervolgens zacht een kus op haar voorhoofd. 'Ik ben blij dat ik ze heb gelezen.'

Hij hield een tijdje met gesloten ogen haar hand vast en dacht aan bepaalde passages uit haar brieven, totdat hij Mousie de slaapkamer van Joss binnen hoorde gaan. Hij stopte Mutts hand onder de deken, gaf haar een laatste kus en verliet de slaapkamer. Hij was nog niet eens in de gang toen Mousie al achter hem op de trap liep.

'Het heeft geen zin de dokter al zo vroeg te laten komen,' zei ze. 'Ik ga thee zetten. Wil jij ook een kopje of ga je terug voor het geval Emma wakker wordt?' Ze keek hem aan en maakte een professionele inschatting van zijn vermoeidheid en de spanning. 'Het is altijd een klap, hè? Ook als je het al min of meer ziet aankomen. Dat had je trouwens niet gezegd. Had Joss je gebeld? Maakte ze zich zorgen over Mutt?'

Hij schudde zijn hoofd. 'Ik kon niet slapen en opeens had ik heel sterk het gevoel dat ik hier moest zijn. Ik was te laat om Mutt te zien, maar Joss had in ieder geval gezelschap na de schrik van haar te hebben gevonden.'

'Blij toe,' zei Mousie. 'Misschien had ik moeten blijven, maar ik had ook zo'n gevoel. Ik had het idee dat Joss en Mutt hier samen moesten zijn. Gek, hè?'

'Ik denk dat je helemaal gelijk had. Ik heb begrepen dat er eerder die avond iets heel speciaals tussen hen is gebeurd.'

'O, dat is fijn,' antwoordde ze hartelijk en spontaan. 'Ze hadden zo'n hechte band, die twee, en Mutt had veel steun aan Joss. Gelukkig was Emma er ook. Mutt was heel ontspannen toen ik gisteravond wegging, hoewel ze de laatste paar dagen ergens over tobde. Vreemd...'

Hij zag de verwarring in de intelligente blauwgrijze ogen en werd even zenuwachtig.

'Vreemd?' Hij sprak luchtig en had zijn wenkbrauwen opgetrokken. Ze leek zich te vermannen en schudde haar hoofd.

'Het is niet belangrijk,' zei ze. 'Niet op dit moment althans. Zo te zien ben je doodmoe. Ga naar huis en probeer wat te slapen voordat Emma wakker wordt. Er moet later nog ontzettend veel gebeuren. Ga maar, Bruno, je kunt hier nu toch niets doen.'

Er zat niets anders op dan de grauwe ochtend in te stappen. Een klam briesje streek langs zijn gezicht en een zachte mist kronkelde tussen de takken van de rododendrons door. Met zijn handen in de zakken van zijn jas liep hij vlug de oprijlaan af, bereidde zich voor op Emma's reactie en maakte zichzelf wijs dat Mousie de brieven niet zou vinden. Hij wenste dat hij ze had gepakt toen Mousie de kruik voor Joss was gaan regelen, maar hij had geen idee waar hij ze moest verstoppen en hij was bang betrapt te worden. Zodra hij de kans kreeg, zou hij ze weghalen en veilig opbergen, want hij voelde aan dat het dom zou zijn ze te vernietigen: misschien hadden ze de brieven binnenkort nog nodig. Nu Joss de waarheid wist, zouden er meer problemen rijzen en hij vroeg zich af hoe ze met deze nieuwe kennis zou omgaan. Hij vermoedde dat Raymond Fox meteen naar St Meriadoc zou komen om erbij te zijn als het testament werd voorgelezen en Bruno kon zich goed voorstellen in wat voor dilemma Joss binnenkort zou verkeren.

Hij probeerde zijn vermoeide hoofd leeg te maken en aan Mutt te denken: zijn keel werd meteen dichtgeknepen door verdriet en maakte slikken moeilijk. Opeens besefte hij hoe erg hij haar zou missen. Ondanks zijn boosheid hadden de brieven hem diep ontroerd en toen hij aan die jongere, kwetsbare Mutt dacht, was zijn hart vol verdriet en voelde hij het gemis.

Hij liet Nellie naar buiten gaan, vulde de ketel, stookte het vuur op en bereidde zich al die tijd voor op het feit dat hij Emma moest vertellen dat haar moeder dood was.

Joss sliep al. Ze had gehoorzaam twee tabletten ingenomen en hield de warme kruik dankbaar vast.

'Slapen.' Mousie had het woord uitgesproken alsof het deels een bezwering en deels een bevel was. 'Je hebt het prima gedaan, schat. Nu uitrusten. Ik kom je om negen uur een kop thee brengen.'

Ze was eindelijk alleen. Het kloppen van haar hart deed pijn door het huilen en de spanning. Joss was onder de lappendeken gekropen en had haar ogen dichtgedaan. Stukken uit de brieven, flarden van een gesprek en beelden uit het verleden verdrongen zich in haar vermoeide hoofd. Ze hoopte dat Bruno gelijk had. Dan kon ze misschien geloven dat Mutt had gewild dat ze haar geheim deelde, dan zou ze zichzelf misschien kunnen vergeven. Ze kon niet accepteren dat ze Mutts vertrouwen had beschaamd en ze vermoedde dat ze allebei wisten dat Bruno een grootmoedig gebaar had gemaakt door haar van alle blaam te zuiveren en te troosten. Ze dwong zichzelf te ontspannen en probeerde ondertussen de schrik weer te voelen die de brieven aanvankelijk hadden veroorzaakt: ze probeerde opnieuw het ongeloof op te roepen van het moment waarop ze besefte dat Mutt een bedrieger was. Diep vanbinnen wist ze dat haar eigen gedrag minder schandelijk leek als ze zich op Mutts misleiding concentreerde, en daardoor schaamde ze zich nog dieper.

Terwijl ze rusteloos woelde en met haar zere hoofd op het kussen draaide, drong het langzaam tot haar door dat Mutt wel de laatste was die een oordeel over haar zou vellen. Degene die de brieven had geschreven, zou haar niet veroordelen, zou eerder vol medelijden zijn wetend dat zij, Joss, het geheim nu op haar beurt moest bewaren. Bruno had ook al geprobeerd het schuldgevoel weg te nemen en nu leek het of Mutt ook haar last probeerde te verlichten.

Joss had zich uitgerekt. Haar verkrampte spieren ontspanden zich, haar hart was iets lichter en ze had zichzelf gekalmeerd, zodat ze kon gaan slapen. Voor het eerst sinds uren dacht ze aan George: George die dus niet haar verre achterneef was, die helemaal geen familie van haar was. Ze had deze informatie van alle kanten belicht en besefte dat het niets uithaalde: de kunstmatige opgedrongen relatie bleef bestaan. Toen ze bedacht dat hij maar een kilometer verderop was, kwam er een aangename rust over haar. Morgen zou ze hem zien.

Joss ging op haar zij liggen, hield de troostende kruik vast en viel in slaap.

21

George werd vroeg wakker, trok de lange ochtendjas met Schotse ruit aan die achter de deur hing en ging naar beneden. Rafe was al op, was koffie aan het zetten en deed de gordijnen open.

'Het weer is omgeslagen,' zei hij. 'Jammer. Ik vond de bijtende kou en de zon wel prettig. Heb je kunnen slapen?'

'Af en toe.' George pakte dankbaar zijn mok koffie aan. 'Het punt is dat dit probleem tussen mij en alle andere dingen in staat. Ik ben er aldoor mee bezig, als een terriër bij een rattenhol.'

'Dat klinkt logisch gezien de omstandigheden.'

Er viel een ongemakkelijke stilte. Rafe veegde met een doek over de afdruipplaat, draaide het deksel op de pot met koffie en was zich bewust van zijn machteloosheid. Hij had het gevoel dat Pamela wel het sleutelwoord of de juiste zin zou weten om George te helpen tot een conclusie te komen of in ieder geval medeleven en bemoediging over te brengen. Hij had zijn hele leven lesgegeven en mensen op weg geholpen, maar hij wist niet wat hij met zijn eigen zoon aan moest.

George merkte zijn vaders frustratie en voelde zich ook machteloos. Hij nam een slok koffie, keek uit het raam en pijnigde zijn hersens om een luchtige opmerking te verzinnen die de spanning zou verbreken. De zee klotste onregelmatig tegen de kliffen aan; het leek wel afwaswater. Grijs en onvriendelijk klom hij tegen het land op en gleed weer terug alsof het klimmen te veel moeite kostte. Even later keerde de zee de ontoegeeflijke kust de rug toe en trok zich langzaam terug.

'Ik vroeg me af of ik nog kon gaan zeilen als ik hier was.' George zei het eerste wat hem te binnen schoot. 'Op een of andere manier lukt het tijdens het zeilen beter om helder na te denken.'

Rafe kwam naast hem bij het raam staan alsof hij de mogelijkheid overwoog.

'Weinig wind.'

'Ja, ik moet trouwens terug.' Rafe zei niets. 'Het heeft geen zin om hier te blijven...' George zweeg. 'Zo bedoelde ik het niet. Het is altijd fijn om bij jullie te zijn, maar ik denk dat ik terugga om tegen Penny te zeggen dat ik het heb verteld. Ze zal zich wel afvragen hoe jullie hebben gereageerd...'

'Beste jongen, je moet doen wat jou het beste lijkt.' Rafe sloeg een arm om de brede schouders van zijn zoon en omhelsde hem even. 'Je bent altijd welkom. Bel even als je weer thuis bent.'

'Dat zal ik doen.' George dronk zijn koffie op. 'Gaat het met ma?'

'Je moeder redt het wel. Ze wil alleen het beste voor je.'

'Het zou handig zijn als we wisten wat het beste was. Relaties zijn erg ingewikkeld.' Hij schudde zijn hoofd alsof hij verbijsterd was. 'Ik blijf me namelijk afvragen waarom. Ze leek heel gelukkig in Londen met al haar vrienden om zich heen. Ze had goed kunnen wennen, had een leuke baan. Misschien had ik haar nooit moeten vragen alles op te geven.'

'Maar dan hadden jullie elkaar amper gezien,' bracht Rafe naar voren. 'En ik had de indruk dat ze graag met je wilde trouwen en hier wilde komen wonen.'

George knikte en haalde zijn schouders op. 'Dat idee had ik ook. Ze kon het ook erg goed vinden met enkele andere vrouwen, al ging ze als ik op zee zat vaak terug naar Londen om haar vrienden op te zoeken. Met Tasha erbij werd dat natuurlijk lastiger, maar toen besloot ze dat ze niet meer in de stad wilde wonen en ik dacht dat ze rust zou vinden in het huisje. Ze had er echt haar zinnen op gezet.'

'Misschien,' zei Rafe voorzichtig, 'probeerde ze afleiding te vinden. Misschien was het haar manier om iets van haar huwelijk te maken, zodat ze niet meer aan... dinges hoefde te denken.'

Een vreemde fijngevoeligheid zorgde ervoor dat hij de naam van Penny's minnaar niet wilde noemen, maar George had daar geen moeite mee.

'Brett,' zei hij zonder enige bijklank. 'Misschien heb je gelijk. Ik was boos omdat het erop leek dat ze meteen toegaf op het moment dat hij op het toneel verscheen. Nu begin ik te geloven dat hij, zonder dat ik het wist, al langer in de buurt rondhing.'

'Is dat waarschijnlijk?' Rafe dacht aan de theorie die hij gisteravond bij Pamela had geopperd. 'Zou je dan niets hebben gemerkt?'
George haalde zijn schouders op. 'Waarom zou ik? Je gaat er toch niet automatisch van uit dat je vrouw een verhouding met een vroegere minnaar heeft? Vooral niet als je denkt dat hij duizenden kilometers verderop zit.'

Rafe keek hem aandachtig aan. Op het gezicht van zijn zoon was geen spoor van jaloezie te bekennen: geen enkele verbittering. Hij moest opnieuw aan de kaartjes voor de rugbywedstrijd en aan Jeremy MacCann denken: opnieuw had George het gevoel dat hem tekort werd gedaan, ditmaal door Penny, maar tegelijkertijd had hij medelijden met haar.

'Als je de vrije keus had, wat zou je dan doen, George?' vroeg hij ongewild.

George grinnikte. 'Vrije keus? Hoe spel je dat, pa?' vroeg hij. 'Wat het zwaarst is, moet het zwaarst wegen. Ik wil er zeker van zijn dat Penny en ik er alles aan hebben gedaan voordat we er een punt achter zetten.'

'En dan?' vroeg Pamela, die opeens achter hem stond.

'Dan zien we wel weer.' Hij boog naar voren om haar een zoen te geven. 'Goedemorgen. Ik ga ervandoor, ma. Ik wil tegen Penny zeggen dat ik het heb verteld, want dat had ze me gevraagd, en ik zal zeggen dat jullie heel verdrietig maar niet boos zijn. Het laatste wat ik wil, is dat Brett en zij het idee krijgen dat ze ongelukkige geliefden zijn die het tegen de hele wereld moeten opnemen. Ze moeten beseffen dat het allemaal deprimerend ordinair en niets bijzonders is.'

'Je maakt schoon schip,' zei ze peinzend.

'Zo zou je het kunnen noemen.' Hij keek geamuseerd vanwege de uitdrukking. 'Wil je tegen Joss zeggen dat ik het vervelend vind dat ik haar niet heb gezien?'

'Joss?' vroeg ze vlug.

Het bleef even stil.

'En tegen Mousie,' zei hij kalm, 'en tegen Bruno en Emma. En tegen Mutt natuurlijk. Ik heb het gevoel dat ik geen tijd te verliezen heb. Ik heb maar een paar dagen vrij.'

'Je moet doen wat je het beste lijkt,' zei ze, en ze sloeg haar armen om hem heen. 'Laat wat van je horen, lieverd. Doe Penny en Tasha de groeten. Weet dat we voor je klaarstaan als je ons nodig hebt.'

'Dat weet ik.' Hij hield haar even stevig vast. 'Bedankt, ma. Ik bel zodra ik thuis ben.'

Hij ging naar boven. Pamela bleef roerloos staan en had haar hoofd nadenkend gebogen.

'Ik wilde je net koffie gaan brengen.' Rafe sprak op normale toon en luisterde met één oor of hij geluiden op de trap hoorde. De badkamerdeur ging dicht. 'Wat bedoelde je met schoon schip maken?' vroeg hij zacht.

'Dat gevoel heb ik gewoon.' Ze stak haar hand uit en hij gaf haar de mok. 'Hij hield nooit van wanorde, hè? Hij wilde dingen altijd pasklaar, haatte alles wat niet eerlijk ging, wilde oude zaken helemaal hebben afgerond, voordat hij aan iets nieuws begon.'

'Nog meer clichés?' vroeg Rafe droog. 'Je neemt het vanochtend verrassend luchtig op.'

'O, Rafe, ik ben opgelucht,' antwoordde ze. 'Ik denk... o, jee, daar komt weer een cliché, maar ik denk dat ik licht aan het eind van de tunnel zie.'

'Na regen komt zonneschijn?' opperde hij opgewekt. 'Gelukkig maar. Als hij weg is, mag je het me uitleggen, want ik zie het niet.'

In The Lookout staarde Emma verdrietig naar de haard, met haar arm om Nellie heen die naast haar op de bank zat.

'Zo plotseling,' mompelde ze. 'Ik kan het niet geloven. En die arme Joss was daar helemaal alleen met haar.'

Bruno zette dit misverstand niet recht. Ook hij had koffie gezet, maar Emma's koffie stond onaangeroerd op tafel.

'Het had veel erger gekund,' zei hij. Hij hoorde de gebruikelijke nutteloosheid van de woorden, maar was te moe om iets origineels te verzinnen. 'En het is heel fijn dat Mutt geen pijn heeft gehad.'

Er stroomden tranen over Emma's wangen en ze veegde ze weg met de rug van haar hand.

'Ik wou dat je me wakker had gemaakt toen je wegging,' zei ze.

'Dat had niets uitgemaakt,' zei hij. 'Toen ik kwam, leefde ze al niet meer.'

'Ik moet naar Joss toe.' Het leek erop dat ze ging staan, maar ze liet zich weer op de bank zakken alsof opstaan door het gewicht van haar verdriet niet lukte.

'Ik heb toch gezegd dat ze slaapt,' bracht hij haar in herinnering. 'Mousie zal ervoor zorgen dat ze op tijd naar haar werk gaat, maar nu moet ze uitrusten.'

'Ze hoeft toch niet naar haar werk?' sputterde Emma. Ze legde haar wang tegen de kop van Nellie. 'Ze zullen het toch wel begrijpen? Arme Joss...'

'Ze wil zelf.' Bruno was er nooit in geslaagd Emma uit te leggen wat arbeidsethos inhield. 'En ze heeft gelijk. Blijven werken is het beste voor haar. Dat leidt af. Waarom ga je niet naar Paradise om te kijken of je Mousie kunt helpen? Dan kun je met Joss praten als ze wakker wordt.'

'Dat doe ik.' Emma vermande zich. 'Mousie zal de dokter wel gebeld hebben en een van ons zal contact moeten opnemen met de begrafenisondernemer...'

'Er moet veel geregeld worden,' beaamde hij. 'Ik ga douchen en ga me scheren. Nadat ik het aan Rafe en Pamela heb verteld, kom ik ook.'

Ze keek hem aan en was blij met zijn aanwezigheid. 'Zo te zien ben je doodmoe,' zei ze ongerust. 'Zou je een paar uur kunnen slapen? Waarom probeer je het niet?'

'Misschien doe ik dat wel,' zei hij. 'Ik zie wel hoe ik me voel nadat ik heb gedoucht. Red jij het?'

Ze knikte hoewel haar lippen een beetje trilden. 'Het is moeilijk te geloven dat ze er niet meer is.'

'Je mag best huilen, hoor,' zei hij vriendelijk. 'Je hoeft je voor mij niet groot te houden.'

'Dat weet ik,' zei ze. 'Je hebt gelijk over dat bezig blijven. Dat geeft afleiding. Ik ga me aankleden en daarna ga ik naar Paradise. Het is niet goed om alles aan Mousie over te laten en ik wil afscheid nemen van Mutt. O, mijn god! Ik kan het niet geloven.'

Haar ogen deppend zag hij haar de kamer uit lopen. Vervolgens dronk hij in één teug zijn koffie op. Hij bukte zich om Nellie te aaien en vroeg zich af of Joss aan de brieven zou denken, of ze kans zou zien ze op een veiliger plek neer te leggen. Hij nam de mokken mee naar de keuken, liet Nellie naar buiten en liep aldoor te dubben hoe en wanneer hij de brieven kon weghalen uit Paradise.

22

Joss werd plotseling wakker. Ze hoorde de voordeur dichtgaan en er klonken gedempte stemmen in de gang. Haar hart kneep samen toen ze zich bewust werd van het verdriet en de ongerustheid. Ze kroop in elkaar onder de dekens en verzamelde moed om de dag aan te kunnen. Er was heel veel veranderd, ondanks Bruno's geruststelling dat ze nog precies dezelfde persoon was die ze altijd had gedacht te zijn. Emma was haar moeder, Mutt was haar grootmoeder, dat was waar: maar er bestond nu geen relatie meer met Bruno, Mousie of Rafe en ze had al ondervonden hoe moeilijk het was om te doen of dat wel zo was. Het lag niet in haar aard om mensen te misleiden of dingen te verbergen, en de luttele minuten met Mousie hadden duidelijk gemaakt dat de verhoudingen van nu af aan heel anders zouden liggen. Ze had gemerkt dat ze, nadat ze even aan het idee had moeten wennen, Bruno in vertrouwen kon nemen en met hem had kunnen praten alsof er geen verschil was. De liefde en het vertrouwen tussen hen, die in de loop der jaren waren gegroeid, hadden hun vruchten afgeworpen en hun vriendschap was sterker gebleken dan familierelaties en bloedbanden. Toch was er een verschil.

Joss ging op haar rug liggen en duwde de lauwe kruik weg. Het verschil was dat Bruno het geheim met haar deelde. Dat zou hun band eerder versterken. Tegenover de andere familieleden moest ze nu altijd op haar hoede zijn. Hoe had Bruno die geheimzinnigheid jaren volgehouden? Zou zij dat ook kunnen? Angst deed haar spieren verstijven toen ze aan haar moeder en de mogelijke complicaties met het testament dacht. Hoe kon zij, Joss, nu nog iets van het landgoed accepteren en hoe kon ze het goedvinden dat haar moeder erfde boven Rafe en Mousie, vooral als haar vader zich ermee ging bemoeien? Ze wist hoe hij was: als haar moeder de werf kreeg, zou hij Emma ervan proberen te overtuigen dat het ontwikkelen van de inham in ieders belang was: dat Mousie, Rafe en Pamela en de hele familie er beter van zouden worden.

Joss bewoog, knarsetandde van onrust en zag zijn campagne al voor zich: geduldig, meedogenloos en goedgehumeurd. Het punt was dat dit voor verdeeldheid in de familie kon zorgen. Rafe en Pamela zouden het een afschuwelijk idee vinden, maar hun twee oudste kinderen zouden zo'n winstgevend project hoogstwaarschijnlijk toejuichen. Olivia en Joe, die opgroeiende kinderen hadden, zouden meteen enthousiast zijn omdat dit een inkomensverbetering kon betekenen. Ze zouden weinig begrip hebben voor het feit dat hun ouders het vreselijk zouden vinden om uit de inham weg te moeten of zich schuldig zouden voelen als ze bleven. Joss kon zich goed voorstellen hoe moeilijk Pamela het zou vinden om zich te verzetten als haar eenmaal was voorgespiegeld dat haar kinderen er financieel zo veel op vooruit zouden gaan.

Olivia en Joe hadden nooit die passie voor de vallei van St Meriadoc gevoeld die George en zij deelden. Ze popelden om te vertrekken. Ze waren allebei ambitieus en toen ze succesvoller werden, kwamen ze algauw minder vaak op bezoek. Zelf voerden ze aan dat dit door de toegenomen werkdruk kwam en dat het lastig was om met steeds meer kleine kinderen te reizen. Dat de rust en natuurlijke schoonheid dan verloren zouden gaan, liet hen koud. Ze zouden niet wakker liggen van het vooruitzicht dat The Lookout een luidruchtig vakantiepark zou worden. Voor Rafe, Pamela en Mousie zou het heel erg zijn, maar degene die er het meest onder zou lijden was Bruno, de ware erfgenaam en enige rechtmatige begunstigde. De rust en privacy waar hij erg aan gehecht was, zouden verdwijnen. Ook al waren het zijn neven en nicht die er financieel beter van werden, dan nog was het helemaal verkeerd dat deze vernietiging zou plaatsvinden op aandrang van iemand die helemaal niets te zeggen had over het landgoed dat aan Bruno's familie toebehoorde. Joss vroeg zich af of ze haar mond kon houden als het zover kwam. Misschien zou het op een bepaald moment toch noodzakelijk zijn de waarheid te vertellen en de brieven te tonen. Ze moesten op een veilige plek bewaard worden, voor het geval dat.

De gedachte aan de brieven zorgde ervoor dat ze overeind kwam en op de rand van het bed ging zitten. Ze vroeg zich af of het Bruno was gelukt ze te verstoppen toen Mousie en zij de salon uit waren gegaan. Met een beetje geluk had hij ze meegenomen naar The Lookout en ze daar in zijn studeerkamer verstopt, een vertrek dat meestal verboden terrein was. Terwijl ze piekerde over waar ze waren, ging de deur open en kwam Mousie binnen met een mok thee. Ze zette de mok op het nachtkastje naast het bed en raakte even Joss' hoofd aan. Ze deed het zacht, liefdevol en tegelijkertijd bemoedigend, en Joss glimlachte naar haar. Toen ze in die vriendelijke bekende blauwgrijze ogen keek, dezelfde kleur als die van Rafe en George, raakte ze in de war en ze klemde haar handen tussen haar knieën in een poging bij haar voornemen te blijven en moed te verzamelen.

'Heb je geslapen?' vroeg Mousie. 'Mooi. Emma is er, net op tijd om je nog te zien voordat je naar Bodmin gaat. Ik heb pap klaargemaakt.'

Joss knikte, vertrouwde zichzelf niet genoeg om iets te zeggen, en Mousie liep rustig de kamer uit. Ze pakte de mok en dronk van de warme, opbeurende thee. Het leek onmogelijk dat ze, nog maar een paar uur geleden, had gedacht dat de nieuwe feiten geen invloed zouden hebben op haar relatie met George. Het verleden zou er niet door veranderen, dat was waar, maar hoe moest het verder? Vandaag zou ze hem op een bepaald moment zien. Dat maakte haar blij en bang tegelijk. Misschien zou het vanaf nu steeds zo gaan: niets zou ooit nog eenvoudig zijn. Er waren wel meer dingen die gecompliceerd lagen. Vanaf haar kinderjaren had ze geprobeerd om niet alleen naar haar vaders krampachtige krenterigheid en vernederende minachting voor zwakheid te kijken, maar ook naar zijn vermogen om in materieel opzicht zijn gezin te onderhouden. Ze had haar moeders overvloedige gulheid en liefdevolle hartelijkheid proberen te rijmen met haar onvermogen om met onvriendelijkheid en boosheid om te gaan. Ze had geprobeerd hen te begrijpen en nadat ze had bepaald welke karaktertrekken positief waren, had ze hun goede eigenschappen overgenomen. Nu moest ze een ander soort compromis sluiten.

Joss dronk haar thee op en ging douchen.

Beneden troostte Mousie Emma door te zeggen dat Mutt vredig in haar slaap was overleden.

'Maar het leek veel beter te gaan,' zei Emma huilerig. 'Ze was gisteren heel helder. Ik dacht echt dat ze aan de beterende hand was.'

'Dat gebeurt vaker.' Mousie roerde in de pap. 'Heldere momenten vlak voor het eind. Wees blij dat ze niet langer heeft geleden.'

'Dat ben ik ook, maar als ik het had geweten was ik gisteravond gebleven.' Er liepen weer tranen over Emma's wangen. 'Ik vind het harteloos dat ik naar The Lookout ben gegaan.'

'Maar je kon het niet weten. Niemand wist het. Ze had ook beter kunnen worden en weer een terugval kunnen krijgen. En wat dan? Op welk moment zou het redelijk geworden zijn om te denken: misschien gaat Mutt vandaag dood? En wat had je eraan willen doen? Had je voor de zekerheid hier je intrek willen nemen?'

'Dat zou ze vreselijk gevonden hebben.' Emma veegde met een papieren zakdoekje over haar wangen. 'Ze was erg onafhankelijk.'

'Precies. Bruno kwam elke dag langs en wij waren ook in de buurt. Vergeet niet dat Joss de afgelopen maanden bij haar heeft gewoond. Dat vond ze ontzettend fijn.'

'Ja, dat weet ik wel.' Emma probeerde te glimlachen. 'Sorry, Mousie. Ik stel me aan. Ik denk... dat ik nog aan het idee moet wennen.'

'Het is altijd een klap.' Mousie raakte haar schouder aan en zette een mok koffie voor haar neer. 'Ook als je het verwacht. Het definitieve ervan went nooit. Te moeten accepteren dat je nooit meer de kans krijgt om dingen uit te praten, om nog één keer samen te lachen om een grap, om elkaar te omhelzen – of wat dan ook – te weten dat dat voorgoed onmogelijk is.'

Mousie wendde haar gezicht af om haar eigen emoties te verbergen en Emma's ogen vulden zich weer met tranen.

'Sorry,' zei ze nogmaals. 'Ik kan beter naar boven gaan om afscheid van haar te nemen, Mousie. Denk je ook niet?'

Ze aarzelde en Mousie glimlachte bemoedigend naar haar.

'Doe dat maar,' zei ze. 'Joss komt zo naar beneden...'

Emma stond op en vermande zich, zodat ze in het bijzijn van haar dochter niet zou instorten, en bereidde zich voor op wat haar wellicht te wachten stond. Ze kwamen elkaar tegen in de gang. Emma schrok van de gekwelde blik op het gezicht van haar kind, vergat haar eigen verdriet en omhelsde haar stevig.

'Je hebt het heel goed gedaan, schat,' zei ze liefdevol. 'Wat heerlijk dat je die laatste weken bij Mutt was. Je hebt haar erg gelukkig gemaakt.'

Joss glimlachte flauw maar dankbaar. 'Ga je naar haar toe? Zal ik meegaan?'

Emma verzette zich tegen de neiging om 'ja, graag' te zeggen en schudde haar hoofd. Zo te zien had Joss het al zwaar genoeg voor de kiezen gehad.

'Ik ga liever alleen,' loog ze. 'De laatste keer, snap je?'

'Natuurlijk.' Joss kon haar opluchting niet helemaal verbergen en met een vreemd gevoel van voldoening ging Emma naar boven.

Joss keek haar na tot ze uit het zicht verdwenen was. Ze luisterde naar de geluiden van bedrijvigheid die uit de keuken kwamen en liep toen vlug de salon in. De gordijnen waren open en het vuur was opgestookt – Mousie had kennelijk besloten dat ze vandaag het comfort van een haardvuur en een warme kamer nodig hadden – maar Bruno's gebruikte mok stond nog op de kleine tafel en de krant lag nog op precies dezelfde plek als waar Joss hem gisteren had achtergelaten. Ze liep vlug naar de bank, tilde de zitting op en slaakte een zucht van verlichting: de brieven waren weg.

George was vertrokken en Joss was al onderweg naar Bodmin toen Bruno bij The Row arriveerde om het trieste nieuws te brengen.

'O, Bruno, wat vreselijk.' Pamela stak een hand naar hem uit en hij nam die in de zijne. 'Rafe en ik hebben een paar dagen geleden nog thee met haar gedronken op haar slaapkamer. Ik moet zeggen dat ze erg verzwakt klonk.'

'Ze heeft een korte opleving gehad.' Hij kneep nog een keer in haar hand en liet hem toen los. 'Gisteren was ze geestelijk heel helder, maar erg moe. Ik denk dat ze alles bij elkaar te veel mankeerde om te kunnen herstellen: eerst die val en toen die luchtweginfectie. Jammer dat ik George heb gemist.'

Er viel een korte ongemakkelijke stilte en toen spraken ze allebei tegelijk.

Rafe: 'Hij heeft momenteel wat problemen...'

Pamela: 'Ik zie niet in waarom Bruno het niet zou mogen weten...'
'Jullie hoeven niets te zeggen,' zei Bruno vlug, te vlug. 'Het gaat me niets aan. Ik vroeg me alleen af of hij terug is naar zee of dat hij misschien bij de begrafenis kan zijn. Meer niet.'
'Hij heeft verlof,' zei Rafe verlegen. 'Slechts een paar dagen, maar ik weet zeker dat hij komt. Hij mocht Mutt erg graag.'
'Wij allemaal,' zei Pamela droevig. 'Het was een schat van een mens en we hebben samen veel plezier gehad. We zijn haar enorm dankbaar. Rafe en ik hadden nooit in dit huis kunnen wonen als zij niet zo ruimhartig was geweest met de huur. En dat geldt ook voor Mousie. We hebben ontzettend veel geluk gehad.'
Het was weer stil. Bruno, die niet kon garanderen dat er niets zou veranderen, deed er het zwijgen toe.
'Arme Joss,' zei Pamela, die Bruno's verlegenheid bemerkte en daarom een ander onderwerp aansneed. 'Wat een klap voor haar. Voor ons allemaal natuurlijk...'
'Zeker,' zei Rafe snel. 'Wat jammer dat George al weg is.'
'Dat geeft niet,' zei Bruno. 'Hij zou toch niets kunnen doen. Ik kan nu beter naar Paradise gaan. Sorry, dat ik jullie slecht nieuws moest brengen...'
Hij voegde er bijna aan toe: '... terwijl jullie al genoeg ellende hebben.' Hij bedacht nog net op tijd dat hij niet mocht laten merken dat Joss hem over George en Penny had verteld. Hij aarzelde, stak zijn hand op als groet en liep met gefrustreerde gevoelens naar buiten. Hij hoopte maar dat Rafe en Pamela zijn vreemde gedrag aan zijn verdriet zouden wijten. Hij had te vlug geantwoord en had geen verbazing – of bezorgdheid – getoond over het feit dat George problemen had.
Met Nellie op zijn hielen stak hij de smalle brug over en liep vlug de weg op. De ezels stonden bij het hek. Hij bleef staan om tegen hen te praten en wreef hen tussen de oren, terwijl ze tussen de lage spijlen van het hek door aan Nellie snuffelden. Op hun grijze vacht lag mist die zacht binnendreef vanaf zee, in rookachtige pluimen over het grasland trok en in de zwarte kale takken van de beuken bleef hangen. Hij rilde, zette zijn kraag op tegen de kou en klopte nog een laatste keer op hun snuiten, waarna hij verder liep.

Hij liet zichzelf binnen via de achterdeur en bleef in de gang staan. Hij luisterde naar het zachte gemompel van stemmen uit de slaapkamer boven en ging toen de salon in. Hij liep vlug naar de bank, tilde de zitting op en slaakte een zucht van verlichting: de brieven waren weg.

23

Rafe en Pamela zwegen even toen Bruno weg was.

'Ik ben blij dat we nog bij haar op bezoek zijn gegaan. We zijn toch afgelopen vrijdag geweest?' zei Rafe uiteindelijk. 'Het zou afschuwelijk zijn als we dat niet hadden gedaan, vind je ook niet? De vallei zal niet meer hetzelfde zijn zonder Mutt. Ze was zo'n wezenlijk onderdeel ervan.' Hij zuchtte treurig. 'Arme Bruno.'

'Er was iets met hem,' zei Pamela. 'Heb je dat ook gemerkt?'

'Zijn moeder is net overleden,' bracht hij redelijkerwijs naar voren. 'Wat had je dan verwacht? Arme man.'

'Dat was het niet.' Pamela fronste haar wenkbrauwen en probeerde haar reactie op de ontmoeting te definiëren. 'Het was iets anders. Natuurlijk was hij overstuur, daar gaat het niet om, maar hij reageerde te snel toen we het over George hadden. Hij gaf niet het voor de hand liggende antwoord. Bruno is altijd erg meelevend, zelfs als hij midden in een boek zit. Zo is het toch? Als je een probleem hebt, merkt hij dat. Toen we zinspeelden op George snoerde hij ons de mond en dat is niets voor hem. Hij was niet eens verbaasd. Ik had het gevoel dat hij al wist dat er iets mis was en ons niet van streek wilde maken door ons het gevoel te geven dat we het hem moesten vertellen.'

Rafe schudde zijn hoofd. 'Te ingewikkeld,' zei hij. 'Ik denk dat hij gewoon zichzelf niet was.'

'En heb je gemerkt dat er een vreemde stilte viel nadat we hadden gezegd dat we nooit in dit huis hadden kunnen wonen als Mutt niet zo ruimhartig was geweest?'

'Wat had hij dan moeten zeggen?' antwoordde Rafe nuchter. 'Dat is toch zo?'

Pamela zuchtte geërgerd. 'Er klopte iets niet,' hield ze vol. 'Ik zei het niet in de hoop een bepaald antwoord te krijgen. Ik wilde het gewoon graag kwijt. Maar toen ik het had gezegd, vond ik dat hij best had kunnen reageren... O, ik weet het niet. Hij had toch wel iets kunnen zeggen?'

Rafe keek haar verbijsterd aan. 'Wat dan?'

'Nou, bijvoorbeeld: "Maak je geen zorgen, er zal niets veranderen" of "Ach, jullie horen bij de familie". Ik weet het niet, maar in ieder geval iets. Er viel alleen een heel ongemakkelijke stilte.' Ze stond op en liep met uitgestoken hand op hem af om te voelen waar hij was. 'Rafe, heb je er ooit over nagedacht wat er met ons kan gebeuren als Mutt niet meer het hoofd van de familie is?'

'Nee.' Hij pakte haar hand en hield die vast, trok haar naar zich toe en sloeg zijn arm om haar heen. 'Eigenlijk niet. Bruno en Emma zullen alles erven en ik zie het er echt niet van komen dat ze ons eruit zullen zetten.'

'Nee.' Ze legde haar hoofd op zijn schouder. 'Maar er was iets.' Ze huiverde. 'O, Rafe, ik ben van streek. Eerst George en daarna hoorden we dat die lieve oude Mutt was overleden en nu doet Bruno raar.'

'Ik denk dat je overdrijft,' zei hij kordaat. Hij keek uit het raam en zocht naar iets om haar – en zichzelf – af te leiden. Hij zou Mutt ontzettend missen. 'Het is nogal een druilerige ochtend, maar heb je zin om een eindje te wandelen? Zullen we naar de ezels toe lopen?'

Ze fleurde op. 'Laten we een paar wortels meenemen,' zei ze. 'Maar ik wil niet te lang wegblijven, Rafe. Ik wil thuis zijn als George belt om te zeggen dat hij veilig is aangekomen.'

'We hebben tijd zat,' verzekerde hij haar. 'Hij kan er nog niet zijn en ik wil jouw theorie over George horen, dat van dat licht aan het eind van de tunnel. Na dit droevige nieuws kan ik wel wat licht gebruiken. Trek je jas aan, dan ga ik wortels pakken.'

George was snel over de rustige wegen naar de tweebaansweg gereden en nam op de A30 bij Launceston de afslag om de weg naar Tavistock te volgen. Tijdens de reis was hij in gedachten met van alles bezig en hij merkte de bekende oriëntatiepunten nauwelijks op. Toen hij over de brug over de Tamar reed, keek hij even stroomafwaarts, waar de mist boven de rivier hing en tussen de hoge bomen door kronkelde, die zich vastgrepen aan de steile oevers. Toen hij uit het diepe dal reed, dacht hij aan zijn moeder en hij glimlachte.

'Je maakt schoon schip,' had ze gezegd. Ze had gelijk. Hij vond het vreselijk de waarheid voor hen verborgen te houden, want dat lag niet in zijn aard, maar het kon niet anders omdat het niet alleen zijn geheim was. Hij wist dat Joss er net zo over dacht. Zo was ze: ze had ook een hekel aan uitvluchten. Als kind al was ze anders geweest dan andere meisjes die tegen hun moeder jengelden en mokten als ze hun zin niet kregen.

'Ik doe niet meer mee,' zeiden ze, en dan liepen ze boos weg. Of ze veranderden de regels van het spel in hun voordeel als ze niet aan de winnende hand waren.

Joss had altijd eerlijk gespeeld. Niet meedogenloos zoals Olivia, die nog liever een moord pleegde dan dat ze verloor. Joss speelde met vriendelijke doelbewustheid en ook als ze werd verslagen bleef ze vrolijk. Alleen hij wist hoeveel moeite ze had gehad met haar vaders neerbuigende houding ten opzichte van haar vrienden en zijn voorliefde voor het houden van preken over zuinigheid. Het zinnetje 'Ik had dit nooit bereikt als...' was de lijfspreuk van Raymond Fox. Joss was steeds terughoudender geworden, was er huiverig voor haar vrienden bloot te stellen aan zwartgallige geestige opmerkingen die ten koste van hen werden gemaakt en ze was helemaal voorzichtig met jongens die ze graag mocht. Ze was zo vaak mogelijk naar St Meriadoc gevlucht en toen ze eenmaal haar diploma had, was ze teruggekeerd naar Cornwall.

Hij reed voorzichtig door Milton Abbot, meerderde vaart toen hij het dorp uit reed en zag het gezicht van Joss voor zich: donkere rechte wenkbrauwen boven lichtbruine ogen, een korte rechte neus en een brede lachende mond. Als ze elkaar niet uit het oog waren verloren tijdens die cruciale periode dat ze volwassen werden, hadden ze nu misschien niet in deze vreselijke situatie verkeerd.

Schoon schip maken.

Hij had niet aan zijn moeder kunnen uitleggen dat het noodzakelijk was om te geloven dat hij er alles aan had gedaan om zijn huwelijk te redden, zowel voor Joss als voor alle andere betrokkenen. Joss en hij wilden allebei geen verwarring of twijfel: het was alles of niets. Penny had het zover laten komen dat hij het aan zijn ouders moest vertellen en in zijn achterhoofd vroeg hij zich af of ze er misschien spijt van had. Nu anderen het wisten, ging ze misschien goed nadenken over waar ze mee bezig was. Ze had met het idee gespeeld om bij hem weg te gaan. Nu had dat idee concreet vorm gekregen doordat het onder woorden was gebracht en het was uitgegroeid tot een afschrikwekkende realiteit. Misschien zou ze dit zo beangstigend vinden dat ze zich zou bedenken. Die mogelijkheid moest openblijven.

Toen hij door de buitenwijken van Tavistock richting Yelverton reed, rekende hij af met de ongerustheid en de depressie die hem de afgelopen weken – sinds Penny had aangekondigd dat ze bij hem weg wilde – hadden achtervolgd. Ze was dol op zijn ouders en hun reactie kon voor haar gewicht in de schaal leggen.

Hij reed het kleine weggetje op dat uit Yelverton voerde, was er bijna en zag Penny's vijfdeursauto op de parkeerplaats naast het huis staan. Iets voorbij het hek werd de weg breder en hij parkeerde dicht tegen de doornheg aan, stak zijn hand uit om het portier te openen en stapte uit. Hij was misselijk van ongerustheid en verwarring, en zocht naar een kalme, vriendelijke openingszin zodat ze neutraal konden beginnen: geen beschuldigingen over en weer, geen poging tot emotionele chantage.

Hij liet zichzelf binnen en riep: 'Ik ben het.'

Als je de voordeur opendeed, stond je meteen in de woonkamer, maar er was niemand. Hij keek naar de lange smalle keuken en riep onder aan de trap.

'Hallo. Ik ben er weer.'

Toen hij de korte steile trap op klom, wist hij al dat ze weg was. Hij kon niet meteen zeggen wat hij miste, maar onbewust wist hij dat deze sfeer van leegte anders was dan wanneer Penny boodschappen was gaan doen of bij vrienden zat. Toen hij in de twee slaapkamers en in de badkamer keek, nam de zekerheid toe. De kamers waren te netjes: de gebruikelijke rommel die zich in zo'n klein huis leek te verspreiden en te vermenigvuldigen ontbrak, en hij rook steeds sterker een zoete, bijna misselijkmakende lucht die hij, bij terugkeer in de woonkamer, opeens onverdraaglijk vond.

Toen hij het raam openzette en de koele, frisse lucht inademde, zag hij de pot met hyacinten. Penny had de bolletjes vlak voor kerst op de markt in Tavistock gekocht en had de pot op de vensterbank gezet, zodat hij in de zon stond. De blauwe klokvormige bloemen waren topzwaar, zodat de dikke lichtgroene stengels doorbogen. Ze waren uitgebloeid, maar hun doordringende geur hing nog steeds in het bedompte huis. Hij nam ze mee naar de keuken om ze water te geven en toen zag hij een brief op de keukentafel liggen, die onder de groene, met de hand beschilderde voorraadbus met koffie uitstak. De aardewerken bus maakte deel uit van een set van drie die Penny in Wadebridge had gekocht; er waren ook bussen voor suiker en thee. Hij had een kleine plank opgehangen en ze had de drie voorraadbussen op een rij gezet en was dolblij geweest met het resultaat. Hij zette de voorraadbus terug op de plank en maakte de envelop open. De brief was geschreven met de spontaniteit die kenmerkend voor haar was.

Het spijt me heel erg, George, maar dit is de enige manier waarop ik het kan doen. Het lijkt achterbaks – en dat is het natuurlijk ook – maar het heeft geen zin het nog langer te laten duren. Brett logeerde in Yelverton en zodra jij gisteren weg was, heeft hij Tasha en mij opgehaald. Tegen de tijd dat je dit leest, zitten we in het vliegtuig naar Nieuw-Zeeland.

Ik had nooit met je moeten trouwen, George, omdat ik wist dat ik diep vanbinnen nog gevoelens voor Brett koesterde. Ik geloofde echt dat de liefde die ik nog voor hem voelde eindelijk uitgedreven zou worden als ik getrouwd was. Maar zo werkte het niet en bovendien kwam hij me een jaar later zoeken. Ik had je toen niet moeten bedriegen, maar ik was erg in de war omdat ik voor een deel wél van je hield en ik was niet bereid te snel aan Brett toe te geven vanwege wat hij eerder had gedaan.

Het punt is dat we nooit uit elkaar hadden moeten gaan, dat weten we nu, en ik vind het heel vervelend dat jij de dupe bent geworden van onze fouten. Maar het heeft geen zin de verkeerde weg te blijven volgen. Bovendien heb ik mijn land en mijn familie erg gemist. Dat ligt niet aan jou; dat komt gewoon doordat ik daar thuishoor.

Ik moet je ook vertellen dat Natasha van Brett is. Dat geloof je waarschijnlijk niet; je zult denken dat ik op deze manier voor elkaar probeer te krijgen haar te houden, maar het is waar. Een jaar geleden, vlak nadat je naar zee was gegaan, ging ik naar Londen en toen heb ik Brett weer ontmoet. We lieten ons een beetje meeslepen, maar daarvoor was ik ongesteld geweest en daardoor weet ik dat het zijn kind is. Ik wilde dat toen niet toegeven, omdat ik nog niet zeker wist of ik hem kon vertrouwen. Je hoeft me niet te geloven, er zijn andere manieren om het te bewijzen, maar ik hoop dat je het wel zult doen en ons rustig zult laten gaan.

Het spijt me, George. Ik wil je bedanken voor de fijne tijd samen. Ik heb de naam van mijn advocaat achtergelaten, hoewel het overduidelijk is dat de schuld van de scheiding bij mij ligt. Ik hoef dan ook niets te hebben. Ik hoop alleen dat je me niet te erg zult haten.

Ze had iets neergekrabbeld wat fel was doorgekrast en had vervolgens haar naam geschreven. Hij vermoedde dat ze niet had geweten hoe ze de brief moest beëindigen. Terwijl hij ermee in zijn hand stond en het allemaal probeerde te bevatten, ging de telefoon. Hij bedacht dat hij zijn moeder moest bellen om te zeggen dat hij veilig was aangekomen, nam op en probeerde zich te vermannen. Het was een vrouw van een winkel in Tavistock die tegen Penny wilde zeggen dat haar bestelling binnen was. George handelde het rustig af, zei dat hij de boodschap aan zijn vrouw zou doorgeven en hing op. Na een tijdje pakte hij de telefoon en belde zijn ouders.

'Hoi, ma,' zei hij toen ze opnam. 'Ik ben er weer, maar Penny is weg. Ze is ervandoor met Brett. Ze heeft Tasha meegenomen en ze heeft een brief achtergelaten waarin staat dat het voorbij is. Ze zijn terug naar Nieuw-Zeeland.'

'Weg?' Ze was duidelijk geschrokken. 'O, George, lieverd...'

'Tja, dat is eigenlijk een dooddoener,' zei hij. 'Het spijt me als ik gevoelloos klink, ma, maar ik weet ook niet hoe je dit soort nieuws hoort te brengen.'

'Dat snap ik,' zei ze vlug. 'Fijn dat je hebt gebeld. Je zult wel volkomen van streek zijn. Ik weet niet wat ik moet zeggen en jij hebt waarschijnlijk tijd nodig om bij te komen. Ik moet je echter vertellen dat Mutt vannacht is overleden. Die arme Joss heeft haar gevonden. Je kunt je voorstellen wat een klap dat voor haar was. Ze belde vanuit de praktijk in Bodmin en ik had het idee dat het haar nogal tegenviel dat je al weg was...'

Ze praatte nog even verder, probeerde hen door dit moeilijke moment heen te helpen, maar George had opeens het gevoel dat hem een reddingslijn was toegeworpen.

'Zeg, ik kan hier nu toch niets doen,' zei hij. 'Als jullie het goedvinden, kom ik meteen terug. Misschien kan ik me nuttig maken.'

'Doe dat,' zei ze hartelijk. 'Het zou heel fijn zijn je hier te hebben. Rijd voorzichtig. Je bent waarschijnlijk in shock.'

Toen hij had opgehangen, keek hij om zich heen in de keuken. Hij voelde zich verantwoordelijk voor dit kleine huis dat ooit hun thuis was geweest en opeens stil en ongastvrij overkwam. Hij zou het moeten verkopen, hield hij zichzelf voor, en hij vroeg zich af wat er moest gebeuren met de spullen die ze samen hadden uitgezocht, de aardewerken voorraadbussen en andere dingen die Penny niet had kunnen meenemen.

Hij zag nu dat de hyacinten niet alleen uitgebloeid waren, maar ook begonnen af te sterven, want de randen van de bloemblaadjes waren bruin. De sterke geur leek mislukking en bedrog uit te stralen en hij werd vervuld met grote droefheid. Hij nam de pot mee naar buiten en zette hem op een beschutte plek in de portiek aan de achterkant: later konden de bolletjes onder de heg in de tuin worden geplant en volgend voorjaar zouden ze weer bloeien.

24

Tegen de tijd dat Bruno terugkwam bij The Lookout begon hij te merken dat hij vierentwintig uur niet had geslapen. Het was een drukke, emotionele dag geweest en hij was dankbaar voor Mousies kalme vakkundigheid. Ze had hen overal doorheen gesleept. De begrafenisondernemer had Mutts lichaam meegenomen, er waren plannen gemaakt voor de begrafenis en Mousie had Emma op de been gehouden door haar allerlei klusjes te laten doen.

'Ik blijf hier bij Joss tot na de begrafenis,' had Emma tegen Bruno gezegd toen de dominee weg was en de theespullen waren afgewassen en opgeborgen. 'Ray komt morgen dus Mousie en ik gaan straks naar Polzeath om boodschappen te doen en daarna gaan we de bedden opmaken. Ga maar naar huis en probeer wat te slapen. Zo te zien ben je doodmoe.'

Hij had haar raad graag opgevolgd. Hij had Nellie opgehaald uit de keuken en had over het klif gelopen, hoewel het door de mistflarden onmogelijk was echt ver te kijken. De mist was nu dichter, bedekte zijn jas met kleine glanzende druppels en lag als een deken over de platte zee die nu amper tegen de kliffen aan deinde. Hij voelde de mist kil en vreugdeloos op zich drukken, bekende oriëntatiepunten verbergend en geluiden dempend.

Eenmaal binnen stak hij de haard aan in een poging vrolijker te worden en hij zag het rode lampje van het antwoordapparaat knipperen. De stem van Joss klonk uitdrukkingsloos. Het was een kort bericht, alsof ze er rekening mee hield dat Emma misschien bij hem was als hij het afluisterde.

'Blij dat je die brieven hebt gevonden. Ik kom rond een uur of vijf langs als ik op weg ben naar huis. Goed? Tot dan.'

Bruno drukte op wat knoppen en speelde het bericht nogmaals af: geen vergissing mogelijk. Werktuigelijk stookte hij het haardvuur op, legde de verkoolde houtblokken bij elkaar op hun bed van hete as en pompte met de blaasbalg tot het haardvuur een rode gloed verspreidde. Nellie stootte hem zacht aan, duwde haar neus onder zijn arm terwijl hij op de leren poef bij de vlakke granieten haard zat en kroop dicht tegen hem aan toen hij zijn arm om haar nek sloeg.

'Straks,' zei hij, terwijl hij nieuwe houtblokken opstapelde. 'Ik weet dat je honger hebt. Eerst dit regelen.' Ze likte bemoedigend aan zijn oor en keek met haar heldere gretige ogen naar de sissende tongen van vuur en hij voelde zich vreemd getroost door haar aanwezigheid. Toen het hout goed brandde, liep hij met Nellie op zijn hielen naar de keuken en terwijl hij haar eten klaarmaakte, dacht hij aan de cryptische boodschap van Joss.

Blij dat je die brieven hebt gevonden.

Het was hem volkomen duidelijk welke brieven ze bedoelde – hoewel hij er gemakkelijk een draai aan had kunnen geven als Emma het bericht ook had gehoord – maar dacht ze nu dat hij ze had? Hij keek op zijn horloge: het was tien over halfvijf. De telefoon ging en hij nam op voordat het antwoordapparaat aansloeg.

'Hoi,' zei Rafe. 'Sorry dat ik je stoor. We kunnen ons voorstellen dat het een vreselijke dag voor je is geweest, maar ik bel om te zeggen dat George terug is en graag wil helpen. Je weet maar nooit in dit soort omstandigheden, dus laat het maar weten als hij iets kan doen.'

'Bedankt, Rafe.' Bruno wist even niet meer waar George was geweest en waarom hij terug was. Zijn hersens weigerden gewoon te functioneren. 'Dat is aardig van hem.'

'Pamela vraagt of je wilt komen eten.'

Bruno aarzelde. 'Ik denk het niet. Ik wil vanavond vroeg naar bed. Emma blijft op Paradise bij Joss. Mousie is fantastisch geweest, Rafe. Ik weet niet wat we zonder haar hadden gemoeten.'

'Tja, ze heeft veel ervaring.' Hij reageerde gelaten op de lof voor zijn zus. 'Als we iets kunnen doen moet je maar bellen.'

Hij hing op en Bruno bleef even in gedachten verzonken staan. Misschien had Joss de brieven gepakt en onderweg naar Bodmin in The Lookout neergelegd toen hij bij Rafe en Pamela was. Hij pijnigde zijn hersens: had haar auto in de steengroeve gestaan? Hij wist het niet meer. Hij liep naar de keuken, keek in de woonkamer, doorzocht zijn studeerkamer, maar er was geen spoor van Mutts brieven. Hoewel het nog vroeg was, schonk hij een glas whisky voor zichzelf in en ging bij de haard zitten wachten, terwijl Nellie opgekruld naast hem op de bank lag.

Joss was er om tien voor halfzes.

'Wat een rotweer,' zei ze, terwijl ze naar de haard toe liep om haar handen te warmen. 'Het was afschuwelijk om te rijden. Ik zie dat George terug is.'

Bruno stond op, merkte dat ze erg haar best deed om normaal te doen en duwde haar zacht op de bank.

'George is terug,' beaamde hij, toen hij weer op de poef tegenover de bank zat, 'maar ik weet niet waar hij is geweest. En wat bedoelde je nou met die brieven?'

Ze keek hem aan. 'George is teruggeweest naar Meavy,' zei ze langzaam, één vraag tegelijk beantwoordend. 'En het is een beetje raar dat hij nu al terug is.' Ze fronste haar wenkbrauwen. 'Je snapt toch wel wat ik met die brieven bedoelde? Ze waren weg, dus ik dacht dat jij ze gisteravond had gepakt toen Mousie en ik boven waren.'

'Nee.' Hij schudde zijn hoofd. 'Was het maar zo. Bedoel je dat jij ze niet hebt?'

'Natuurlijk heb ik ze niet. Dat zei ik toch al: toen ik vanmorgen beneden kwam, waren ze weg.'

Ze keken elkaar perplex aan.

'Maar dat kan niet,' zei Bruno. 'Wacht.' Hij deed zijn ogen dicht alsof hij het tafereel weer wilde oproepen. 'Toen Mousie kwam, heb ik ze onder de zitting gestopt...'

'Misschien heeft mama ze gevonden. O, nee!'

'Ik ben de hele dag bij Emma geweest,' zei Bruno ongeduldig. 'Ik kon nergens uit opmaken dat ze een stapel brieven onder de zitting van de bank had gevonden. Lieve help! Waarom zou ze gaan zoeken?'

'Maar waar zijn ze dan?' riep Joss.

'Weet ik veel. Laat me even nadenken... Wacht! De schoonmaakster is geweest, maar die is niet lang gebleven. Mousie heeft tegen haar gezegd dat ze de boel beneden vlug aan kant moest maken en het daarbij moest laten. Misschien heeft zij ze gezien en ergens veilig opgeborgen zonder het te zeggen. Dat zou best kunnen want het was zo'n rare dag.'

'Er is nog iets,' zei Joss tegen hem, waarbij haar lichtbruine ogen groot werden van angst. 'Ik dacht er opeens aan toen ik ging werken. Wat is er met *Goblin Market* gebeurd?'

Hij keek haar wezenloos aan. 'Waarmee?'

'Met Mutts boek,' zei ze ongeduldig. 'Het boek waar ze zo zuinig op was en waar ze uit citeerde in de brieven aan haar zus. Ze schreef dat ze de overlijdensakten en andere documenten achterin had verstopt.'

'Verdorie,' mompelde Bruno zacht. 'Daar had ik nog niet aan gedacht. In welke la zou ze dát hebben gestopt? Je moet het boek vinden, Joss. Het is iets wat Emma gemakkelijk in handen kan krijgen. Verdorie. Hoe haalde Mutt het in haar hoofd?'

'Ze dacht er waarschijnlijk niet bij na.' Joss verdedigde haar grootmoeder, maar ze zag er afgetobd en ongerust uit. 'Het is allemaal al zo lang geleden. Naarmate de jaren verstreken, werden het boek en de brieven minder belangrijk. Pas aan het eind, toen die Amerikaan kwam, dacht ze er opeens weer aan. Waar kunnen ze zijn, Bruno?'

'We moeten niet in paniek raken.' Hij besefte dat hij haar gerust moest stellen. 'Ga naar Paradise en kijk goed rond, maar zorg ervoor dat Emma niet achterdochtig wordt. Ga je nog naar George toe?'

'George?' Even leek het erop dat ze George was vergeten. 'O, Bruno. Ik weet niet hoe het moet met George. Gisteravond dacht ik in een vlaag van verstandsverbijstering dat het er niet toe deed, maar toen ik vanmorgen wakker werd, wist ik niet hoe ik kon doen alsof er niets was veranderd. Mutt, mijn moeder en ik zijn bedriegers. Hoe kan ik nou doen alsof alles is zoals hij altijd heeft gedacht? Ik weet niet hoe ik ermee om moet gaan.'

'Vind je niet dat het tijd wordt om de waarheid te vertellen?'

'O, nee! Geen denken aan.' Ze schudde haar hoofd en keek hem geschrokken aan. 'Dat kan toch niet vanwege mijn moeder?'

De telefoon ging en hij nam op.

'Is Joss misschien bij jou?' Emma's stem klonk ongerust. 'Ze zei dat ze om vijf uur thuis zou zijn en er hangt een dichte mist.'

'Ze is hier, Emma.' Bruno sprak luchtig, zelfs vrolijk. 'Ze komt zo.' Hij hing op en keek bemoedigend en met opgetrokken wenkbrauwen naar Joss.

'Goed,' zei ze, alsof ze bevelen opvolgde. 'Misschien ligt het boek ook in het bureau. Ik zal kijken of de schoonmaakster de brieven misschien ergens heeft neergelegd.'

'Maak je geen zorgen,' zei hij. 'Bel me als er iets is.'

Toen ze weg was, ging hij weer bij de haard zitten wachten. Hij hoorde Mousie de keuken binnen komen en de woonkamer in lopen. Ze zette de tas naast hem op de bank en bleef staan. Even later keek hij naar haar op.

'En nu?' vroeg hij.

25

'En nu?' vroeg Rafe aan Pamela. George was iets voor vier uur terug in St Meriadoc en nu, bijna twee uur later, was hij naar boven gegaan om een bad te nemen. 'Denk je dat het bad symbolisch is? Om het verleden van zich af te spoelen of zoiets?'

'Wat voor indruk maakte hij?' vroeg Pamela dringend, alsof George elk moment kon terugkomen.

'Vreedzaam, maar ingetogen,' antwoordde Rafe na een paar tellen. 'Alsof hij zich eindelijk kan ontspannen... Nee, dat is het niet helemaal. Laat me even nadenken.'

Ze zaten tegenover elkaar aan tafel. Pamela probeerde zijn hand te pakken, die hij over de kranten en andere rommel heen naar haar uitstak, en hij schoof zijn koffiemok opzij.

'Hij klonk nogal vlak,' zei ze bezorgd, alsof hem dit kon helpen een oordeel te vormen.

Ze liet zijn hand los en tastte naar de voorwerpen die op tafel stonden. Een mooie, met de hand beschilderde kruidenpot met pennen erin, een vierkante roze-met-witte porseleinen schaal waar Rafe chocolaatjes en snoep op had gelegd, en enkele kleine houten vogels. Ze pakte een vogel, streek met één vinger over het ruwe hout en voelde aan de scherpe snavel en de pootjes.

'Hij ziet er écht tevreden uit.' Rafe bleef duidelijk bij zijn eerste indruk. 'Maar het is eerder alsof hij door goed geluk is beland waar hij wil zijn dan dat het aan zijn eigen inzicht toe te schrijven is. Hij is erg opgelucht en heel blij. Je krijgt het idee dat hij uit de narigheid is, als je begrijpt wat ik bedoel.'

Pamela zette de vier vogels op een rij, de snavel van de een tegen de staart van de ander, en stelde zich voor dat ze over tafel marcheerden. Ondertussen dacht ze na over Rafes diagnose.

'Dat klopt dan toch?' vroeg ze.

'Bedoel je dat je theorie klopt?' Rafe draaide twee vogels om, zodat ze elkaar paarsgewijs aankeken en de snavels elkaar raakten. 'Ik moet toegeven dat het inderdaad erg waarschijnlijk is.'

'Hij besefte dat hij verliefd was op Joss op ongeveer hetzelfde tijdstip dat Brett weer in Penny's leven kwam. George was bereid voor zijn huwelijk te vechten, maar Penny niet. Hij zal boos en beledigd zijn geweest omdat ze het niet wilde proberen, maar aan de andere kant wilde hij graag vrij zijn. Zij heeft dat probleem voor hem opgelost en hoewel hij nu heeft wat hij wil, schaamt hij zich waarschijnlijk een beetje. Penny heeft alle schuld op zich genomen en dat vindt hij stuitend.'

'En Tasha dan?' De vogels stonden nu op hun tenen en de snavels rustten op de tafel alsof ze wormen zochten. 'Denk je dat George de vader niet is?'

Pamela zweeg lange tijd.

'Ik denk dat we het moeten loslaten,' zei ze uiteindelijk, 'en volgens mij vindt George dat ook. Als Tasha ouder was geweest of als hij meer tijd met haar had kunnen doorbrengen, zou het een ander verhaal zijn. Penny heeft gelijk als ze zegt dat het kind op deze leeftijd haar moeder en een stabiele relatie nodig heeft. Penny is dol op Tasha en ik denk dat ze weet dat Tasha in Nieuw-Zeeland alles zal krijgen wat ze nodig heeft. Ik denk dat het verkeerd zou zijn dat besluit aan te vechten, vooral nu we niet weten wie de vader is.'

'Als Brett de vader is, bewijst dat in ieder geval dat Penny nog een jaar heeft geprobeerd haar huwelijk te redden voordat ze het opgaf.'

'Hij had haar al eens eerder laten zitten. Misschien wilde ze er zeker van zijn dat het hem ditmaal ernst was. Een jonge man neemt de verantwoordelijkheid voor een kind pas op zich als hij zich wil inzetten voor de relatie en hij heeft de afgelopen twaalf maanden volop de kans gekregen weer te verdwijnen. We moeten geloven dat Penny en George een inschattingsfout hebben gemaakt en dat ze nu allebei de kans krijgen het opnieuw te proberen met de juiste persoon.'

De vogels vormden paren en zaten nu twee aan twee in de armen van een zware glazen kandelaar die midden op tafel stond. Pamela zette ze voorzichtig steviger neer en slaakte een diepe zucht van verlichting.

'Het is vervelend dat alles tegelijk komt,' zei Rafe. 'Penny ervandoor en die arme Mutt...'

'Welnee,' zei Pamela snel. 'Het zal George en Joss door eventuele pijnlijke situaties heen helpen. Ze hebben niet zo veel tijd om aan zichzelf, de schuldvraag en alle andere emoties te denken. Ze zullen gewoon verder moeten. Dat is veel beter.'

'Als jij het zegt.'

'Echt, maar ik had wel medelijden met Joss toen ze vanmorgen opbelde. Ze kon haar teleurstelling over het feit dat George was vertrokken niet verbergen. Ze had al verdriet over Mutt en toen kwam dit er ook nog eens bij. Ze hadden een erg hechte band.'

'Arme Joss. Ik snap niet dat ik nooit iets heb gemerkt. Het is een lieve meid, Pamela.'

'Het is een schat,' beaamde Pamela hartelijk. 'Ik kan haast niet wachten om haar te vertellen hoe heerlijk we het vinden van George en haar.'

'Je houdt je mond, hoor.' Hij klonk geschrokken. 'George moet eerst... We weten niet eens of we gelijk hebben.'

'Natuurlijk hebben we gelijk,' antwoordde ze kalm. 'En vanzelfsprekend zeg ik niets totdat hij het officieel heeft verteld. Waar zie je me voor aan?'

Rafe slaakte een diepe zucht van verlichting en stond op van tafel.

'Het kan me niet schelen of het al mag, maar ik heb een borrel nodig,' zei hij.

'Misschien gaat George straks wel naar Paradise toe om Joss en Emma te zien,' mijmerde Pamela. 'Hoe zou het met ze gaan?'

Vanaf het moment dat Joss was gearriveerd, had Emma aan één stuk door gepraat. De woorden stroomden uit haar mond, zoals eerder de tranen uit haar ogen waren gelopen: die lui van de begrafenisonderneming... zulke aardige mensen... Mousie, een rots in de branding... het was heel raar om een boodschappenlijstje te maken terwijl die arme Mutt... de dominee was erg vriendelijk geweest... had hen aan het lachen gemaakt door herinneringen op te halen aan gebeurtenissen uit het verleden... haar eigen trouwerij... de doop van Joss... en toen hij weg was, had ze geprobeerd zich voor te bereiden op de komst van Raymond...

Praten verzachtte de pijn, vormde het tot iets wat hanteerbaar was en hield het verdriet op afstand.

'Ik heb me wezenloos lopen zoeken naar Mutts adresboekje,' zei Emma. 'We zetten natuurlijk een rouwadvertentie in de regionale krant, maar er zijn een paar mensen die ik eigenlijk zou moeten bellen. Ik heb echt overal gezocht...'

'Gezocht?' Het woord verbrak de verdoving in Joss' hoofd. 'Heb je... iets gevonden?'

'Helemaal niets.' Emma klonk geërgerd. Telkens als ik ging zoeken, was er weer iets. De begrafenisondernemer kwam of de telefoon ging of Mousie wilde iets weten.'

'Misschien weet ik waar het is.' Joss probeerde nonchalant te klinken. 'Kun jij voor het avondeten zorgen? Dan zal ik zoeken als jij aan het koken bent.'

'Dat zou heel fijn zijn, lieverd, maar zo te zien ben je hondsmoe.'

'Jij ook.' Joss glimlachte naar haar moeder en wilde sterk zijn. 'Ik heb ontzettende honger. Als jij het eten kunt regelen, zou dat fantastisch zijn.'

'Dat is goed.' Emma stond op, liet zich maar wat graag afleiden. 'Ik heb voor je vader voor morgen heerlijke vis gekocht, maar ik dacht dat wij misschien snel iets eenvoudigs konden eten. Ik heb lamskoteletjes...'

'Prima,' zei Joss vlug, zich afvragend hoe ze een hap door haar keel kon krijgen. 'Hoef ik echt niet te helpen?'

'Nee, hoor,' verzekerde Emma haar. 'Ga maar lekker zitten.'

Toen ze weg was, probeerde Joss helder na te denken. Ze worstelde met een gevoel van dubbele identiteit: het was raar geweest om terug te komen op Paradise, wetend dat het leven nooit meer hetzelfde zou zijn, terwijl ze moest doen alsof er niets was veranderd, behalve dan natuurlijk dat Mutt was overleden. Ze vroeg zich af hoe Bruno dit geheim zo lang had kunnen bewaren. De gedachte aan Bruno bracht haar in actie. Ze keek de kamer rond, tilde zelfs de zitting van de bank nog een keer op en liep stilletjes door de gang naar de kleine salon. Ze zag niets waar brieven in konden zitten. Ze liep naar de boekenkast, las vlug de titels, maar wist diep in haar hart dat Mutt *Goblin Market* nooit op zo'n voor de hand liggende plek zou hebben neergezet.

Het kon natuurlijk zijn dat ze de papieren en de overlijdensaktes er later uit had gehaald en ergens anders had opgeborgen...

Emma kwam achter haar binnen en Joss schrok. 'Wil je misschien iets drinken?' bood ze aan. 'Ik vind dat we daar wel aan toe zijn. Er staat rioja in de voorraadkast, die zal Bruno wel hebben uitgezocht. Heb je daar trek in?'

'Ja, lekker,' zei Joss. 'Goed idee.' Ze glimlachte stralend. 'Ik ben het adresboekje aan het zoeken. Ik weet bijna zeker dat ik het hier ergens heb gezien.'

'Ik heb in het bureau gekeken,' zei Emma, die verder de kamer in kwam alsof ze wilde helpen zoeken, 'maar toen kwam Mousie binnen met een of andere vraag.'

'Doe geen moeite,' zei Joss vlug. 'Iets te drinken klinkt fantastisch. Dan kunnen we een beetje ontspannen, want ik ben nerveus.'

'Dat dacht ik al.' Emma was blij dat haar aanbod zo gretig werd geaccepteerd. 'Ik zal vast inschenken.'

Ze dribbelde weg en Joss slaakte een diepe zucht van verlichting. Misschien was het verstandiger om Emma gezelschap te houden om zo te voorkomen dat ze op verkenningstocht ging. Het was beter om de brieven en het boek te zoeken als Emma sliep. Haastig trok ze de laden uit het bureau: geen brieven, geen *Goblin Market*. Het adresboekje lag op tafel onder een borduurwerk. Joss zuchtte even opgelucht en pakte het: met een beetje geluk zou Emma voorlopig niet meer gaan rondneuzen.

De telefoon ging en ze hoorde Emma haastig de gang in lopen om op te nemen. Vlug pakte Joss Mutts grote handwerkzak en doorzocht die.

'We redden het wel,' hoorde ze haar moeder zeggen. 'Goed idee... Tot morgen... Ja, ik zal het tegen haar zeggen. Het beste.'

Toen Emma ophing, kwam Joss de kleine salon uit met het adresboekje in haar hand.

'Dat was Bruno,' zei ze. 'Hij wilde weten of het goed ging. Hij gaat vroeg naar bed. O, en hij zei dat ik tegen je moest zeggen dat hij de brieven had gevonden waar je het over had.' Ze trok haar wenkbrauwen op bij het zien van Joss' uitdrukkingsloze gezicht. 'Zegt dat je iets?'

'Ja,' zei Joss vlug. 'Natuurlijk, nu weet ik het weer. Het had te maken met het boek waar hij aan bezig is. Correspondentie die hij nodig had. Ik ben blij dat hij ze heeft gevonden. Kijk eens wat ik hier heb.'

Ze stak het adresboekje op en Emma liet luidruchtig haar opluchting blijken.

'Mooi,' zei ze. 'Ik zal onze drankjes halen en dan lopen we er samen even doorheen.'

Joss ging verbluft bij de haard zitten. Bruno had de brieven gevonden. Maar waar? Voordat ze een oplossing had bedacht, kwam Emma met de rioja binnen en had ze geen gelegenheid meer om erover na te denken.

26

'Sorry voor de onderbreking, Mousie,' zei Bruno. Hij ging weer op de hoek van de bank zitten. 'Het zou wreed zijn geweest Joss in spanning te laten. Je hebt de brieven dus gelezen...' Hij boog naar voren, liet zijn onderarmen op zijn bovenbenen rusten en had zijn handen losjes in elkaar geslagen, wat nodig was om een vertrouwelijke sfeer te creëren. 'Laten we bij het begin beginnen. Je hoorde ons praten toen je binnenkwam...'

Mousie zat op de poef en had haar vingers om haar knieën geklemd. Ze keek behoedzaam en alert, maar stak meteen van wal.

'Toen ik de voordeur opendeed, hoorde ik jouw stem. Je had het over de werf en The Row en ik ving de naam Emma op en iets over dat ze een nieuw testament kon laten maken. Joss zei zoiets als: "O, nee. Dat zou helemaal verkeerd zijn. En hoe moet het met Mousie en Rafe?" Op dat moment vermoedde ik dat jullie me niet hadden gehoord en ik dacht dat het minder gênant zou zijn als ik zou laten weten dat ik er was. Ik riep en er viel een geladen stilte. Toen ik om het hoekje van de deur keek, die een eindje openstond, zag ik jou een stapel papieren pakken en die onder de zitting van de bank stoppen. Dat verbaasde me en ik vroeg me af of je wel doorhad dat ik het was – het had net zo goed Rafe kunnen zijn, want die heeft ook een sleutel – en toen kwam je de kamer uit en vertelde me dat Honor...'

Ze zweeg even, aarzelde bij de naam en Bruno herkende eindelijk wat ze probeerde te verbergen. Het was een emotie die hij zelf ook had gevoeld: Mousie was boos. Terwijl hij wachtte en haar meelevend aankeek, registreerde een klein gedeelte van zijn hersens dit feit, dacht erover na en schoof het terzijde.

'Daarna ging alles nogal snel.' Ze vervolgde haar verhaal. 'Ik zorgde er – onder andere – voor dat Joss naar bed ging en pas toen je weg was, heb ik koffie voor mezelf gezet en ben ik de salon in gegaan. In je haast om de brieven te verbergen was er een blijven hangen en die stak onder de zitting uit. Toen dacht ik weer aan dat rare tafereel bij mijn komst.' Ze aarzelde. 'Ik nam aan dat je er vanwege alle ellende gewoon niet meer aan had gedacht en omdat het iets was wat je duidelijk geheim wilde houden, vond ik het verstandig de spullen te pakken en uit het zicht te leggen. Het vervelende was dat de brieven vielen toen ik de zitting optilde en dat ik ze bijna een voor een moest oprapen. Het was onmogelijk om niet een glimp van sommige brieven op te vangen.' Er viel een stilte. 'Ik herkende ze,' zei ze uiteindelijk, 'maar wat vooral mijn aandacht trok, was de naam onder de brieven: Madeleine.' Ze keek hem recht aan. 'Het was een naam die al een paar dagen door mijn hoofd spookte. Die Amerikaan, Dan Crosby, had die naam in zijn brief genoemd. Madeleine Grosjean was zijn oudtante en hij probeerde haar op te sporen.' Ze schudde verdrietig haar hoofd. 'En dan te bedenken dat toen we elkaar spraken ze al die tijd boven lag. Mutt wist het natuurlijk toen ik haar de brief voorlas. "Het is te laat," zei ze. Stel je eens voor wat ze moet hebben gevoeld. Vivians kleinzoon zocht haar en ze kon hem niet de waarheid vertellen... En dan was er nog de foto.'

'Foto?' Bruno fronste zijn wenkbrauwen en probeerde het zich te herinneren. 'Emma had het over een foto.'

Mousies blik gleed langs hem heen alsof ze naar iets van lang geleden keek. Haar gelaatsuitdrukking was een mengeling van ergernis en droefheid.

'Ik denk dat het jaren geleden is begonnen met die trouwfoto van Hubert,' zei ze. 'Ik hield namelijk van hem. Op zo'n romantische, intense manier waarop jonge meisjes verliefd worden op oudere mannen. Ik was twaalf of dertien en hij belichaamde alles wat ik bewonderde. Ik aanbad hem. Ik droomde altijd dat hij, als hij uit de oorlog terugkwam en ik volwassen was, verliefd op me zou worden. En toen kregen we die brief waarin stond dat hij getrouwd was en bij die brief zat een foto.' Ze grinnikte even vreugdeloos. 'Het klinkt heel stom, maar het was een schok. Het was vlak voordat we naar Cornwall terugkeerden. We mochten van je grootvader in het huisje komen wonen. Ach, dat weet je allemaal wel. Maar goed, ik was dus gefascineerd door de foto van de vrouw met wie Hubert was getrouwd. Ik was jaloers op haar, met haar rare hoedje. Ze zag er heel knap en gelukkig uit. Ik nam haar aandachtig in me op en haatte haar.'

Er viel een langere stilte en na een tijdje keek ze hem weer aan.

'Het spijt me, Bruno,' zei ze verdrietig. 'Ik heb het over je moeder, je echte moeder...'

'Het geeft niet,' zei hij vriendelijk. 'Ga door.'

'Tja, de jaren verstreken.' Mousie haalde diep adem terwijl ze terugdacht. 'En toen kregen we bericht dat jullie – Honor en de kinderen – naar huis zouden komen en dat Hubert later zou volgen. Je kunt je voorstellen hoe we ons voelden toen we hoorden dat hij was overleden.' Ze beet op haar lip en schudde haar hoofd. 'En toen arriveerden jullie met z'n drieën. Oom James, mijn moeder en zelfs Dot en oude Jessie werden vervuld van medeleven en verdriet. Ze verwelkomden jullie met open armen, maar ik... Ik had alleen het gevoel dat er iets niet klopte. Tja.' Ze haalde haar schouders op. 'Je hebt de brieven gelezen. Ik reageerde precies zoals ze heeft beschreven en ik vraag me af of mijn gevoel gebaseerd was op die foto. Het was jaren geleden dat ik hem voor het laatst had gezien en toen ik hem een paar dagen geleden weer zag, een kopie althans die de Amerikaan had opgestuurd, besefte ik wat me destijds dwarszat. De vrouw die met jou en Emma naar huis kwam, was niet de vrouw die naast Hubert op de foto stond. Het was namelijk een dubbel huwelijk. Honor trouwde met Hubert en Madeleine met Johnny Uttworth. Ik probeerde het uit bij Emma en die zei meteen: "Vind je ook niet dat Joss sprekend op haar grootmoeder lijkt?" En dat is zo. Als je dat rare hoedje wegdenkt, lijkt Joss erg veel op de Madeleine van toen. Maar zelfs Emma had niet meteen door dat de bruid bij de verkeerde bruidengom stond. Vervolgens zei ze zoiets als: "Wat raar." Voordat ze kon uitleggen wat ze bedoelde, werden we gestoord. De telefoon ging of zo, ik weet het niet meer, maar het moment ging in ieder geval voorbij.'

'Waren je vermoedens daarop gebaseerd?'

Mousie knikte. 'Ja, dat denk ik wel. En ze werden versterkt door Honors gedrag. Ze had door dat ik merkte dat er iets niet klopte en haar schuldgevoel maakte haar nerveus. Ze had gelijk toen ze schreef dat het door jou kwam dat ik de waarheid niet ontdekte. Jij deed alsof ze echt je moeder was en daardoor kwam het niet bij me op dat het anders kon zijn.'

'Is dat de reden voor je boosheid?'

Ze wierp vlug een verbaasde blik op hem en lachte toen. Ditmaal klonk haar lach echt vrolijk en Bruno ontspande zich een beetje.

'Ja, ik was kwaad. Ik heb me al die jaren erg schuldig gevoeld, omdat ik haar nooit volledig kon accepteren. Er was altijd een barrière tussen ons. Ik dacht dat het door oude jaloezie kwam, omdat ik erg veel van Hubert had gehouden, en dat bleef ik mezelf kwalijk nemen. Nu blijkt mijn gevoel te kloppen. Ik ben bedrogen. Niemand wordt graag misleid. Zo is het toch?'

'Het spijt me, Mousie...'

'Maar, beste jongen, dat is niet jouw fout,' zei ze meteen. 'Ik snap de positie waarin je verkeerde en ik besef hoe zwaar de last moet zijn geweest die je al die jaren met je mee hebt gedragen. Ik vraag me af hoe je dat hebt klaargespeeld.'

'Dat beschreef Mutt heel goed,' antwoordde hij. 'Het punt is dat we meestal niet meer precies weten hoe het vroeger was. We kwellen onszelf door te denken dat we net wat meer hadden kunnen doen, dat we iets vriendelijker, sterker, vergevingsgezinder of ruimhartiger hadden moeten zijn. We vergeten dat we op dat moment gewoon niet meer te bieden hadden. Er zijn perioden geweest waarin ik me afvroeg waarom ik het spel heb meegespeeld, maar gelukkig weet ik nog hoe het toen in India was: de avondklok die vierentwintig uur per dag gold in Multan, de gewelddadige sfeer en de overweldigende angst. Ik wilde dolgraag naar huis. Papa had het altijd over St Meriadoc en Paradise en de rust en schoonheid van de vallei. In mijn ogen was hij heel sterk en geruststellend... onoverwinnelijk. Toen hij stierf, werd mijn ergste nachtmerrie werkelijkheid. Ik voel nog steeds de verstikkende hitte en de angst. En toen werd mama ziek. Toen Mutt die hotelkamer binnen stapte met Emma op haar arm was het net of er een engel uit de hemel kwam. Ik vraag me vaak af wat er met me gebeurd zou zijn als ze niet was gekomen. Emma en zij hebben me door het vreselijke verlies heen gesleept.'

'Het spijt me heel erg,' zei Mousie op haar beurt vriendelijk. 'Ik mocht haar erg graag. Ze was heel goed voor me, en ook voor Rafe.'

'Ze probeerde zichzelf ervan te overtuigen dat er niets was veranderd en dat niemand eronder leed dat ze hier was. Ze heeft me Paradise aangeboden toen ik ging trouwen, maar ik wilde het niet hebben en Rafe en jij leken heel tevreden. Uiteindelijk wilde ze dat Joss Paradise zou krijgen.'

'Wat gaat er nu gebeuren?'

Bruno haalde zijn schouders op. 'Nu Joss het weet, wordt het ingewikkelder,' gaf hij toe. 'Ze zal er moeite mee hebben een deel van het landgoed te erven, maar Emma zal onraad ruiken als Joss blijft weigeren.'

Mousie keek verbluft. 'Je bent toch niet van plan het geheim te houden?'

Bruno keek haar aan. 'Emma zou volkomen van de kaart zijn als ze het wist,' zei hij. 'Joss denkt dat ze er nooit overheen zal komen. Je weet hoe heerlijk ze het hier vindt en hoe trots ze op haar familie is.'

'Ze kan nog steeds trots op haar familie zijn,' antwoordde Mousie scherp. 'Ze hoeft alleen maar de brieven te lezen om te weten hoe dapper, warmhartig en sterk haar moeder was. En Joss is net eender. Wat wil ze nog meer?'

'Ze zal het gevoel hebben dat ze hier niet thuishoort. Dat alles een schertsvertoning is geweest.'

'Ik denk dat je haar onderschat,' zei Mousie stellig. 'Verdorie, Bruno! Als ze de schok eenmaal te boven is, zal Emma er heus niet aan twijfelen dat ze hier thuishoort. Ze zal accepteren dat ze erbij hoort. Dat kan toch niet anders na alles wat er de afgelopen vijftig jaar is gebeurd? Je kunt niet doen alsof er niets is veranderd. De leugens die omwille van deze misleiding zijn verspreid zijn ontkracht. Het is waanzin te proberen die in stand te houden. Sterker nog: het zou gevaarlijk zijn. Je kent Joss slecht als je denkt dat ze met leugens kan leven en net zo onaangedaan en gelukkig kan zijn als jij. Tot nu toe ben jij de enige die eronder heeft geleden en jij vond de pijn de moeite waard. Joss zal ons vanaf nu nooit meer ongedwongen tegemoet kunnen treden.'

'Maar Joss wil het zo,' zei hij bijna boos.

Mousie schudde haar hoofd. 'Waanzin,' herhaalde ze.

'Wat moet ik dan?' vroeg hij ongelukkig. 'Joss houdt vol dat Emma het niet mag weten. Wat het testament betreft...'

Hij zweeg en Mousie keek hem sluw aan.

'Weet je aan wie je grootvader het landgoed heeft nagelaten?' vroeg ze.

Bruno haalde vermoeid en onverschillig zijn schouders op en dacht toen na.

'Ik vermoed dat hij alles aan Mutt heeft nagelaten,' zei hij.

Mousie schudde haar hoofd.

'Fout,' zei ze. 'Oom James heeft het aan Huberts vrouw nagelaten. Dat schreef ze toch in de brieven? Weet je nog? Aan Hubert, vervolgens aan Honor en dan aan haar kinderen. Dat ben jij, Bruno. Ben je echt van plan opnieuw successierechten te betalen?'

'Hoe bedoel je?' vroeg hij uitdrukkingsloos.

'Jij had vijftig jaar geleden het landgoed moeten krijgen en niet Honor. Er is toen belasting afgedragen. Het is onzin dat nog een keer te doen. Denk daar maar eens over na.'

'Ik kan niet nadenken,' zei hij uiteindelijk. 'Ik heb de afgelopen nacht niet geslapen en mijn hersens functioneren niet.'

Ze wierp een puur vakkundige, onderzoekende blik op hem.

'Je moet gaan slapen,' beaamde ze. 'Maar, Bruno, je moet het testament vinden en dat boek met die overlijdensaktes erin. Morgen komt Raymond en dan heb je de poppen pas echt aan het dansen.'

27

Zodra hij zijn ontbijt op had, liep George naar Paradise. Een zuidwestelijk briesje tilde de mist op en trok die uiteen, zodat de zon bij vlagen tussen de talmende flarden van suikerspinachtige bewolking door scheen. De zwarte kale takken van de doornheg leken wel roodachtig van kleur en de gele narcissen, die heen en weer bewogen in de natte greppel eronder, hadden een fellere gouden tint. Hij hoorde vlakbij zachte vogelzang en even later zag hij een vlaag koraalrood en wit toen een goudvink naar boven vloog in een hulststruik.

Hij bleef bij het hek staan. De ezels waren aan de andere kant van de wei kalm aan het grazen. Hij keek even naar hen en was zich terdege bewust van dit nieuwe gevoel van vrijheid. Hij was er dankbaar voor, ook al vocht hij tegen zijn schuldgevoel omdat die vrijheid hem zomaar in de schoot was geworpen. Straks zou hij Joss zien en kon hij haar eindelijk vertellen wat hij voor haar voelde. Het vooruitzicht maakte hem nerveus en hij spreidde zijn armen opeens wijd uit alsof hij met deze beweging de spanning kon verdrijven.

Hij liep bij de ezels vandaan, ging de weg op naar Paradise en wandelde tussen de granieten pilaren door de oprijlaan op. Kleine groepjes sneeuwklokjes met hangende kopjes staken bleekwit af tegen de rododendrons en donkerpaarse krokussen overspoelden het kleine gazon met hun felle kleur. Een merel vloog op uit de stevige takken van de wisteria en verbrak de stilte met zijn stotterende waarschuwingskreet. De vogel ging even op de hoge stenen muur zitten, waarna hij uit het zicht verdween.

Omdat hij het gevoel had dat deze omstandigheden een zekere formaliteit vereisten, kwam George niet zoals gewoonlijk via de achterdeur binnen, maar klopte in plaats daarvan aan bij de voordeur. Emma deed de deur wijd open toen ze zag wie het was en glimlachte stralend en vol genegenheid naar hem.

'Wat fijn dat je langskomt, George,' zei ze. 'Hoe gaat het met je?'

Hij gaf haar een vluchtige kus. 'Gecondoleerd met Mutt,' zei hij. 'Ik kom vragen of ik iets kan doen.'

'Dat is erg aardig van je.' Een gissende blik verdreef plotseling de droefheid uit haar ogen en hij wapende zich automatisch tegen haar nieuwsgierigheid. 'Is Penny er ook?' vroeg ze opgewekt. 'Hoe gaat het met haar? En met Tasha?'

Joss was uit de keuken gekomen en stond vanuit het donkere gedeelte achter in de gang naar hem te kijken. George ontmoette haar blik boven Emma's hoofd en schrok van de gespannen uitdrukking op haar gezicht. Ze keken elkaar lang aan en probeerden te raden wat de ander dacht en voelde. Het kostte George moeite zijn aandacht weer op Emma te richten.

'Ze zijn niet meegekomen,' antwoordde hij bondig. Het onverwachte korte antwoord leidde tot een stilte van verbazing en hij hief zijn handen op alsof hij met tegenzin een besluit nam. 'Ik kan het net zo goed meteen zeggen. Penny heeft Tasha meegenomen naar Nieuw-Zeeland. Ze denkt dat ze daar gelukkiger zullen zijn.'

Joss had haar gezicht al afgewend, waarschijnlijk om haar opluchting te verhullen, maar Emma's ogen waren groot van schrik.

'Maar, George,' fluisterde ze. 'Terug naar Nieuw-Zeeland? Ik kan het bijna niet geloven.'

'Het spijt me dat het samenvalt met het overlijden van Mutt,' zei hij. 'Het punt is dat er geen andere manier is om dit soort nieuws te brengen.'

Hij keek nogal machteloos naar Joss, die naar voren liep en een arm om haar moeder heen sloeg. Ze glimlachte naar hem en hij zag nu nog duidelijker dat ze bleek was en er vermoeid uitzag. Hij vermoedde dat ze niet wilde dat haar moeder wist dat dit nieuws voor haar niet echt een verrassing was. Hij glimlachte naar haar en gaf haar een samenzweerderig knikje.

'Loop maar mee naar de keuken,' zei Joss. 'We hebben net ontbeten – op een of andere manier lukte het vandaag niet om op gang te komen – en er is nog koffie.'

'Joss heeft vandaag vrij,' zei Emma, die zich liet meevoeren naar de keuken, 'en ik probeerde haar over te halen vanochtend op bed te blijven liggen. We hebben het allemaal zwaar.'

'Ik kon niet slapen,' zei Joss vlug. 'Ach, je weet hoe dat gaat. Ik ben waarschijnlijk te gespannen en ik heb bijna geen oog dichtgedaan.'

'Misschien knap je op van een wandeling,' zei George, die haar graag onder vier ogen wilde spreken om te vertellen wat er de afgelopen vierentwintig uur was gebeurd. 'We zouden de ezels kunnen meenemen. Je weet dat ze graag een eindje lopen.'

Heel even lichtte het gezicht van Joss op. Van kinds af aan had ze het altijd al ontzettend leuk gevonden om met de ezels over de wegen en de helling te lopen. Het was eigenlijk meer slenteren dan wandelen. Ze hield dan het uiteinde van hun leiband vast en wachtte geduldig terwijl de ezels in de berm aan het grazen waren. Terwijl hij naar haar keek, zag hij het licht in haar ogen doven en het drong tot hem door dat de dood van haar grootmoeder erg hard was aangekomen. Hij schaamde zich omdat hij zijn eigen behoeften boven haar verdriet had gesteld, maar voordat hij het kon goedmaken, glimlachte ze naar hem.

'Misschien later,' zei ze. 'Dat zou fijn zijn.'

Afgeleid, maar nog steeds nieuwsgierig, trok Emma haar wenkbrauwen op.

'Waarom ga je nu niet?' vroeg ze. 'Het is vanochtend een stuk helderder en het zal je goeddoen. Je hoeft over mij niet in te zitten. Ik heb genoeg te doen. Ik moet opruimen en de boel aan kant maken. En je vader komt straks.'

George pakte zijn koffie en merkte dat de hand van Joss licht trilde. Hij keek haar aan en probeerde haar blik te vangen om heimelijk een boodschap uit te wisselen, iets wat ze van kinds af aan hadden gedaan, maar ze ontweek zijn ogen. Het was net of de stroom van genegenheid die altijd vanzelfsprekend van de een naar de ander was gevloeid er niet meer was en hij voelde zich opeens erg eenzaam. Het was duidelijk dat Mutts overlijden haar flink had aangegrepen en nu zijn nieuws daar nog eens bovenop kwam, was ze helemaal uit haar doen. Hij besefte hoe belangrijk haar reactie voor hem was. Sinds hij uit het huis in Meavy was vertrokken, had hij het nieuws met haar willen delen, er met haar over willen praten, zodat het de juiste proporties kon krijgen. Hij zat in een tussenfase en hoopte dat Joss samen met hem de overgang wilde maken.

Hij besefte echter dat het niet helemaal kon gaan zoals hij zich dat had voorgesteld en hij maakte vlug een inschatting van deze nieuwe situatie.

'Later is ook goed,' zei hij, alsof Emma niets had gezegd. 'Er is vast wel iets wat ik in de tussentijd kan doen. Hebben jullie nog genoeg haardhout?'

Joss keek hem dankbaar aan. 'Er ligt genoeg in de houtschuur,' zei ze, 'maar we hebben alle kleinere blokken gebruikt. Rafe regelt dat meestal, maar als je wat grotere blokken zou kunnen splijten...'

'Natuurlijk.' Misschien zou ze in de gelegenheid zijn naar hem toe te komen en met hem te praten terwijl hij aan het werk was. 'Ik drink mijn koffie op en dan begin ik.'

'Ik kan er maar niet aan wennen dat we haar bel niet meer zullen horen.' Emma's ogen vulden zich met tranen. 'Het lijkt gewoon onmogelijk...'

Voordat ze haar konden troosten, hoorden ze een auto en werd er een portier dichtgegooid. Iemand probeerde de voordeur te openen in de veronderstelling dat die van het slot zou zijn. Vervolgens werd er hard en ongeduldig op de deur gebonsd. Emma stond op en liep haastig de gang in.

'Raymond!' hoorden ze haar roepen. 'Tjonge, hoe vroeg ben je wel niet vertrokken? Ik had je op zijn vroegst pas over een uur verwacht.'

George en Joss stonden zwijgend bij elkaar en luisterden.

'Het had weinig zin nog langer daar te blijven.' Zijn stem, die door de gang galmde en in het trapgat weerklonk, was net zo ongevoelig voor verdriet en overlijden als zijn geklop en George voelde Joss ineenkrimpen. 'Door die vervelende mist moest ik langzamer rijden, maar die trok op toen ik de kust naderde.'

'Ik ga houtblokken splijten,' zei George bedaard. Hij pakte Joss bij de schouders en hield haar even vast alsof hij haar gerust wilde stellen. 'Je weet me te vinden als je me nodig hebt, hè?'

Hij bukte zich om haar een kus op de wang te geven, pakte zijn jas en glipte de achterdeur uit op het moment dat Emma en Raymond de keuken binnen kwamen.

Toen hij weg was, greep Joss de rugleuning van een stoel vast om steun te zoeken. Ze was er niet op voorbereid geweest hoe moeilijk het zou zijn George weer te zien, omdat ze nu wist dat ze niet was wie ze altijd had gedacht te zijn. Het was net of George en zij tot op dat moment een onderdeel van hetzelfde geheel waren geweest. Niet alleen omdat ze hetzelfde dachten, dezelfde smaak hadden en hun liefde voor de kleine vallei deelden die verscholen lag aan de noordkust van Cornwall, maar ook vanwege bloedbanden en familierelaties. Nu stond de waarheid tussen hen in. Hoewel ze medelijden had met haar grootmoeder en nog steeds diep ontroerd raakte als ze aan de brieven dacht, was Joss zich ervan bewust dat Mutt noch haar nakomelingen recht hadden op Paradise. Op het moment dat ze George zag, was het tot haar doorgedrongen dat het onmogelijk was om te doen alsof dat wel zo was. Zelfs het nieuws dat Penny weg was, raakte haar minder diep dan achtenveertig uur daarvoor het geval zou zijn geweest. Alleen het verdriet en de zorgen om haar moeder hielden haar tegen, anders was ze in haar auto gestapt en zo ver mogelijk bij St Meriadoc vandaan gereden.

Toch wist ze heel zeker dat de waarheid niet verteld mocht worden. Misschien lag het voor Bruno inderdaad anders. Ongeacht de misleiding was hij in ieder geval een Trevannion en hij had het volste recht om hier in de vallei en in The Lookout te wonen: hij hoorde hier. Toen haar ouders de keuken binnen kwamen, wapende Joss zich opnieuw om te kunnen omgaan met deze kennis die zwaar op haar drukte, genoodzaakt als ze was om vanuit een volledig ander perspectief naar elk aspect van haar leven te kijken. Ze merkte nauwelijks dat haar vader haar vluchtig kuste en zag alleen zijn bekende onderzoekende blik toen hij rondkeek terwijl hij aan tafel zat.

Dit is binnenkort allemaal van mij, leek die blik te zeggen. Er lag vaag een onmiskenbare verwachting op zijn gezicht, zodat Joss een beetje huiverde. Zijn hebzucht had haar altijd tegengestaan en met haar nieuwe kennis vond ze het helemaal ontstellend.

'Wanneer is de begrafenis?' vroeg hij. 'Je zei toch dat de begrafenisondernemer langs was geweest, schat?'

Joss keek hem aan. Ze had het altijd vreselijk gevonden dat hij hen alle twee 'schat' noemde. Het woord drukte geen enkele intimiteit uit, alsof hij het gebruikte omdat hij vond dat hij zijn vrouw en dochter liefdevol moest aanspreken, zonder dat het uitmaakte wat hij zei. Er waren buschauffeurs die haar meer welgemeend 'schat' hadden genoemd.

'Ik zal verse koffie zetten.' Emma liep haastig naar het koffiezetapparaat.

Joss zag dat haar moeder een beetje in de war was door zijn komst en zich niet meer op haar gemak voelde. Ze was al minder de Emma van Paradise, Mutts kind, en meer de volgzame echtgenote van Raymond. Ze deed zelfs anders tegen Joss en dat merkte Joss meteen. Emma was nerveus, voorbereid op onenigheid tussen haar man en dochter, en ging vanzelf vrolijk doen in de hoop hen op die manier te kalmeren.

Joss kreeg last van wroeging. Ze vroeg zich af hoe vaak haar moeder een soort buffer had gevormd en ze bedacht zich dat Emma heel anders was als ze bij Bruno en Mousie was of bij andere mensen bij wie ze zich op haar gemak voelde. Joss beet op haar lip. Het was dus onmogelijk om Emma de troost af te pakken die deze familiebanden haar boden.

'De dominee denkt dat het maandag wordt, maar daar belt hij vanochtend nog over.' Emma onderbrak het koffie zetten en schudde haar hoofd. 'Ik kan het gewoon niet bevatten,' voegde ze er ongelukkig aan toe.

Raymond stak zijn grote vierkante hand uit en klopte Emma op het deel waar hij bij kon.

'Ze heeft waar voor haar geld gekregen, schat,' zei hij niet onvriendelijk. 'Ze heeft in ieder geval niet geleden.'

'De laatste weken heeft ze veel pijn gehad, hoor,' zei Joss. 'Het was een lelijke botbreuk.'

Haar vader glimlachte. 'Je hebt haar ongetwijfeld goed geholpen,' zei hij alsof ze tien was. 'Die dure opleiding is vast van pas gekomen.'

'Ze heeft het geweldig gedaan.' Emma verdedigde haar. 'Dat zei Mousie ook.'

'Juist.' Zijn ogen keken waakzaam. 'Hoe is het met Mousie?'

Emma keek zo ongemakkelijk dat Joss zich erover verbaasde.

'Goed,' antwoordde haar moeder kortaf. 'Hoe lang heb je erover gereden?'

De vraag was duidelijk als afleiding bedoeld en Raymond nam niet de moeite hem te beantwoorden. Hij tikte met zijn vingers op tafel en keek nadenkend.

'Heb je het testament gelezen?' vroeg hij, zijn eigen gedachtegang volgend.

'Nee.' Emma keek ongemakkelijk naar Joss. 'Nee, natuurlijk niet. Het testament zal wel bij Mutts advocaat liggen.'

Ze slaagde erin nonchalant te klinken en Raymond fronste zijn wenkbrauwen.

'Het kan overal liggen,' zei hij geïrriteerd. 'Ik wil het gewoon inzien.'

'Waarom?' Joss kon zich niet beheersen. 'Denk je dat Mutt je misschien iets heeft nagelaten?'

Hij keek haar peinzend aan, alsof hij zichzelf eraan moest herinneren dat ze rouwde om haar grootmoeder. Hij herkende haar minachting, maar dat deed hem niets. Emma ging ongerust tussen hen in staan, maar ze keken allebei niet naar haar.

'Ik moet je moeders belangen behartigen,' antwoordde hij bijna mild. 'Dat snap je toch wel?'

Er lagen verschillende weerwoorden op het puntje van haar tong, maar geen ervan was op dit moment relevant. Ze liet de rugleuning van de stoel los en glimlachte naar haar moeder.

'Ik hoef geen koffie meer,' zei ze. 'Tot straks.' Ze pakte haar geruite omslagdoek, ging rustig naar buiten en deed de deur achter zich dicht.

28

Even hoorde je alleen het doffe geluid van George' bijl. Emma trok een stoel naar achter en ging aan tafel zitten. Ze schonk met opeengeklemde lippen en een bezorgde blik koffie in.

'Je hebt het testament dus niet gezien?'

Het was net of het voorval met Joss niet had plaatsgevonden en Emma ging geïrriteerd verzitten.

'Dat heb ik toch al gezegd? Waarom zou ik? Echt, Ray, je bent zo... zo tactloos.'

Hij deed de kritiek met een schouderophalen af en aan zijn gezicht zag je dat hij zich concentreerde op eventuele problemen.

'Het is belangrijk om voorbereid te zijn,' zei hij, alsof dat een excuus was voor zijn tactloosheid. 'Dat snap je toch wel? Er kan van alles gebeurd zijn in de afgelopen weken.'

Emma keek hem aan. 'Zoals?'

Ze was duidelijk vijandig en omdat hij wist dat hij haar medewerking nodig zou hebben, deed hij een poging begrip bij haar te wekken.

'Heb je al bedacht hoe we ditmaal de successierechten gaan betalen?' vroeg hij. Hij sprak nu zachter, bijna peinzend. 'Toen je grootvader overleed, waren er boerderijen en stukken grond die verkocht konden worden. Nu is er alleen Paradise. Of The Lookout en The Row. Het zal een fiks bedrag zijn.'

Hij zag dat hij haar aandacht had. Ze keek geschokt.

'Wat bedoel je?' riep ze. 'Hoe kunnen we Paradise of iets anders nu verkopen?'

Hij legde een dikke witte vinger tegen zijn lippen, want hij wist maar al te goed dat de kans groot was dat er opeens een familielid kon binnenlopen.

'Het geld moet ergens vandaan komen,' mompelde hij. 'We praten waarschijnlijk over minstens honderdduizend pond.'

'Honderdduizend pond?'

Hij trok zijn wenkbrauwen op bij het zien van haar verbazing. 'Waarom denk je dat ik al jaren tegen Mutt heb gezegd dat ze een deel van het landgoed moet overdragen? Als ze Bruno The Lookout en jou Paradise had gegeven, hadden we een enorm bedrag uitgespaard.'

'Maar Bruno heeft nooit iets over successierechten gezegd.'

Raymond snoof vol minachting. 'Bruno heeft daar geen weet van,' zei hij. 'Die leeft in een andere wereld met zijn stomme boeken. Tja.' Hij haalde zijn schouders op. 'Laten we hopen dat hij genoeg geld verdient om te voorkomen dat hij in de problemen komt.'

'Maar we hoeven Paradise toch niet te verkopen?' Ze keek hem angstig aan. 'Je weet dat ik altijd heb gewild dat Joss Paradise zou krijgen.'

Raymond trok zijn mondhoeken naar beneden. 'Dat zal misschien toch moeten. Dat ligt eraan wat er in het testament staat.' Hij vroeg zich af of ze bang genoeg voor hem was om zijn ontwikkelingsplan al ter sprake te brengen en hij besloot haar nog wat meer aan het schrikken te maken. 'Misschien moet het hele landgoed wel geveild worden. Als alles dan is verkocht, kunnen Bruno en jij het resterende bedrag delen.'

'Maar dat zou afschuwelijk zijn.' Haar ogen waren groot van schrik. 'Dat zal toch niet gebeuren?'

'Och, schat.' Hij lachte inschikkelijk. 'Je kunt wel horen dat jij nog nooit met de belastingdienst te maken hebt gehad. Het zal de mensen daar een zorg zijn hoe ze aan hun geld komen. Er is eventueel nog een andere manier.' Hij klemde zijn lippen nadenkend op elkaar en pakte zijn koffiekopje. 'Maar dan moet ik eerst dat verdraaide testament lezen.'

Ze keek met gefascineerde afkeer toe, terwijl hij bedaard slokken koffie nam en ze zelf ook haar koffie opdronk. Ze haatte zijn vastberadenheid in dergelijke omstandigheden, maar was ervan overtuigd dat als iemand een financieel probleem kon oplossen, dat Raymond Fox was.

'Wat maakt dat uit dan?' vroeg ze aarzelend. Hij zag dat ze nu aan zijn kant stond. 'Er alleen naar kijken verandert toch niets aan wat erin staat?'

'De feiten veranderen er niet door,' beaamde hij, 'maar dan zijn we voorbereid. Je weet dat ik altijd al heb gevonden dat de oude werf rijp is voor ontwikkeling.'

'O, nee.' Ze schrok terug voor het idee. 'Bruno zegt dat The Row afgebroken moet worden om er wat van te kunnen maken.'

'Niet noodzakelijkerwijs.' Raymond verwierp Bruno's zorgen met geamuseerde minachting. 'Bruno heeft alleen verstand van fictie. Onzin.' Hij gniffelde weer, alsof hij Bruno's naïviteit vermakelijk vond. 'Ik snap wel waar hij heen wil. Het zou zijn uitzicht zeker bederven, hoewel er goed op de architectuur gelet zal worden. Op deze manier kan hij in ieder geval in The Lookout blijven wonen. Als dat plan hem tegen de borst stuit, kunnen we zeker een mooie prijs voor dit huis krijgen. Het zou een luxe hotel kunnen worden...'

Even werd hij afgeleid door het idee van Paradise als een topverblijf voor rijkelui: sauna's, een zwembad, een golfbaan vlak bij zee, een beroemde chef-kok. Hij hoorde de mensen al zeggen: 'Je moet een paar dagen naar Paradise, schat. Zalig. Je moet natuurlijk wel maanden van tevoren boeken...' 'Het is klein, maar prachtig en heel exclusief. Paul en ik gaan dit voorjaar weer. Het eten is er heerlijk...' Misschien zou hij het hotel zelf van het landgoed kunnen kopen – tegen een schappelijke prijs natuurlijk – en zou hij een manager kunnen aanstellen...

'Hoe haal je het in je hoofd?' Emma keek hem vol afkeer aan en hij vreesde dat hij haar schoorvoetende medewerking had verloren.

'Ik wijs je alleen op de feiten.' Hij deed net of hij haar een gunst bewees. 'Vanwege de begrafenis zullen de komende dagen al zwaar genoeg voor je zijn, schat, zonder dat de schok van deze ontdekking daar ook nog eens bij komt. Ik wil je zo veel mogelijk ontzien. Dat snap je toch wel?'

Ze knikte met tegenzin. 'Ik denk het wel. Het is alleen...'

'Zeg.' Hij boog bijna samenzweerderig naar voren en glimlachte naar haar. 'Zullen we kijken of we het testament kunnen vinden? Als haar enige dochter heb je er recht op het te lezen, vooral als het hier ergens in huis ligt. Het moet hoe dan ook worden gevonden. Als het hier niet ligt, zul je het aan haar advocaat moeten vragen, want het moet boven water komen.' Hij glimlachte vriendelijk. 'Dit soort dingen is altijd moeilijk, lieverd, maar vroeg of laat moet het toch gebeuren. Het is beter als jij en ik op het ergste zijn voorbereid.'

Ze knikte weer, al ging het niet van harte, en met een onhoorbare zucht van verlichting leunde hij achterover op zijn stoel.

'Je hebt zeker geen idee waar Mutt het gelaten kan hebben?' Hij probeerde zijn stem nonchalant te laten klinken, hoewel hij wenste dat ze opschoot – je wist nooit wie er zomaar kon binnenlopen – maar hij wilde het goede werk niet ongedaan maken. 'Om te beginnen zou je in dat oude bureau in de kleine salon kunnen zoeken.'

'Ja,' beaamde ze vermoeid. 'Ik zal gaan kijken.'

Ze stond op en liep de keuken uit en hij hoorde de deur van de kleine salon achter haar dichtgaan. Hij rekte zich opgelucht uit, schonk nog eens koffie voor zichzelf in en legde zich erbij neer dat hij geduld moest hebben.

Joss hoorde het doffe geluid van de bijl toen ze wegglipte over de oprijlaan. Ze wilde Bruno spreken. Hij was de enige bij wie ze zich nu volledig op haar gemak voelde. Ze hield zichzelf voor dat ze tijd nodig had om aan het idee te wennen en dat even met Bruno praten haar een adempauze zou geven. Ze wilde ook weten waar hij de brieven had gevonden. Toen Emma gisteravond naar bed was gegaan, had ze in de kleine salon verder gezocht naar *Goblin Market*, maar ze had zich er niet toe kunnen zetten Mutts slaapkamer binnen te gaan. Het leek op een of andere manier ondenkbaar om zo kort na het overlijden van haar grootmoeder al in haar persoonlijke bezittingen rond te snuffelen, maar nu vroeg ze zich af of ze die teergevoeligheid had moeten negeren. Ze wist zeker dat haar vader minder scrupules zou hebben. Misschien gingen haar vader en moeder het testament wel zoeken en zouden ze per ongeluk op *Goblin Market* stuiten.

Joss merkte dat ze uit angst bijna rende. Ze vertraagde haar pas. Als Mousie en Rafe haar voorbij zagen rennen, zouden ze denken dat er iets mis was. Ze liep nu langzamer en sloeg het steile pad naar The Lookout in. Ze vroeg zich even af wat George dacht, of hij klaar was met de houtblokken en of hij het raar vond dat ze was verdwenen. Ze kreunde even van wanhoop. Hij was vast verbaasd dat ze het nieuws zo kalm had opgevat, dat ze hem alleen koffie had aangeboden en hem naar buiten had gestuurd om houtblokken te splijten, terwijl dit het belangrijkste moment van hun leven was.

Ze besefte dat haar kennis als een zwaard tussen hen in hing en hen zou scheiden. Vooral als zou blijken dat er in het testament sprake was van een oneerlijke verdeling. Het zou onverdraaglijk zijn als zij, of haar familie, zou profiteren ten koste van Rafe of Mousie. De komst van haar vader had haar nog eens duidelijk gemaakt dat dit moeilijkheden kon opleveren. Zijn vastberadenheid was zo sterk en elastisch als rubber, wat haar angstige vermoedens bevestigde.

Toen ze Bruno zag, die in het grote gebogen raam stond en naar zee keek, werd ze overspoeld door een overweldigend gevoel van opluchting. Ze zwaaide om zijn aandacht te trekken. Hij stak zijn hand op en liep de kamer in om haar te begroeten.

29

Bruno verwachtte haar al. Sinds hij had gebeld om te zeggen dat de brieven waren gevonden, wist hij dat ze op hete kolen zat, maar hij vermoedde – en dat was een groter probleem – dat ze meer moeite met de misleiding had dan ze aanvankelijk had gedacht. De woorden van Mousie hadden de hele nacht door zijn hoofd gespookt: *Joss zal ons vanaf nu nooit meer ongedwongen tegemoet kunnen treden.* Hij vroeg zich af hoe ze zou reageren als hij vertelde dat Mousie de waarheid wist. Misschien had ze het al geraden. Toen hij er een tijdje over had nagedacht besefte hij dat dit de enige mogelijkheid was, hoewel hij omwille van Joss als smoes had aangevoerd dat Mutts schoonmaakster ze had gevonden. Hij wilde namelijk niet dat ze in paniek zou raken voordat hij de waarheid wist.

'Ik heb *Goblin Market* niet gevonden,' zei ze, zodra ze de keuken binnen stapte. 'Het staat in ieder geval niet in de boekenkast in de kleine salon of op de planken op de overloop. Ik kon het niet opbrengen Mutts kamer binnen te gaan. Ik was ook bang dat mijn moeder wakker zou worden...'

Ze liep achter hem aan naar de woonkamer, ging aan het eind van de tafel zitten en sloeg haar omslagdoek steviger om zich heen, eerder als troost dan voor de warmte.

'Ik heb het idee dat het op een minder voor de hand liggende plek ligt,' zei hij kalm. 'Misschien in het bureau waar ook de brieven lagen?'

'Daar heb ik gekeken,' zei ze. 'Heel vlug omdat mijn moeder steeds in en uit liep. Toen je belde, kreeg ik de kans om beter te kijken. En nu is mijn vader gearriveerd.' Ze zweeg even. 'Waar waren de brieven nou?' vroeg ze. 'Ik kon het niet geloven.'

Hij zag dat ze zo moe en in shock was dat ze niet meer helder kon nadenken.

'Mousie heeft ze gevonden,' zei hij zacht. 'Als je er goed over nadenkt, moest dat wel, hè? Wie kon het anders zijn? Ze hoorde ons praten toen ze binnenkwam en zag dat ik iets onder de zitting verstopte. Later dacht ze weer aan het voorval en ze was bang dat de verkeerde persoon zou vinden wat wij hadden verstopt.' Hij keek meelevend naar het geschrokken gezicht van Joss. 'Toen ze de brieven pakte, vielen ze op de grond en ongewild zag ze genoeg om haar aan het denken te zetten.'

'O, nee!' Joss duwde haar vingers tegen haar mond.

Bruno knikte. 'Mousies nieuwsgierigheid was al gewekt. Je hebt in de brieven gelezen dat Mutt bang was dat Mousie iets wist. Om een lang verhaal kort te maken, ze heeft de brieven gelezen en ze weet de waarheid. En dat maakt voor haar helemaal niets uit,' voegde hij er vlug aan toe. 'Waarom ook? Ze is geïrriteerd omdat ze al die jaren is bedrogen, maar nu ze de brieven heeft gelezen, snapt ze Mutts dilemma. Wat Emma en jou betreft, is er niets veranderd.'

'Maar álles is veranderd,' riep ze bijna boos. 'Het is waanzin dat te zeggen.'

'Luister.' Hij ging recht tegenover haar zitten. 'Je moet bedenken dat niemand financieel benadeeld is door wat Mutt heeft gedaan. Integendeel. Ze heeft voor Mousie en Rafe gezorgd en heeft het landgoed beheerd nadat mijn grootvader was overleden. Mijn band met Emma is even hecht als wanneer ze echt mijn zus was geweest en ze is een heel goede vriendin. Mutt heeft in India waarschijnlijk mijn leven gered. Ze heeft ervoor gezorgd dat ik thuis kwam en Emma en zij compenseerden het tragische verlies dat ik had geleden. Denk je eens in hoe eenzaam ik zonder hen zou zijn geweest. Ze symboliseerden continuïteit en zekerheid. En jij, Joss, bent me even dierbaar als een eigen dochter. Als ik Mutts zoon was geweest, zouden je gevoelens voor mij dan zijn veranderd? Zou je minder van me houden of vinden dat ik me zaken had toegeëigend? Probeer het niet puur in termen van bloedbanden en familierelaties te zien.'

'Ik kan er niets aan doen,' zei ze ongelukkig. 'Toen mijn vader vanmorgen arriveerde en over het testament begon, terwijl hij amper twee minuten binnen was, besefte ik hoe groot het verschil is tussen hem en jullie allemaal. Ik had het gevoel dat we indringers waren, wij alle drie, die in de keuken van Paradise zaten alsof het huis al van ons was. En ik dacht aan Mousie en Rafe... Aardige mensen die in het onderwijs en de verpleging werken en zich inzetten voor de gemeenschap. Volkomen het tegenovergestelde van mijn vader, voor wie geld het enige is wat telt...'

'Wacht even,' viel hij haar in de rede. 'Los van het feit dat het land mensen nodig heeft die geld opbrengen, moet je even het volgende in gedachten houden. Ten eerste zijn Mousie en Rafe geen Trevannions. Ze stammen af van mijn grootmoeders kant van de familie. Goed. Daardoor zijn we dus familie van elkaar, maar het betekent niet dat we vanwege een of andere genetische gril allemaal heiligen zijn. Denk eens aan Olivia en Joe. Als ik het goed heb begrepen, is hun standpunt over geld verdienen ongeveer gelijk aan dat van zwager Fox en toch zijn het Rafes kinderen. Je kunt niet hele families over één kam scheren en er een etiket van goed of slecht op plakken. Wat Emma en jij – en zeker Mutt – voor de familie Trevannion hebben gedaan, is even waardevol als de bijdrage die Mousie en Rafe hebben geleverd. Wie zou er na het overlijden van mijn grootvader voor mij en het landgoed hebben gezorgd als Mutt me alleen hier had afgeleverd en daarna was vertrokken? Waarschijnlijk een ver familielid van de Trevannion-kant die de huisjes nooit tegen zo'n laag bedrag zou hebben verhuurd of zich er druk om zou hebben gemaakt dat de familie bij elkaar bleef. Mutt deed dat en zorgde zo goed mogelijk voor iedereen. Vergeet niet dat Olivia en Joe net zo hard staan te trappelen als zwager Fox om hier in de inham een vakantiecomplex neer te zetten als ze daar geld mee denken te kunnen verdienen. Zelfs als ze daarvoor hun eigen ouders zouden moeten verdrijven.'

'Mijn vader speelt al met dat idee,' zei ze somber. 'Dat weet ik. Hij zei dat hij het testament wil zien.'

Ze klonk wat kalmer. Bruno keek haar nadenkend aan. Hij probeerde haar gemoedstoestand te peilen en verzamelde moed.

'Mousie vindt dat Emma de waarheid moet weten,' zei hij.

Joss keek hem geschrokken aan en schudde zonder iets te zeggen haar hoofd, maar hij merkte dat ze te verward was over deze laatste ontwikkeling om erg stellig te zijn.

'Ze vindt de last te zwaar voor je,' zei hij, 'en ik denk dat ze gelijk heeft. Ze zegt dat het niet eerlijk tegenover jou is en dat we Emma onderschatten. Mousie denkt dat ze het zal begrijpen als we haar de brieven laten lezen, net zoals wij dat hebben gedaan, en dat ze ermee zal leren leven.'

'Daar ben ik het niet mee eens. Ik denk dat ze helemaal over haar toeren zal zijn.'

Toch klonk haar stem minder zelfverzekerd en het was duidelijk dat ze aan haar eigen oordeel begon te twijfelen. Terwijl ze alle complicaties afwoog, zag hij de sporen van innerlijke strijd op haar gezicht en hij besloot het anders aan te pakken.

'Heb je George gezien?' vroeg hij, bijna alsof hij een ander onderwerp aansneed.

'O.' Het klonk bijna als een kreet van pijn. 'Hij kwam naar Paradise en vertelde dat Penny en Tasha zijn teruggegaan naar Nieuw-Zeeland en ik wist gewoon niet wat ik tegen hem moest zeggen. Niet alleen omdat mijn moeder erbij was, maar ook omdat alles anders was tussen ons. Ik kon gewoon niet meer normaal reageren. Uiteindelijk gaf mijn moeder hem koffie en daarna ging hij naar buiten om houtblokken te splijten.'

'"Omdat alles anders was tussen ons,"' herhaalde Bruno nadenkend. Hij trok zijn wenkbrauwen op. 'En toch vind je nog steeds dat de waarheid niet verteld moet worden?'

Ze keek hem bijna angstig aan. 'Ik weet het niet,' zei ze uiteindelijk, 'in ieder geval pas na de begrafenis. Het zou vreselijk voor mama zijn om niet alleen de dood van Mutt, maar ook de waarheid over zichzelf te moeten verwerken. Je moet me beloven dat we minstens tot die tijd zullen wachten.'

'Goed.' Bruno zuchtte geërgerd. 'Maar het wordt heel lastig als Emma het testament vindt en zwager Fox ons de wet gaat voorschrijven. We moeten het testament als eerste te pakken zien te krijgen. Het kan natuurlijk bij Mutts advocaat liggen...'

De telefoon ging en hij stond ongeduldig op om op te nemen.

'Hallo, schat.' De knarsende stem, het gevolg van jarenlang roken en whisky drinken, was onmiskenbaar. 'Hoi, met Zoë. Je raadt nooit waar ik ben.'

Bruno legde automatisch zijn hand op de hoorn en dacht verwoed na. Toen hij sprak, klonk zijn stem nors.

'Wacht even. Ik heb bezoek. Blijf aan de lijn.'

Hij legde de hoorn naast de telefoon neer en liep terug naar de woonkamer.

'Het is Zoë,' zei hij tegen Joss. 'Het komt vreselijk slecht uit, maar dat zijn we van haar gewend.'

'Ik moet toch terug.' Ze stond meteen op. 'Ze zullen zich afvragen waar ik ben en ik moet George spreken.'

Ze keek zo bangelijk bij het vooruitzicht dat hij haar vlug omhelsde.

'Kop op,' zei hij, en ze glimlachte naar hem.

'Bedankt, Bruno,' zei ze. 'Ik wou dat je echt mijn oom was.'

'Maar, lieverd, het maakt niet uit welk etiket erop is geplakt. Er is niets veranderd.'

Ze knikte en sloeg de omslagdoek steviger om zich heen. Hij liep met haar mee naar de deur.

'Zal ik zeggen dat je straks nog komt?' vroeg ze.

Hij twijfelde. 'Ik weet nog niet hoe laat,' zei hij als waarschuwing, 'maar maak je geen zorgen. Ergens in de middag kom ik langs.'

Ze knikte weer en ging weg. Hij liep terug naar de keuken.

'Hoorde ik een vrouwenstem?' Zoë klonk geamuseerd.

'Joss,' antwoordde hij kortaf. 'Nou, waar zit je?'

'In Rock, schat.' Ze klonk bijna net zo verbaasd als hij zich voelde. 'Niet te geloven, hè? En dat in deze tijd van het jaar. Weet je nog dat ik heb verteld dat Jilly en Tim hier een huisje hebben gekocht? Er gingen geruchten dat de waterleiding was gesprongen tijdens die koude periode dus ze is ernaartoe gereden om dat te controleren, hoewel het hier nu behoorlijk warm is. Het was erg mistroostig in Londen dus ik dacht: weet je wat, ik ga mee. Zal ik komen lunchen?'

Bruno sloot wanhopig zijn ogen. Zijn twee werelden, de werkelijkheid en de fantasiewereld, waren niet alleen met elkaar in botsing gekomen, maar dat was met zo'n kracht gebeurd dat de stukken nu in de rondte vlogen en om hem heen uit elkaar spatten.

'Het komt slecht uit,' zei hij moeizaam. 'Mutt is dinsdagochtend vroeg overleden en... nou ja, de rest kun je zelf wel bedenken.'

'O, schat, het spijt me dat te horen.' Het klonk oprecht. 'Die oude Mutt overleden. Ik mocht haar erg graag.' Een korte stilte. 'Wanneer is de begrafenis?'

'Dat weet ik nog niet.' Hij voelde zich gespannen, achterdochtig. 'Waarschijnlijk begin volgende week. Emma is er en zwager Fox is net gearriveerd. Er moet veel worden geregeld.'

'Ik weet niet hoe lang Jilly blijft,' zei ze peinzend. 'Ik zou je graag een keer zien, schat. Vooral nu. Zeg, ik ben over een halfuur bij je en ik blijf niet lang.' Er viel een stilte en toen sprak ze op andere toon: 'Ben je aan het schrijven?'

Hij lachte vreugdeloos. 'Dat is toch zeker een grapje?'

Ze grinnikte. 'Ach, lieverd, heeft de realiteit zich opgedrongen? Geeft niet. We drinken samen een borrel. Maak je niet druk over het eten. Tot straks.'

Ze hing op en hij vloekte lang en hard. Nellie, die wakker was geworden, keek pienter naar hem op en zwiepte zacht met haar staart.

'Je gaat niet zeuren, hoor,' sprak hij waarschuwend. 'Ik zou maar oppassen als ik jou was, anders gaan we niet wandelen en krijg je ook geen middageten.'

Met haar tong uit haar bek, alsof ze naar hem lachte, kwam ze op hem af en ongewild begon hij ook te lachen.

'Iedereen is gek geworden,' zei hij, terwijl hij neerhurkte om haar te aaien. Ze legde een poot op zijn knie en likte aan zijn oor. 'Het wordt vandaag niets vanwege gebrek aan medewerking. Die stomme vrouwen ook altijd!'

Zijn verwensing liet haar koud. Ze bleef zacht met haar kop tegen zijn schouder aan duwen. Even later ontspande hij zich en slaakte een diepe zucht.

'Goed,' zei hij, terwijl hij opstond. 'Eerst jouw lunch en dan die van Zoë. Ze zal genoegen moeten nemen met soep. Ze eet trouwens toch niet veel meer dan een muizenhapje. Wat komt ze eigenlijk doen?'

Maar Nellie maakte zich alleen druk om haar eigen honger. Toen hij haar bak had gevuld en die voor haar had neergezet, ging hij naar de voorraadkast om een fles wijn te zoeken die de goedkeuring van zijn ex-vrouw zou kunnen wegdragen.

30

George reed de kruiwagen met houtblokken om het huis heen en zette die naast Raymonds BMW. Hij bleef even staan, bewonderde het nieuwste model en probeerde of de voordeur open was; de klink zat er nog steeds op. Hij liet de kruiwagen staan, liep weer om het huis heen en kwam de keuken binnen op het moment dat Emma in de deuropening naar de gang verscheen.

'Ik kan het in de kleine salon niet vinden,' zei ze. 'Ik vond alleen dit pakje met Bruno's naam erop. O hallo, George. Lukt het een beetje? George heeft houtblokken voor ons gespleten,' zei ze tegen Raymond. 'Aardig van hem, hè? Heb je trek in koffie na al dat zware werk?'

Ze legde het pakje op tafel en ging de mokken afwassen. George zag meteen dat Raymond veel meer belangstelling had voor het pakje dan voor het verhaal over de houtblokken, hoewel hij er amper naar leek te kijken. Hij mompelde een groet, glimlachte even als blijk van waardering voor het werk dat George had verricht, maar leek al zijn aandacht op het pakje te richten. Het was ook duidelijk dat Emma zich wat ongemakkelijk voelde, alsof de komst van George op een slecht moment kwam. Hij vroeg zich af of hij iets beleefds moest zeggen en zou weggaan, maar iets in Raymonds strakke blik intrigeerde hem. Raymond had zijn elleboog op tafel en door die iets te verplaatsen had hij het pakje dichterbij geschoven, zodat hij kon zien wat erop stond. Het was Mutts handschrift. Zelfs vanaf de plek waar hij stond, herkende George het, hoewel één woord in grote hoofdletters was geschreven.

Voor Bruno James Trevannion. Persoonlijk. Onderaan stond: *VERTROUWELIJK.*

George vond het opmerkelijk dat het was ingepakt als een ouderwets postpakket. Het bruine papier was zorgvuldig om het voorwerp erin gewikkeld en vervolgens was er stevig een touw omheen gedaan. Heel langzaam draaide Raymond het pakje. Zijn dikke wijsvinger voelde terloops aan de knopen, hoewel er op zijn brede, knappe gezicht nog steeds een bijna onverschillige uitdrukking lag alsof hij over iets heel anders nadacht en het pakje niet meer was dan een voorwerp om mee te spelen, net of hij zich concentreerde op een ander probleem, zoals wanneer je met een pen tikt of op een notitieblok krabbelt.

George voelde Emma naast zich verstijven: ze wachtte, keek en hield haar adem in. Hij besefte met een lichte schok dat ze er serieus rekening mee hield dat Raymond het pakje open wilde maken en zich erop voorbereidde hem tegen te houden. Zonder erbij na te denken ging George de ketel vullen. Hij glimlachte naar Emma en wierp een blik op Raymond alsof hem niets vreemds opviel.

'Ik ben wel toe aan een dosis cafeïne na al die inspanning,' zei hij, en hij dacht dat hij even irritatie over het gezicht van Raymond zag trekken. 'Is Joss in de buurt? Misschien wil ze ook.'

'Ik weet niet waar ze is.' Emma ontspande zich een beetje, maar werd nog steeds afgeleid. 'Ik zal eens onder aan de trap roepen.'

'Ze is weggegaan.' Raymond was heel stellig. 'Ik hoorde de voordeur dichtgaan. Een halfuur geleden ongeveer. Misschien is ze bij de ezels.' Hij wierp een vriendelijke blik op George. 'Emma kan wel koffie zetten als je Joss wilt gaan zoeken.'

Hij deed erg nonchalant, reageerde heel ontspannen en George lachte terug.

'Ze kan overal zijn,' antwoordde hij al even terloops. 'Ze zal zo wel komen.'

Raymond knikte en haalde zijn schouders op met een gebaar van 'dan moet je het zelf maar weten'. Vervolgens leunde hij achterover in zijn stoel en rekte zijn schouders.

George dacht: ik wil met jou niet pokeren, maat.

Hij zette koffie en merkte dat Emma onzeker naast hem stond. Hij vroeg zich af of hij zich de spanning verbeeldde en of zijn achterdocht was gebaseerd op alle verhalen die Joss over haar vaders scherpe neus voor zaken had verteld. Waarom zou Raymond in vredesnaam een pakje willen openen dat duidelijk voor Bruno bestemd was? Het drong opeens tot George door dat het mogelijk was dat

Bruno en Emma niet wisten wat er in Mutts testament stond en dat Raymond, die vermoedde dat het testament in het pakje zat, hun voor wilde zijn. Hij werd nog nieuwsgieriger. Het kwam eerder voort uit ondeugendheid dan uit eigendunk dat hij aan tafel ging zitten en het pakje openlijk draaide alsof hij voor het eerst zag wat erop stond. Hij trok het over tafel naar zich toe.

'Voor Bruno zie ik,' zei hij gemoedelijk. 'Heeft Mutt gevraagd dit aan hem te geven?'

Emma zag Raymonds vlugge waarschuwende blik niet.

'Het lag in haar bureau,' zei ze verbluft. 'Gek eigenlijk. Het lag onder in een map met Bruno's schoolrapporten.'

'O ja?' George begon het leuk te vinden. 'Waarom las je zijn schoolrapporten? Dat lijkt me wat aan de late kant.' Hij grinnikte om zijn eigen flauwe grap. 'Ik wil het pakje best afgeven.'

Raymonds grote vierkante hand ging langzaam naar het pakje alsof George hem erop attent had gemaakt en ook hij nu voor het eerst las wat erop stond. Bij het draaien verplaatste hij het bijna onopvallend weer naar zijn eigen kant van de tafel.

'Doe geen moeite,' zei hij. 'Hij zal zo wel komen.'

'Het is geen moeite, hoor,' antwoordde George opgewekt, die zich met plezier voorbereidde op een korte schermutseling met de vader van Joss. 'Ik kom er toch langs.'

'Je hebt nog geen koffie gedronken.' Raymonds handen, die nu in elkaar geslagen op het pakje lagen, zagen er gedrongen uit. Hij boog naar voren zodat zijn gewicht op zijn armen rustte en hij had zijn brede schouders opgehaald. 'Het heeft geen haast.'

George ontmoette de kille blik in Raymonds blauwgrijze ogen, voelde het gewicht en de kracht van zijn persoonlijkheid en was zich bewust van een raar gevoel van onrust. Het idee van een wedstrijd leek plotseling zinloos en hij voelde zich slecht op zijn gemak. Hij was blij toen de ketel floot, zodat hij een excuus had om op te staan om koffie te zetten, hoewel Emma de mokken en de melk al klaarzette.

'Heb je de houtblokken al binnengebracht?' vroeg ze, terwijl ze duidelijk probeerde een ander onderwerp aan te snijden.

'Nog niet.' Hij voelde zich vreemd vernederd, net als toen hij een kleine jongen was en Olivia en Joe hem te slim af waren. Hij was er inmiddels van overtuigd dat Raymond niet de kans mocht krijgen de inhoud van het pakje te onderzoeken, maar hij kon hem op geen enkele manier tegenhouden. Hij wist precies wat Joss bedoelde als ze over haar vaders drammerigheid sprak. 'Hij gaat gewoon door,' had ze gezegd. 'Morele kwesties, eenvoudige menselijkheid of fatsoensnormen worden allemaal opzijgeschoven of geleidelijk verpletterd onder het gewicht van zijn vastberadenheid. Hij richt zijn ogen op zijn doel en aarzelt geen moment. Als je hem voor de voeten loopt, ga je gewoon samen met de rest ten onder. Het is net of hij vindt dat hij een of ander goddelijk recht heeft om te nemen wat hij wil. Het is eng. Ik werd vroeger vaak boos op mijn moeder omdat ze hem zijn zin gaf, maar toen ik ouder werd, besefte ik dat het bijna onmogelijk is om weerstand aan hem te bieden. Het is net zoiets als een vloedgolf of een orkaan trotseren.'

George kende dit gevoel van machteloosheid. Het deed hem denken aan zijn jeugd. Olivia en Joe waren altijd groter, sterker en sluwer geweest. Ze hadden leren lopen, praten, lezen en fietsen toen hij nog in de luiers lag. Wat hij ook leerde, niets ontlokte hun bewondering: zij konden alles eerder. Ze hadden boven op hem gezeten, hadden hem uitgelachen – en waren soms dol op hem – maar meestal werd hij uitgesloten van hun felle gevecht om de baas te zijn. Hij had het prettig gevonden rustig op te groeien buiten hun lawaaiige machtsstrijd.

Nu hij weer aan tafel ging zitten en koffie inschonk, vroeg hij zich af wat hij zou doen als ze hem dwongen om op te staan en buiten met de houtblokken verder te gaan. Hij wist zeker dat het pakje bij zijn terugkeer verdwenen zou zijn en hij was niet in een positie om Emma of Raymond ernaar te kunnen vragen. Terwijl hij zijn koffie – heel langzaam – opdronk, hoopte hij dat Joss zou terugkomen voordat dat moment aanbrak. Hij zou haar aandacht op het pakje vestigen, voorstellen dat ze samen naar The Lookout zouden lopen om het af te geven om zo eventuele plannen van Raymond te dwarsbomen.

Toen de voordeur openging, slaakte hij bijna hoorbaar een zucht van verlichting. Lichte voetstappen liepen haastig de trap op en George zag een peinzende uitdrukking op het gezicht van Raymond komen, terwijl hij luisterde en zijn ogen op het pakje gericht hield.

'Daar is Joss.' Emma's stem klonk vrolijker, alsof ze ook opgelucht was, en ze ging meer ontspannen op haar stoel zitten. 'Waar zou ze geweest zijn?'

George bleef naar Raymond kijken. Hij verwachtte een vingervlug gebaar als Joss verscheen: hij was ervan overtuigd dat op het moment dat ze de keuken binnen stapte en de aandacht op haar was gericht, het pakje op een of andere manier zou verdwijnen. De deur ging open en Joss en Mousie kwamen samen binnen. Raymond kwam vlug overeind, legde het pakje in één vlotte, soepele beweging op de buffetkast achter zijn stoel en schoof het onder een krant, zodat het half aan het zicht onttrokken was. Ondertussen zei hij: 'Mousie, schat, wat fijn je te zien.' Vervolgens gaf hij haar een kus. Hij deed het heel handig en listig, zodat George bijna sprakeloos was van bewondering.

Hij keek naar Joss en wilde deze nieuwe ontdekking graag met haar delen, zoals hij in het verleden zo vaak een geheim met haar had gedeeld. Ze bloosde, haar ogen glommen vanwege een nieuwe opwinding en hij voelde een golf van liefde en verlangen voor haar. Ze glimlachte naar hem vanaf de andere kant van de keuken en toch voelde hij nog steeds de barrière tussen hen in. Met een korte steek van angst vroeg hij zich af of hij deze nieuwe terughoudendheid van haar verkeerd had opgevat: dat het niets met de dood van Mutt te maken had, maar eerder met angst dat hij te veel van haar zou vragen nu hij vrij was. Ze hadden hun gevoelens immers nooit openlijk uitgesproken – hij had te hard gevochten voor zijn huwelijk om dat mogelijk te maken – en er was niets gezegd waar hij nu op kon teruggrijpen. Misschien was Joss er nog niet aan toe om Penny's afvalligheid te zien als een kans op haar – en zijn – geluk. Het druiste tegen al zijn gevoelens in om te geloven dat dit waar was, maar ze straalde een zekere behoedzaamheid uit die er nooit tussen hen was geweest.

Doordat hij plotseling zijn zelfvertrouwen kwijt was en alleen nog maar aan Joss kon denken, vergat hij het incident met het pakje. Mousie zei dat ze een boek in de salon had laten liggen dat ze nu kwam ophalen en vertelde dat ze Joss onderweg was tegengekomen. Emma stond erop dat ze bleef koffiedrinken.

'Ik ga verder met het hout,' zei George.

Hij voelde zich plotseling futloos en bedrukt, en wist dat hij niets aan deze nieuwe vrijheid had als Joss die niet met hem wilde delen. Hij liep vlak langs haar, beleefd alsof hij een vreemde was, en ze raakte zijn arm aan.

'Sorry dat ik ervandoor ging,' mompelde ze. 'Het is een beetje moeilijk. Het is... lastig. Maar het ligt niet aan jou. Echt niet.'

'Daar ben ik blij om.' Hij glimlachte en werd wat vrolijker. 'Niets moet. Tot straks.'

Gerustgesteld door dit korte gesprek, liep hij de keuken uit, begon de houtmand te vullen en droeg het hout in een plastic krat van de kruiwagen naar de salon. Pas later dacht hij weer aan het pakje. Hij reed de lege kruiwagen terug naar de schuur en ging via de achterdeur naar de keuken. Raymond Fox zat nog steeds aan tafel en de vrouwen liepen rond. De lunch werd klaargemaakt en er werd gezegd dat Mousie toch vooral moest blijven om mee te eten. Het pakje was nergens te bekennen.

George peinsde wat hij moest doen. Vervolgens sprak hij Emma aan toen ze uit de provisiekast kwam.

'Ik ga,' zei hij, 'anders ben ik te laat voor het middageten. Zal ik het pakje voor Bruno meenemen?'

'O, dat hoeft niet,' zei ze vlug, maar heel resoluut. Ze leek afwezig en gespannen. 'Joss zegt dat hij straks nog komt.'

Hij knikte en wendde zich tot Joss.

'Later het maar weten als je zin hebt in een wandeling,' zei hij tegen haar. 'Ik ben rond een uur of twee beneden bij het veld om met de ezels te gaan lopen.' Hij pakte zijn jas van een stoel en ging weg zonder haar antwoord af te wachten.

31

Stil als een kat sloop Zoë de keuken in, zette haar logeertas in de hoek bij Nellies mand en aarzelde even bij de deur naar de woonkamer. Haar donkere ogen registreerden de simpele voorbereidingen voor de lunch – er stonden broodjes in een rek die zo in de oven opgewarmd konden worden en er stond soep in een steelpan bij het fornuis – en ze trok even een spijtig gezicht. Nou ja, ze was niet voor het eten gekomen. Terwijl ze even luisterde en zich afvroeg of Bruno alleen was, rilde ze. Ze wilde dat ze warmere kleren had meegenomen. Ze was vergeten hoe koud het aan de noordkust was en vooral in dit huis halverwege het klif.

Ze hoorde geen stemmen, geen enkel geluid. Ze deed een paar stappen naar achter, smeet de deur dicht en riep: 'Hallo, schat. Ik ben het.' Ze liep door de keuken en ging de woonkamer binnen op het moment dat Bruno uit zijn studeerkamer kwam, en ze stonden elkaar even aan te kijken. Zoë kwam als eerste in actie.

'Ik weet dat ik je lastigval,' zei ze, en ze hief haar gezicht op om eerst op de ene en vervolgens op de andere wang gekust te worden, 'maar het is echt niet nodig zó ongastvrij te kijken.'

'Wie? Ik?' Hij grinnikte even. 'Ik had je al gewaarschuwd dat het slecht uitkwam.'

Ze haalde zielig haar schouders op. 'Mijn timing is altijd beroerd. Volgens mij is het nooit ergens een goed moment voor en hoe ouder je wordt, hoe erger het is. Echt...'

Ze zweeg en hield zich in. Het was veel te vroeg om daar nu al over te beginnen. Ze had tijd nodig om hem wat milder te stemmen. Misschien na een borrel of twee en wat roddels...

'Echt wat?' vroeg hij, nu al op zijn hoede. 'Wat brengt je in februari naar het noorden van Cornwall, Zoë? Ik had je eerder op de Malediven verwacht.'

'Je hebt helemaal gelijk, schat. Maar die bestemming kreeg ik niet aangeboden. Het was Cornwall of niets.' Ze rilde weer. 'Ik vergeet altijd hoe koud het hier is. Logisch dat je de haard 's winters altijd laat branden.'

'Wacht.' Hij rende de trap op en kwam een paar minuten later terug met een scharlakenrode grote shawl. 'Die heeft Emma hier altijd liggen om dezelfde reden. Ze vindt het vast niet erg als je hem leent.'

Zoë trok haar wenkbrauwen vol ongeloof op. Ze vermoedde dat Emma het heel vervelend zou vinden, maar ze sloeg de shawl om haar dunne gestalte heen en ging in de schommelstoel bij de haard zitten. Ze keek toe terwijl Bruno meer houtblokken op het vuur gooide en het aanblies, zodat er felle dansende vlammen aan het hout ontsprongen.

'Merlijn,' zei ze opeens. 'Weet je nog dat ik je zo noemde nadat ik de trilogie van Mary Stewart had gelezen? Vuur oproepen. Dat heb je altijd gekund. Twee stokjes en een handje as en binnen een paar tellen heb je een vlammenzee.'

Hij haalde zijn schouders op. 'Warm blijven is belangrijk.'

'Nou en of, schat.' Ze sprak fel, maar denkend aan haar plan begon ze meteen ergens anders over. 'Ik vind het heel erg van Mutt. Ik mocht haar graag.'

'Dat heb je al gezegd.' Bruno legde de blaasbalg op de vlakke haardsteen en ging op de bank zitten. 'Ze vond jou ook aardig.'

Ze trok haar wenkbrauwen op. 'Dat moet je niet op zo'n toon zeggen, lieverd. Sommige mensen vinden me echt aardig. Gek, hè? Mutt velde geen oordeel. Ik denk dat ik haar daarom graag mocht. Ze gaf me nooit het gevoel jong en onervaren te zijn.'

Bruno lachte hard. 'Onervaren? Jij? Kom nou!'

Ze lachte met hem mee. 'Ik was bij mijn geboorte al oud,' gaf ze toe, 'maar daar heb ik weinig profijt van gehad, of wel soms?'

Ze keek hem aan, trok de shawl dichter om haar magere schouders en trotseerde zijn onderzoekende blik. Het was vreemd dat ze zich niet zoals anders genoodzaakt voelde haar rug te rechten en haar kin in de lucht te steken in een poging het verouderingsproces te verhullen. Ze keek hem alleen recht aan. Misschien kwam het doordat ze hem heel goed kende en wist dat Bruno, net als Mutt, mensen in hun waarde liet: daarom was ze vandaag hier.

'Je hebt een mooie carrière gehad. Je bent zelfs internationaal beroemd geweest.' Hij beantwoordde haar vraag, maar deed dat voorzichtig. 'Het probleem was dat je, gezien de aard van het werk, van tevoren wist dat het kort zou duren.'

Ze maakte een gebaar waarmee ze het verleden van zich afzette. 'Daar hebben we het al vaker over gehad. Dat is verleden tijd. Hoe gaat het hier in St Meriadoc?'

'Zijn gangetje.' Hij stond op. 'Wil je iets drinken?' Het was een retorische vraag. 'Om voor de hand liggende redenen gaat het nu dus anders dan normaal. Emma is er natuurlijk en zwager Fox is eerder vanmorgen gearriveerd.'

'Logeren ze op Paradise?' Ze stelde de vraag met opzet achteloos, maar was opgelucht toen hij instemmend knikte. 'Zwager Fox zal zich wel in de handen wrijven van plezier.' Ze pakte haar glas en grijnsde naar hem. 'Je zult hem dus in de gaten moeten houden, nietwaar?'

'Hoezo?' Bruno ging weer op de bank zitten en vloekte toen hij hard geblaf hoorde. 'Wacht. Dat is Nellie, die is terug van haar middagwandeling naar de tuinen van Paradise.'

Hij liep de woonkamer uit en ze hoorde de achterdeur opengaan. Nellie sprong vrolijk naar binnen, met haar tong uit haar bek, en vond het heerlijk om bezoek te zien. Zoë bracht vlug haar glas in veiligheid en stak haar hand uit om Nellie te aaien.

'Voorzichtig,' zei Bruno. 'Haar poten zijn nat. Hier, Nellie. Hier, stout beest. Op je kleed.'

Nellie sprong sierlijk op het eind van de bank en ging opgekruld op haar kleed liggen, één poot uitgestrekt zodat die op Bruno's knie lag.

'Het is zo'n vriendelijk, opgewekt beest,' zei Zoë, terwijl ze naar haar keek. 'Ik wou dat ik een hond kon nemen, maar het appartement is veel te klein. Ik verlang soms echt naar een puppy. Wat zou dat leuk zijn!'

'Je zou het afschuwelijk vinden om een puppy te hebben,' zei Bruno meteen. 'Eraan vastzitten zou niets voor jou zijn. Het lijkt op een kind hebben...'

Hij zweeg, pakte zijn glas en zag opeens bleek.

Verdorie, dacht Zoë. Stom, stom, stom. Verkeerd onderwerp.

'Je hebt natuurlijk gelijk,' zei ze. Ze kon er toch maar beter meteen over beginnen. 'Ik heb een onmogelijk karakter dat het altijd op de vervelendste momenten laat afweten. Geen ruggengraat of hoe ze dat ook noemen. Hoe neemt Emma het op? Arme Emma. Ze zal er ondersteboven van zijn, maar ik durf te wedden dat zwager Fox de taxateurs al heeft opgetrommeld.'

Bruno grinnikte ongewild. 'Ik heb hem nog niet gezien,' bekende hij, 'maar je zit er waarschijnlijk niet ver naast.'

In de daaropvolgende stilte merkte ze dat hij opeens afwezig was. Hij leek in gedachten verzonken en ze nipte peinzend van haar wijn.

'Ik vermoed dat het tijd is om de boel te verdelen,' zei ze terloops. 'Maar daar heb je toch altijd al rekening mee gehouden? Emma en jij wisten hoe het zou gaan. Ik hoor het haar nog zeggen: "Jij krijgt The Lookout en ik Paradise." Het punt is,' zei ze, terwijl ze ging verzitten, 'dat jullie nooit over de rest hebben gepraat.'

Haar scherpe donkere blik zag een lichte rimpel tussen zijn wenkbrauwen verschijnen, hoewel hij Nellies vacht bleef aaien. Ze lag nu half op haar rug, haar kop hing over de zitting van de bank en ze zag er volkomen ontspannen en nogal raar uit.

Zoë grinnikte. 'Die hond,' zei ze vol genegenheid. 'Gek beest. Wat gaat er met de rest gebeuren, Bruno?' Ze besloot hem nog wat meer onder druk te zetten. Hij kon haar de deur wijzen als hij dat wilde. 'Hoe denk je dat Mutt het landgoed heeft nagelaten?'

Hij keek haar bijna taxerend aan, alsof hij besloot hoeveel hij haar zou vertellen.

'Ik heb het testament niet gezien,' zei hij langzaam, 'maar ik hoop dat Emma de werf niet krijgt, want dan zou het lastig kunnen worden.'

'Lastig?' Ze keek hem vol ongeloof aan bij het horen van dit understatement. 'Lastig? Mutt zal toch wel doorgehad hebben dat zwager Fox de inham in een soort vakantiecomplex wil veranderen nog voordat Rafe en Mousie hun rouwband hebben afgedaan? Wat ga je ertegen doen?'

Bruno haalde zijn schouders op. 'Wat kan ik doen? De successierechten moeten ook betaald worden.'

'Waar komt dat geld vandaan?'

'Uit het landgoed.' Hij wreef nadenkend met zijn vingers over zijn kaak. 'We zullen iets moeten opofferen.'

'Maar wat?' Ze ging gemakkelijker zitten en trok de shawl steviger om haar knieën. 'Als Mutt de werf aan Emma heeft nagelaten, krijgt zwager Fox precies de gunstige gelegenheid die hij nodig heeft. Hij heeft de werf altijd al willen ontwikkelen en geld vinden om de successierechten te betalen is een perfect excuus.'

'Waarschijnlijk wel, ja. Er zijn echter wat problemen. Om te beginnen heb je een bouwvergunning nodig. Misschien zullen we Paradise toch moeten verkopen.' Hij leek zich te vermannen en geen vertrouwelijke mededelingen meer te willen doen. 'Vertel eens hoe het met jou en met Jilly gaat. Zullen we gaan eten? De lunch stelt helaas weinig voor, maar ik wist niet dat je zou komen. Ik zou je best nog een glas wijn willen aanbieden, maar als je met de auto bent, is dat niet verstandig.'

'Dat is het 'm nou juist.' Ze schoof een beetje heen en weer op haar stoel en keek behoorlijk ongelukkig. 'Ik heb een probleem, schat.'

Hij keek geamuseerd. 'Er is dus niets nieuws onder de zon. Wat is het deze keer?'

'Ik had gehoopt dat ik hier een dag of twee kon blijven.' Zijn gelaatsuitdrukking veranderde zo snel van geamuseerdheid in verbazing dat ze deed of ze geschokt was. 'Kijk niet zo, schat. Het zit zo: Jilly heeft me als dekmantel gebruikt zodat Tim niets door zou hebben en nu ben ik er dus achter gekomen dat ze Greg Allen ook heeft uitgenodigd. Drie is te veel en ik hoop dat je me minstens voor een paar nachten uit de brand wilt helpen.'

Hij stond op, stak zijn handen in zijn broekzakken en ze zat even echt in de rats.

'Zoë, ik heb aan de telefoon al gezegd dat het niet goed uitkomt.'

'Dat weet ik, schat,' zei ze vlug. 'Natuurlijk snap ik dat, maar ik zal echt niet in de weg lopen. Emma logeert immers op Paradise. Alsjeblieft, Bruno. Als het niet belangrijk was, zou ik het niet vragen, vooral gezien de omstandigheden. Je zult echt geen last van me hebben.'

'Houd nou toch op,' zei hij boos. 'Ik ben niet achterlijk. Wat is er echt aan de hand?'

Ze aarzelde en trok haar benen verder op, terwijl ze naar hem opkeek en overwoog hoeveel ze hem zou vertellen.

'Ik heb ernstige financiële problemen,' zei ze snel. 'Ze hebben het gas afgesloten in het appartement, de klootzakken, en het is er ijskoud. Toen Jilly zei dat ze misschien hierheen ging, heb ik aangeboden te rijden als zij de helft van de benzinekosten zou betalen. Dan kan ik naar Bruno toe, dacht ik, om te vragen of hij me wil helpen.'

'Ik voel me gevleid,' zei hij droog. 'Normaal gesproken vind je het niet nodig om helemaal hierheen te rijden om geld te vragen. Een belletje is meestal wel genoeg. Wat is er ditmaal anders?'

Ze meed zijn blik. Het was de moeite waard geweest het te proberen, maar ze had kunnen weten dat hij haar door zou hebben.

'Ik zit een beetje in moeilijkheden.' Ze reikte naar de onontbeerlijke sigaret, zag zijn spottende blik en haalde beschaamd haar schouders op. 'Ik probeer te stoppen, echt.' Ze zoog haar longen vol nicotine en ontspande zichtbaar. Ze blies de rook uit, ging gemakkelijker zitten en trok haar benen onder zich. 'Het punt is,' begon ze opnieuw, 'dat ik een moeilijke tijd achter de rug heb. Ik dacht dat ik werk zou krijgen, een goede opdracht voor Sligo, en toen ging het niet door. Maar ik had wel al schulden gemaakt. De bestedingslimiet van mijn credit cards was bereikt en daardoor was ik achter met de huur. Tja.' Ze haalde opnieuw haar schouders op. 'Het is niet de eerste keer, hè? Maar toen zat het mee. Ik was aan het winkelen en toen kwam ik Sally Vine tegen. Ze vertelde over haar moeder. Ken je die nog? Evelyn Bose, de kunstenares? Ze is helemaal in de war en die arme Sally weet niet wat ze met haar aan moet. Het is de bedoeling Evelyns appartement op de begane grond te verhuren aan iemand die haar in de gaten kan houden, haar af en toe gezelschap houdt en boodschappen voor haar doet en zo. Ze heeft iemand die komt schoonmaken en koken, maar Evelyn is eenzaam en Sally heeft zelf geen tijd. Dus toen zei ik: "Wat dacht je van mij?" Ze reageerde meteen enthousiast. Ik heb het altijd goed kunnen vinden met die oude Evie en ze mag me wel, dus dat hebben we zo afgesproken. Lage huur in ruil voor gezelschap.' Ze blies weer een rookwolk uit. 'Ik krijg dus een comfortabel appartement voor een luttel bedrag en als tegenprestatie moet ik Evies gezeur over haar minnaars aanhoren. Dat kan ik best.'

'Wat is dan het probleem?'

'Ik ben uit mijn appartement gezet en ik kan begin volgende week pas bij Evie terecht.' Ze trok een scheef gezicht en keek hem niet aan. 'Voor het geval je het wilt weten: ik heb bij al mijn vrienden geld geleend en ik kan gewoon niet tegen de vernedering hun stem te horen als ze weten dat ik aan de telefoon ben. Jilly zei dat ze de benzine zou betalen als ik haar bracht, maar Tim komt zaterdag en ze gaan samen terug. Schat, ik kan op dit moment echt nergens anders heen.'

32

Mousie leunde op het hek. Ze had wat verschrompelde appels in haar jaszak en Mutts testament zat in de versleten leren tas die over haar schouder hing. Het was haar gelukt Emma's uitnodiging om te blijven lunchen af te slaan. Ze had haar koffie opgedronken en was zo gauw mogelijk weggegaan en nu nam ze even de tijd om op adem te komen. Pas vanochtend na het ontbijt had ze bedacht waar het testament kon liggen, op een plek waar Mutt persoonlijke papieren, brieven en kaarten neerlegde die belangrijk voor haar waren. Gek genoeg was dat niet in het bureau in de kleine salon, maar in een la van haar kaptafel. Een paar dagen nadat ze was gevallen, had ze Mousie gevraagd iets uit de la te pakken – een brief van Emma misschien – en het was duidelijk dat ze hier haar speciale correspondentie bewaarde.

Zodra Mousie daaraan dacht, had ze besloten naar Paradise te gaan om een kijkje te nemen. Ze zag Raymonds auto voorbijschieten en naar het huis rijden, en besefte dat ze misschien een smoes nodig had: ze zou zeggen dat ze een boek had laten liggen. Ze had tenslotte veel tijd in Mutts slaapkamer doorgebracht en had – op Joss na – een betere reden om er naar binnen te gaan dan wie dan ook.

Nu ze bij het hek stond met het testament veilig in haar tas glimlachte ze. Joss had haar alle dekking gegeven die ze nodig had. Ze had op wacht gestaan in de gang, terwijl Mousie stilletjes de trap op was gerend en bijna meteen had gevonden wat ze zocht.

De ezels kwamen met knikkende koppen naar haar toe gesjokt en knipperden met hun uitzonderlijke oogharen. Ze verdrongen elkaar om de beste plek. Ze stak haar hand met appels uit en beloofde dat ze nog zouden gaan wandelen.

'Later,' zei ze. 'Joss komt later nog.'

Terwijl ze hun lange oren aaide, vroeg ze zich af hoe Joss zou omgaan met deze nieuwe, alarmerende ontdekking van haar ware identiteit. Het was duidelijk dat Joss, terwijl ze de feiten nog steeds probeerde te verwerken, zich drukker om haar moeder maakte dan om zichzelf. Dat vond Mousie een goed teken. Het betekende dat Joss' gevoel van eigenwaarde sterk genoeg was om de feiten te accepteren. Er zouden natuurlijk momenten zijn dat ze plotseling overstuur zou raken als ze eraan dacht – alsof ze het opnieuw voor het eerst hoorde – maar die momenten zouden spaarzamer worden en ondertussen zou Joss de familie en haar werk hebben om zich erdoorheen te slepen. Ze had zo'n moment doorgemaakt toen ze elkaar eerder vandaag onder aan het pad naar The Lookout tegenkwamen.

'Ik ben net bij Bruno geweest,' had Joss gezegd. 'Loop je mee naar Paradise?' Toen was haar gezicht, volkomen onverwacht, vuurrood geworden, alsof ze net weer had bedacht wie ze was en, wat erger was, dat Mousie haar geheim kende. Mousie had in een reflex haar arm om de schouder van Joss heen geslagen en had haar even omhelsd. Ze onderging de omhelzing stijfjes, alsof haar kennis haar verhinderde die te beantwoorden. Mousie liet haar los en deed een stap naar achteren.

'Je moest eens weten wat een opluchting het was die brieven te lezen,' zei ze. 'Maar ik moet mijn verontschuldigingen aanbieden. Ik had natuurlijk het recht niet dat te doen. Ik deed het puur uit nieuwsgierigheid. Ik hoop dat je me kunt vergeven.'

Joss was nog roder geworden.

'Ik had het recht ook niet,' antwoordde ze ellendig. 'Mutt had gevraagd ze te pakken, niet te lezen.'

'Tja, maar wat een verantwoordelijkheid!' Mousie schudde meelevend haar hoofd. 'Dat excuus had ik niet eens. Weet je, ik zag haar handschrift en toen de ondertekening: Madeleine.'

'Precies,' riep Joss vurig, bijna verontschuldigend. 'Dat trok mijn aandacht ook. Ik kon me gewoon niet inhouden...'

Toen ze samen naar Paradise liepen en Joss uitlegde waarom ze de brieven had gelezen, voelde Mousie intuïtief aan dat Joss de rest van haar leven zo zou blijven reageren als de waarheid niet werd verteld: zich verontschuldigend omdat ze het gevoel had geen recht meer te hebben om in St Meriadoc te zijn.

'Maar is het niet beter om de waarheid te weten?' had ze gevraagd, toen Joss haar verhaal even onderbrak. Ze voelde dat de arm van Joss zich spande onder haar hand, maar ze sprak kalm verder. 'Ik ben bijvoorbeeld blij dat ik het weet, want ik zat al met een probleem sinds Mutt uit India was teruggekeerd.'

'Hoe bedoel je?' De stem van Joss klonk zacht en gespannen.

'Ik wist namelijk dat er iets niet klopte...'

Zacht en rustig herhaalde ze wat ze de avond ervoor tegen Bruno had gezegd. Ze legde uit waardoor haar twijfels waren gerezen en vertelde dat ze er spijt van had – maar er blijkbaar niets aan had kunnen doen – dat ze Mutt niet had vertrouwd. Ze kwamen bij het hek en het was vanzelfsprekend om daar te blijven staan en tijdens het praten naar de ezels te kijken.

'Ik heb me daar erg schuldig over gevoeld,' zei ze tegen Joss. 'Ik dacht dat het door kinderachtige jaloezie kwam en ik nam het mezelf kwalijk dat ik nog steeds erg zwak en dom was. Na het lezen van de brieven was ik boos, omdat ik het gevoel had dat mijn achterdocht dus terecht was geweest en dat je grootmoeder me had misleid.'

Toen draaide Joss zich naar haar toe en keek haar dapper recht in de ogen.

'En nu?' vroeg ze.

Mousie grinnikte. 'Och, lieverd, nu vind ik het gewoon dom van mezelf dat het ons hele leven een barrière heeft gevormd. Toen ik over de brieven had nagedacht – en zelfs tijdens het lezen – had ik diep medelijden met je grootmoeder vanwege de positie waarin ze verkeerde. Ze was dapper, vindingrijk en meelevend. Ik weet zeker dat je heel trots op haar zult zijn. "Door anderen te veroordelen verraden we hen het meest." Wie zei dat ook alweer? Ik wou dat de schaduw van achterdocht aan mijn kant en van angst aan haar kant er niet waren geweest en onze vriendschap niet hadden belemmerd. Ik denk dat Bruno gelijk had toen hij zei dat Mutt en Emma zijn leven hebben gered. De afgelopen vijftig jaar heeft ze voor ons allemaal gezorgd en ze heeft zich niets toegeëigend wat een ander toekwam.'

'En nu?' vroeg Joss weer.

‘Tja.’ Mousie keek nadenkend. ‘Dat kan nu allemaal heel anders worden.’

‘Bruno zegt dat je vindt dat we mijn moeder de waarheid moeten vertellen.’

‘Dat klopt. De waarheid komt altijd aan het licht. Ik denk dat je daar binnenkort zelf ook wel achter komt.’

Er lag een ongelukkige uitdrukking op het gezicht van Joss. Ze draaide zich om en keek uit over het grasland. ‘Ik denk niet dat mama het aankan,’ zei ze.

‘Je onderschat haar,’ antwoordde Mousie resoluut. ‘Laat haar die brieven lezen. Dan kan ze zich zelf een oordeel vormen.’

‘Ze zal het gevoel hebben dat we hier niet meer thuishoren.’ Joss kon het trillen van haar lippen maar net tegengaan en klemde ze stevig op elkaar. ‘Aan de ene kant wil ik dat voorkomen, maar tegelijkertijd vind ik het verkeerd als zij – of ik – iets zou erven.’

‘Je hoort hier wel degelijk thuis,’ antwoordde Mousie. ‘We houden allemaal van je. Daar verandert niets iets aan. Probeer te beseffen hoe belangrijk je moeder en jij voor Bruno zijn. Een echte zus was hem niet dierbaarder geweest en jij bent als een dochter voor hem. Emma en jij zijn zijn familie, Joss, net als dat voor Rafe en diens kinderen en voor mezelf geldt.’

‘Maar dat gaat niet op voor mijn vader.’

Mousie zuchtte. ‘Raymond heeft nooit moeite gedaan om bij de familie te horen,’ zei ze naar waarheid. ‘Dat wil hij niet. Ik ben het met je eens dat het helemaal fout zou zijn als hij te veel zeggenschap over het landgoed zou krijgen. Daarom vind ik dat de waarheid verteld moet worden. Weet je iets over successierechten?’

Toen Joss haar vertwijfeld aankeek, legde ze uit dat Bruno die misschien voor de tweede keer moest betalen en Joss keek geschokt.

‘Ik denk dat ik weet waar het testament is,’ zei Mousie, ‘en het zou een goed idee zijn als Bruno het kon bewaren totdat hij eraan toe is het openbaar te maken. Wil jij me dekking geven als ik boven in Mutts slaapkamer ga zoeken?’

Joss was meteen bereid haar te helpen het testament achter te houden.

‘Denk je dat *Goblin Market* daar ook ligt?’ vroeg ze hoopvol, maar Mousie schudde spijtig haar hoofd; daar was de la te ondiep voor.

Ze wandelden verder en waren als twee samenzweerders Paradise binnen gelopen. Joss stak zonder iets te zeggen triomfantelijk haar vuist in de lucht toen Mousie eindelijk op de trap verscheen en met het testament zwaaide, dat in een lange bruine envelop zat. Terwijl ze koffiedronk en met Emma en Raymond praatte, had ze het gevoel dat het document een gat in haar versleten leren tas brandde en Mousie was bijna slap van opluchting toen ze eindelijk kon ontsnappen.

Nog steeds op het hek leunend stond ze zichzelf toe even in alle rust aan Mutt te denken en om haar te rouwen. Beroepsmatig was ze gewend aan de dood. Ze was dankbaar dat het een vreedzame en pijnloze dood was geweest en had het dan ook niet anders gewild. Toch liet ze haar verdriet toe en ze wist dat ze Mutt ontzettend zou missen. Mutt had een schakel gevormd met haar eigen jeugd: met Jessie Poltrue en oude Dot en natuurlijk met oom James en haar eigen moeder. Wat was het raar en ontroerend geweest om in de brieven over hen te lezen: om hen te zien door de ogen van deze vreemde die in hun midden was gekomen. Mousie werd overvallen door grote droefheid.

Als ze laat in de middag terugkwam van de huisartsenpraktijk was ze vaak naar Paradise gegaan om Mutt op te zoeken en samen thee te drinken. Als het goed weer was, was Mutt in de tuin bezig en op donkere winterdagen zat ze onder de lamp in de kleine salon te borduren. Als ze ooit eenzaam was geweest of zich had verveeld, had ze dat nooit laten merken.

'Wat leuk,' zei ze dan, terwijl ze haar borduurwerk opborg of haar handen waste onder de keukenkraan. 'Dat noem ik nog eens een goede timing. Ik wilde net de ketel opzetten. Is er nog nieuws?'

Dan hadden ze gepraat over de gezondheid van mensen uit de buurt – Mousies macabere gevoel voor humor maakte Mutt altijd aan het lachen – en dan spraken ze over de nieuwste behandelmethoden. Mutt maakte altijd intelligente opmerkingen en hun werk was het voornaamste gesprekspunt geweest. Opeens besefte Mousie hoe erg ze die bezoekjes en het kletsen met de theepot tussen hen in zou missen; twee vrouwen die gezien hadden hoe slecht en hoe dapper de menselijke geest kon zijn.

'Hubert zou erg trots op je zijn geweest,' had Mutt ooit in een opwelling gezegd. Meteen hing de schim weer tussen hen in en had hun tong verlamd.

Maar hoe had Mutt haar de waarheid kunnen vertellen? Mousie zag zichzelf jaren geleden door de ogen van Mutt – jong, behoorlijk zelfvoldaan, kritisch – en ze dacht weer aan die keer met kerst toen haar aanbod van vriendschap werd afgeslagen. Die gevoelens van vernedering en medelijden bleven bepalend voor haar relatie met de oudere vrouw en ze besefte nu dat ze de rare bijnaam niet had gebruikt om zo haar eigen trots intact te houden.

Zwijgend bewees ze Mutt de laatste eer. Ze was dankbaar voor alles wat ze voor Bruno en alle anderen in de vallei had gedaan. Ze gaf de ezels nog een klopje en vertrok naar The Lookout: hoe eerder het testament bij Bruno was, hoe beter. Ze klom de treden op, liet zich binnen in de keuken en riep al voordat ze stemmen hoorde mompelen.

Bruno kwam haar tegemoet toen ze de woonkamer binnen liep. Zijn brede schouders onttrokken het andere eind van de grote, lichte kamer aan het zicht. Hij keek haar met een waarschuwende blik aan, maar zijn stem klonk normaal en hartelijk.

'Hallo, Mousie,' zei hij. 'Kijk eens wie er is.' Hij deed een stap opzij en ze zag Zoë bij de haard zitten. 'Je bent precies op tijd voor een borrel.'

33

Emma deed de voordeur achter Mousie dicht en bleef even staan, zodat ze tijd had om na te denken. Ze was nog steeds verward door wat Raymond haar eerder had geprobeerd uit te leggen over successierechten. Ze vreesde dat er dingen zouden veranderen in St Meriadoc nu Mutt was overleden. Een gevoel van ellende overviel haar: wat zou het raar zijn op Paradise zonder Mutt. Haar hart kneep samen van verdriet en ze snikte even, duwde vlug haar vingers tegen haar lippen om zo het geluid te smoren toen Joss uit de keuken kwam. Emma vermande zich, dwong zichzelf te glimlachen en wilde niet dat haar verdriet Joss zou verzwakken. Joss miste Mutt net zo erg en wist daar dapper mee om te gaan.

'Ik wil wat aantekeningen doornemen voor morgen,' zei Joss. 'De lunch is bijna klaar, maar er is iets heel belangrijks wat ik eerst even wil afhandelen. Goed?'

Ze deed een beetje vreemd, vond Emma, bijna geheimzinnig, maar ook min of meer opgewonden. Ze zette het idee meteen uit haar hoofd. Het arme kind was gewoon overweldigd door de gebeurtenissen en het hielp niet echt dat Raymond bleef zeuren over hoe het landgoed verdeeld moest worden. Had hij maar geleerd om tactvoller met zijn dochter om te gaan en was hij er maar minder trots op dat hij een man was die er geen doekjes om wond. Toen ze ooit – jaren geleden – had geprobeerd Raymond te verdedigen door te zeggen dat hij altijd zei waar het op stond, had Bruno gezegd: 'Ja, maar hoe komt hij erbij dat iedereen dat wil horen?'

Emma zag Joss onder aan de trap aarzelen en naar haar kijken, en ze vermande zich.

'Natuurlijk is dat goed,' antwoordde ze. 'Ik zal het eten doen. Het werk gaat voor, zelfs onder deze omstandigheden. Ik roep je straks wel.'

Impulsief liep Joss door de gang en omhelsde Emma even.
'Het komt goed, mama,' zei ze ernstig, eerder alsof het een belofte was, en Emma glimlachte naar haar. Ze was dankbaar voor dat warme, onverwachte gebaar en was vervuld van grote liefde voor haar mooie, slimme dochter die zo veel op Mutt leek.
'Natuurlijk komt het goed,' beaamde ze dapper.
Ze keek toe terwijl Joss met twee treden tegelijk de trap op liep, haalde diep adem en ging terug naar de keuken. Raymond stond bij de buffetkast, verplaatste wat kranten en vouwde die op. Er lagen afkeurende, boze rimpels op zijn gezicht.
'Verdorie, het is weg,' zei hij, zodra hij haar zag. 'Het is gewoon verdwenen. Heeft George het toch meegenomen?'
Ze schudde haar hoofd en keek perplex, maar haar hart maakte zenuwachtig een sprongetje. 'Bedoel je het pakje? Nee, dat heeft George niet meegenomen. Hij bood het wel aan, maar ik dacht dat je dat niet prettig zou vinden.'
'Hij vermoedde iets.'
Ze zag dat hij in gedachten terugging naar het korte voorval met George. Hij had zijn brede bleke lippen op elkaar geklemd en zijn ogen stonden nadenkend.
'Het zou me niets verbazen.' Ze besloot zichzelf toe te staan haar afkeuring te laten doorschemeren. 'Je deed ook wel een beetje raar, hoor. Vind je niet?'
'Raar?' Hij keek haar aandachtig aan. 'Denk je dat hij heeft geraden wat het kan zijn?'
Ze haalde haar schouders op, pakte messen en vorken en ging de tafel dekken voor de lunch.
'Waarom zou hij het raden? We weten geen van allen wat erin zit. Waarom zoek je trouwens op de buffetkast? Ik dacht dat het pakje op tafel lag.'
Hij keek wat ongemakkelijk.
'Toen Mousie en Joss binnenkwamen, vond ik het beter om het pakje uit het zicht te leggen. Ik draaide me om en legde het op de buffetkast. Hier dus, en nu is het weg.'
'Misschien heeft Mousie het zien liggen en besloot ze het af te geven.' Ze trok haar wenkbrauwen op bij zijn automatische gebaar van ergernis toen ze dit zei. 'Waarom niet? Er stond duidelijk op

voor wie het was. Wat wilde je er trouwens mee doen? Je had het moeilijk zelf kunnen openen.'

Het bleef veel te lang stil. Ze keek hem aan, wendde ongeloof voor en hij bloosde een beetje.

'Ik heb al uitgelegd dat dit heel gevoelig kan liggen.' Hij klonk bijna verdedigend. 'Ik wilde alleen controleren of het testament er niet samen met andere spullen in was gestopt, meer niet. Je moet niet vergeten dat je evenveel recht hebt om Mutts testament te zien als Bruno. Door er even naar te kijken zouden we gewaarschuwd zijn en niemand zou daar iets van hebben gemerkt.' Hij voelde haar weerzin. 'Hoe eerder we besluiten hoe we de belasting gaan betalen, hoe beter. Ik neem aan dat je niet met de gedachte speelt om Paradise te verkopen om zo aan het geld te komen.'

Emma verborg een vlaag van angst en stak haar kin in de lucht alsof ze zich niets aantrok van zijn dreigement.

'Daar heb ik over nagedacht en ik weet nog steeds niet wat we eraan kunnen doen, ook als we wel weten wat er in haar testament staat. Het is afschuwelijk om hierover te praten terwijl we om Mutt zouden moeten rouwen.'

Voordat hij antwoord kon geven kwam Joss binnen en Emma vermande zich opnieuw, een automatische reactie op de gelijktijdige aanwezigheid van Raymond en Joss. Haar stem werd vanzelf vrolijker en ze glimlachte doorlopend alsof deze houding van vastberaden opgewektheid hun natuurlijke antagonisme kon beteugelen.

'We gaan eten,' kondigde ze luchtig aan, om hen nog meer af te leiden, maar Raymond vroeg Joss al naar het pakje.

'Heb je een pakje gezien?' vroeg hij. 'In bruin papier gewikkeld met een touwtje eromheen? Het lag hier op de buffetkast.'

'Een pakje?' Joss schudde onverschillig haar hoofd. 'Nee. Moest het met de post mee dan?'

'Nee.' Raymond ging weer aan tafel zitten. 'Je moeder zag het liggen toen ze iets anders zocht. Zo te zien zat er iets in wat je grootmoeder lang geleden had ingepakt. Het was voor Bruno bestemd.'

Emma zette de vistaart op de onderzetter in het midden van de tafel en begon hem in stukken te snijden.

'Voor Bruno?'

De stem van Joss klonk scherp en Emma onderdrukte een zucht.

Nu zou alles uitkomen en zou het ruzie worden.

'Misschien heeft Mousie het meegenomen om bij Bruno af te geven,' opperde ze snel. 'Daar hoeven we ons nu toch niet druk om te maken? Is dit genoeg voor jou, Joss?'

'Het was ongeveer zo groot.' Raymond gaf met zijn handen de afmetingen van het pakje aan. 'Je hebt het dus niet gezien? Het is belangrijk dat we weten wat erin zit.'

Joss schudde haar hoofd. Ze keek geschrokken, zelfs wat angstig. Emma snoof van stille verontwaardiging en uit medelijden met haar dochter. Ze had ongetwijfeld al geraden dat haar vader van plan was geweest het open te maken.

'Waar heb je het gevonden?' Joss leek geen belangstelling te hebben voor haar lunch. 'Wat zocht je dan?'

'Je moeder zocht Mutts testament,' antwoordde Raymond gladjes. 'Dat moet namelijk gevonden worden. Ze kwam dit pakje tegen en we vroegen ons af of het testament erin zat.' Hij had al een flink stuk vistaart op; niets weerhield Raymond ervan te eten. 'Nu is het weg.'

'Waar lag het?' vroeg Joss opnieuw.

'In Mutts bureau,' antwoordde Emma. 'Ze bewaarde onze schoolrapporten in een van de laden en het lag in een map met spullen van Bruno.'

Ze zag dat Joss haar min of meer geschrokken aankeek en ze moest zichzelf eraan herinneren dat ze het volste recht had om in Mutts spullen te zoeken. Toch begon ze zich schuldig te voelen bij het zien van Joss' reactie.

'We moeten het testament echt vinden, schat,' zei ze vriendelijk. 'Los daarvan moet Bruno zijn pakje krijgen, wat er ook in zit.'

'Waar is het nu dan?'

Joss leek zich bijna net zo druk om het pakje te maken als Raymond. Emma haalde diep adem en probeerde opkomende irritatie tegen te gaan.

'Zullen we verder eten?' vroeg ze luchtig. 'Dan kunnen we straks met z'n allen gaan zoeken. Het is goed mogelijk dat Mousie het heeft meegenomen en ons een plezier dacht te doen.'

'Ja, dat kan.'

Joss leek een beetje in elkaar te zakken en meer ontspannen op haar stoel te gaan zitten. Emma slaakte een zucht van verlichting en zocht naar een onschuldig gespreksonderwerp. Uit ervaring wist ze dat dit – in aanwezigheid van haar man en dochter – onmogelijk was. Het was onvoorstelbaar, maar zelfs het onnozelste onderwerp kon bij hen tot een verhitte discussie leiden.

'Het was erg aardig van George,' begon ze op goed geluk, 'om ons vanmorgen te komen helpen. Wat een schok, hè, dat Penny Tasha heeft meegenomen? Ik heb altijd al mijn bedenkingen gehad over Penny.'

Ze zag tot haar opluchting dat Raymond totaal niet geïnteresseerd was in de huiselijke problemen van George, maar opging in zijn eigen gedachten; hij was ongetwijfeld het landgoed naar eigen inzicht aan het verdelen. Joss had haar vork gepakt en at zogenaamd geconcentreerd haar stuk vistaart op.

'Ik heb altijd al gedacht dat ze iets verborgen hield,' sprak Emma verder. 'Dat klinkt nogal dramatisch, maar je snapt wel wat ik bedoel, hè? Ze was niet open en daardoor was het moeilijk om echt met haar in contact te komen. O, ze was heel aardig, dat is ontegenzeggelijk waar, maar het was allemaal oppervlakkig. Ik weet dat ze haar familie en haar land miste – dat was te verwachten en dat neemt niemand haar kwalijk – maar ik heb het gevoel dat er meer achter zit.'

Hoewel ze gewend was tijdens het eten dit soort monologen te houden, in een poging knallende ruzie te voorkomen, verbaasde het haar dat Joss totaal niet reageerde. Raymond ging bij dit soort gelegenheden meestal op in zijn eigen wereld, maar Joss deed vaak een heroïsche poging om het balletje tussen hen aan het rollen te houden, deels omdat ze altijd wroeging voelde over het feit dat ze zich door haar vader liet opjutten.

Emma schepte nog een stuk vistaart op Raymonds bord en keek uitnodigend naar Joss, die met een lachje haar hoofd schudde en gemakkelijker op haar stoel ging zitten.

'Het zal me niets verbazen als we te horen krijgen dat ze een ander heeft in Nieuw-Zeeland,' voorspelde Emma, die haar eigen bord leegat en twijfelde of ze nog een stuk zou nemen. Ze vond dat de vistaart erg goed was gelukt.

Joss ging opeens verzitten alsof ze iets wilde gaan zeggen, keek angstvallig naar haar vader en nam toen nog een hap. Emma fronste haar wenkbrauwen. Het was duidelijk dat Joss niet over George en

Penny wilde praten waar Raymond bij was en ze werd nieuwsgierig. George en Joss waren natuurlijk altijd goed bevriend geweest, waren dol op elkaar... Emma legde haar vork neer en keek opnieuw naar haar dochter, die met haar hoofd over haar bord gebogen zat en vlug en netjes at, alsof haar lunch wegwerken het enige was wat telde. Emma zag dat ze bloosde en terwijl ze naar haar keek, werd Joss nog roder. Opeens vielen er allerlei stukjes op hun plaats.

'Heerlijk, schat.' Raymond had de laatste hap van zijn tweede stuk op. 'Is er nog meer? Wat zei je nou over George?'

Emma schepte het laatste stuk vistaart op zijn bord en stond op.

'Ik zei dat het zo'n aardige jongen is en dat Joss en hij vanmiddag met de ezels gaan wandelen.' Ze knikte nadrukkelijk naar Joss, die haar nu verbaasd aankeek, en liet heet water in de lege ovenschaal lopen. 'Ik hoorde je toch een tijd met hem afspreken? Het is bijna twee uur en je hoeft vast geen toetje. Er is helaas alleen fruitsalade, Raymond, maar er is eventueel wel kaas als je daar trek in hebt.'

Joss stond op en draalde bij haar stoel. Emma keek haar aan met een blik van 'hierover gaan we niet in discussie' die goed had gewerkt toen Joss klein was.

'Ga nou maar,' zei ze kordaat. 'Anders staat George straks te wachten.'

Ze wisselden een blik. Emma keek bemoedigend en Joss verward, maar dankbaar. Toen liep Joss de keuken uit. Emma slaakte tevreden een zucht en werd vrolijker.

'Ik lust echt niets meer, schat.' Raymond gaf een klopje op haar arm. 'Er gaat niets boven lokale vis. Heerlijk.'

'Bedankt, schat.' Emma glimlachte stralend naar hem. 'Ga maar lekker in de woonkamer zitten, dan kom ik straks met de koffie. Het is fijn om even tijd voor onszelf te hebben. Hier, neem de krant maar mee.'

Tot haar grote opluchting verdween hij gehoorzaam. Ze zette de borden op de aanrecht, luisterde of er geluiden uit de salon kwamen en liep toen snel naar de buffetkast. Ze trok een la open, controleerde of het pakje goed was verstopt, pakte een stapel theedoeken uit een andere la en legde die er zorgvuldig overheen. Er mocht geen onenigheid of ruzie komen en er mochten geen bittere woorden vallen voordat Mutt vredig was begraven. Wat er ook in het pakje zat, het kon best een paar dagen wachten. Tevreden omdat het daar veilig lag tot na de begrafenis, deed ze de la zacht dicht en ging koffie zetten.

34

Joss was vanuit de tuin het grasland op gelopen en George arriveerde een paar minuten later bij het hek. Ze voelde zo'n overweldigende opluchting toen ze hem zag dat ze blij was dat ze zich kon bezighouden met de ezels hun hoofdstel omdoen. Ze glimlachte even naar hem, maar voelde zich ongewoon verlegen.

'Welke kant zullen we op gaan?' Het was duidelijk dat hij probeerde te doen alsof er niets tussen hen was veranderd. 'Heen over de weg en terug door de vallei? Ik neem Rumpelteazer wel.'

Hij pakte de halster van Rumpelteazer en begon door het grasland te lopen, erop vertrouwend dat zij hem met Mungojerrie zou volgen. Dit was de gebruikelijke gang van zaken: Rumpelteazer liep graag voorop. Ze sjokten over de weg, staken de smalle brug over en liepen langs The Row. Het waaide nu harder en het woelige oppervlak van het water werd opgezweept tot witte schuimkopjes, terwijl de zeevogels hoog in de lucht in veranderlijke patronen duikelden en zweefden, en ondertussen treurig kresen. Gouden banen zonlicht schenen her en der tussen de uiteengerukte en geteisterde wolken door en aldoor bulderde de zee, die oprukte en met tomeloze energie over de rotsen en tegen de kliffen sloeg.

De opkomende vloed en de wind maakten praten onmogelijk. Terwijl ze Mungojerrie meevoerde over de smalle slingerweg die nu landinwaarts klom, dacht Joss aan Mutt en aan de brieven. Ze wilde ze graag nog een keer lezen en ze dacht vooral aan de stukken over Simon. Ze probeerde zich voor te stellen wat er gebeurd zou zijn als Mutt hem de waarheid had verteld. Zou hij vol afschuw zijn teruggeschrokken, waar ze bang voor was, of zou zijn liefde voor haar hem genoeg mededogen hebben gegeven om het te begrijpen? Terwijl ze tussen de hoge grasrijke glooiingen door liepen, die nu bezaaid waren met tere bleke sleutelbloemen en felgele stinkende gouwe, vroeg Joss zich af of Mutt ooit spijt had gehad van die zondagochtend bij de Saint's Well.

Toen George omkeek om te controleren of ze nog volgden, wist ze meteen dat de barrière tussen hen er nog steeds was. *De waarheid komt altijd aan het licht.* Ze kon zich nooit meer bij hem op haar gemak voelen zolang hij de waarheid niet wist. Ze glimlachte naar hem, knikte dat alles in orde was en slaakte stilletjes een diepe zucht. Op het moment dat haar vader de keuken op Paradise binnen was gekomen, had ze geweten dat het onmogelijk was haar moeder te blijven beschermen. 'Je onderschat haar,' had Mousie gezegd en dat wilde Joss graag geloven. De sterke overtuiging dat haar moeder de waarheid niet mocht weten werd steeds verder afgezwakt – haar vaders aanwezigheid had daaraan bijgedragen – maar ze kon zich geen situatie voorstellen waarin ze haar moeder de waarheid zou vertellen. Ze dacht aan haar eigen reactie bij het lezen van de brieven en schrok ervoor terug Emma hetzelfde proces te laten doormaken. Maar misschien onderschatte ze haar moeders veerkracht en mededogen inderdaad. Misschien had ze het mis en was het voor Emma gemakkelijker te accepteren dat haar relatie met deze mensen die van haar hielden niet werd bedreigd.

Kijkend naar de vertrouwde tred van George, die hij had aangepast aan het gekuier van Rumpelteazer, bedacht Joss dat haar gesprekken met Bruno en Mousie haar in die overtuiging hadden gesterkt: ze hadden haar allebei getroost en het was bij hen gemakkelijk geweest om het gevoel te hebben dat er in feite niets vreselijks was gebeurd. Ze was nog steeds zichzelf: Joss Fox; daar was niets aan veranderd en de mensen die het belangrijkst voor haar waren, hielden nog steeds van haar. Als Bruno en Mousie zo over haar dachten na deze verbijsterende onthulling, waarom zou dat dan voor George niet gelden? Ze moest zichzelf eraan herinneren dat Bruno het altijd had geweten. Ze schudde haar hoofd van verbazing en bewonderde zijn moed. Mensen die de brieven niet hadden gelezen zouden Mutt gemakkelijk kunnen veroordelen, maar door die brieven werd alles anders. Ze lieten Mutt zien als een kwetsbare jonge vrouw in buitengewone omstandigheden. Toch kon Joss nog steeds nauwelijks geloven dat haar moeder niet Emma Trevannion was, het zusje van Bruno, maar Lottie Uttworth...

Ze zag dat George en Rumpelteazer geduldig stonden te wachten op het punt waar de weg breder werd en ze liep haastig naar hen toe.

'Ze lopen goed door, hè?' vroeg hij opgewekt. 'Niet zo tergend langzaam als anders. Gaat het?'

Ze keken elkaar aan en bij het zien van zijn gelaatsuitdrukking werd ze overvallen door wroeging. Hij straalde geen verwijt of zelfmedelijden uit, maar kon niet helemaal verhullen hoe vervelend en verwarrend hij het vond dat een onverklaarbaar obstakel de gebruikelijke stroom van genegenheid tussen hen belemmerde.

'O, George,' zei ze, terwijl ze de halster van Mungojerrie met beide handen stevig vasthield. 'Nee, het gaat helemaal niet. Met ons allebei niet en dat weten we, maar ik heb geen idee hoe ik ermee om moet gaan.'

Hij keek meteen opgelucht en was blij dat ze openlijk toegaf dat er een obstakel was.

'Komt het doordat Penny plotseling is weggegaan?' vroeg hij. 'Ik dacht dat ik wist hoe jij erover dacht, maar daarna vroeg ik me af of het nieuws je had overrompeld.'

'Nee, dat is het niet. Het is iets heel anders.' Ze concentreerde zich zo sterk op hoe ze het moest uitleggen dat ze zich niet afvroeg hoe haar woorden overkwamen. 'Het heeft helemaal niets met Penny en jou te maken.'

'Dat heb je al gezegd.' Hij fronste gespannen zijn wenkbrauwen. 'Maar als het niet om Penny of mij gaat, wat is er dan?'

'Het ligt aan mij,' zei ze snel. 'Er is iets wat jij niet weet. Je zou het ook nooit kunnen raden. Ik ben niet wie je denkt dat ik ben...'

Terwijl ze geërgerd haar hoofd schudde omdat haar woorden ontoereikend waren, hoorden ze verderop een auto.

'We kunnen hier niet praten,' zei George abrupt. 'Haal Mungojerrie hierheen anders gaat hij trappen. We lopen over het veld bovenaan en daarna gaan we de vallei in. Dan kunnen ze daar even vrij rondlopen om te eten.'

De bestelbus kwam de bocht om en minderde vaart bij het zien van de ezels. De bestuurder stak zijn hand op en reed verder. Toen Joss en George over het brede veld liepen, dat omzoomd was door heggen van gaspeldoorns en sleedoorns, rukte de wind geselend aan hun haar en hun jas. Ze kromden zich ertegen en trokken de ezels vooruit naar de beschutting van de vallei. Nadat ze door het krakkemikkige hek waren gelopen, liepen ze naar beneden naar de rand van het beekje. Daar lieten ze de ezels los, die meteen begonnen te grazen.

Het was hier veel rustiger. De wind gierde hoog boven hun hoofd en boven de bomen, klampte zich vast aan de hellingen en bukte zich voor een onstuimige omhelzing. De laatste wolken werden weggedreven naar het oosten en de zon brak plotseling door met schitterende warmte, zodat ze elkaar opgelucht aankeken. Ze hoorden de kleine sprankelende bron, half verborgen onder de overgebleven granieten stenen van de cel van de volgeling, en het schorre gekras van een raaf ergens op de rotsrichel boven hen. Joss dacht aan die picknick van lang geleden toen Mutt de leeuwerik had horen zingen en Simon, toen hij naar de vogel wees, met zijn arm langs haar wang had gestreken en ze verliefd op hem was geworden.

George haalde een Bounty uit zijn zak en brak die in tweeën, voor allebei een stuk. Zo hadden ze dat altijd gedaan vanaf de eerste keer dat ze met z'n tweeën weg hadden gemogen zonder een oudere broer of zus of ouder erbij om op hen te letten. Ze hadden altijd gedeeld. Hij stak haar nu met zijn bekende glimlach het stuk chocolade toe, maar er lag een sombere blik in zijn ogen.

'Ik heb nagedacht over wat je daarstraks zei,' begon hij. 'Ik besef dat ik het bij het verkeerde eind had. Zo is het toch? Het was nogal arrogant van me om aan te nemen dat je genoegen zou nemen met wat ik je te bieden heb, wat in feite helemaal niets is. Je gaat me nu zeker vertellen dat er een ander is? Ik had het kunnen weten. Ik ben er echter van uitgegaan dat jij er net zo over zou denken als ik nu Penny weg is.'

Hij at zijn chocolade op en stak met opgetrokken schouders zijn handen in zijn zakken. Hij hield zijn hoofd een beetje naar beneden. Zijn gezicht was uitdrukkingsloos en Joss keek hem aan.

Er was die ochtend geen magie bij de Saint's Well: alleen het heldere, koele geluid van het water en de scherpe, indringende geur van daslook.

Ze dacht: maar ik ben Mutt niet en George is Simon niet.

'Nee,' zei ze snel. 'Nee, je hebt het helemaal mis, maar wat ik je moet vertellen is bijzonder en heel gecompliceerd. Kom eens bij me zitten.'

Ze vouwde haar omslagdoek tot een kussen en trok hem naast zich op de steen waar haar grootmoeder vijftig jaar eerder op een hete middag in augustus ooit met Simon had gezeten. Langzaam, soms stokkend als ze zich de details probeerde te herinneren, begon ze het verhaal te vertellen.

Rafe zag de kleine stoet langs The Row lopen, terwijl Pamela naar de klepperende hoeven van de ezels luisterde.

'Hoe zien ze eruit?' vroeg ze.

Ze wachtte geduldig op zijn antwoord, terwijl ze haar vingers over de bekende voorwerpen liet glijden: sommige voorwerpen herinnerde ze zich, van andere kon ze zich alleen door hun vorm of compactheid een voorstelling maken. De vier kleine vogels stonden vandaag bij elkaar, ieder op een hoek van de roze-met-witte schaal, en in een aardwerken pot stond een tak wilgenkatjes. De donzige knoppen waren net opengebarsten op hun stijve, lange stengels. Ze raakte de tere pluimen van de katjes aan, zag ze duidelijk voor zich, en wist uit welke heg Rafe ze had gesneden.

'Ze kijken wat bedrukt,' antwoordde Rafe. 'Meer zoals vroeger op de laatste dag van de vakantie. Gek eigenlijk, want ik kan niet precies zeggen hoe ik daarbij kom. George loopt voorop met Rumpelteazer en Joss loopt er zoals gewoonlijk achteraan met Mungojerrie, maar ze komen terneergeslagen over.'

Pamela fronste haar wenkbrauwen, draaide zich in de richting van zijn stem en stelde zich het tafereel voor.

'Ik denk dat hij nog niet de kans heeft gekregen om echt met haar te praten. Wat denk jij? Ik weet dat hij tijdens het middageten zei dat hij het vanmorgen aan hen had verteld, maar Emma de droge feiten meedelen is iets anders dan het uitleggen aan Joss.'

'En Raymond was er, dat zal ook een nadeel zijn geweest.' Rafe liep bij het raam vandaan en kwam naast haar aan tafel zitten. 'Die arme Joss zal met stomheid geslagen zijn door dit nieuws, zo kort na het overlijden van Mutt.'

'Ja,' beaamde Pamela, 'ze zal het heel moeilijk vinden om op dit moment blij voor zichzelf te zijn. Toch denk ik nog steeds dat dit een goede afleiding is. Ze willen allebei niet in het middelpunt van de belangstelling staan, maar ik had verwacht dat ze opgelucht zou zijn door het nieuws.'

Er viel een korte stilte.

'Misschien hebben we het verkeerd ingeschat,' zei Rafe aarzelend, maar Pamela schudde haar hoofd.

'Mijn gevoel zegt dat het klopt,' zei ze, 'maar er komen ook andere aspecten bij kijken, Rafe. Heb je er ooit over nagedacht wat er zou kunnen gebeuren als Mutt er niet meer is? Met het landgoed, bedoel ik.'

'Nou, ik neem aan dat er weinig zal veranderen. Ik denk dat Bruno en Emma het zullen erven. Ik heb me afgevraagd of Mutt het huis misschien aan Joss heeft nagelaten. Ze hadden immers een hechte band en Emma wil het toch niet voor zichzelf. Waar denk jij dan aan?'

Pamela trok een lelijk gezicht alsof ze niet wist waar ze zich precies druk om maakte.

'Misschien ligt het niet zo eenvoudig,' zei ze uiteindelijk. 'Hoe moet het bijvoorbeeld met de successierechten? Stel dat er iets verkocht moet worden om die te kunnen betalen.'

Rafe wreef nadenkend over zijn neus en steunde vervolgens met beide ellebogen op tafel. 'Als ik daarover nagedacht zou hebben, had ik verwacht dat Mutt jaren geleden al wat onroerend goed zou hebben overgedragen. We hebben immers altijd al geweten dat Bruno The Lookout zou krijgen en Emma Paradise. Ik neem aan dat ze The Row moeten delen.'

'Dat vraag ik me af. Misschien is er een probleem en weet Joss daarvan, zodat ze zich momenteel wat ongemakkelijk voelt.'

'Probleem?'

'Nou ja, we zijn er altijd van uitgegaan dat er voor ons niets zou veranderen, maar Raymond heeft er geen geheim van gemaakt dat hij plannen heeft om de werf te ontwikkelen.'

'Daar krijgt hij nooit toestemming voor. Denk je echt dat Emma en Bruno zullen toekijken terwijl ons leven en dat van Mousie wordt geruïneerd?'

'Dat hoop ik niet,' antwoordde Pamela emotioneel. 'Ik vraag het me alleen af.'

Ze stak haar hand naar hem uit. Hij pakte die en hield hem stevig vast, terwijl ze samen zwijgend bleven zitten.

35

Toen Bruno het steile pad vanaf The Lookout af liep, merkte hij dat het weer was omgeslagen. De bittere noordoostenwind was naar het zuidwesten gedraaid, het ijs in de moddersporen was gesmolten en de onstuimige lucht was zacht en warm. Hij had een pakje onder zijn arm dat hij steviger vastklemde voordat hij even omkeek naar The Lookout, waar Zoë voor het raam naar de zee stond te kijken.

Hij stak de smalle brug over, stopte bij het eerste huis van The Row en klopte op de deur, waarna hij hem opendeed en naar binnen stapte. Hij riep net Mousies naam toen ze verscheen. Vanuit het kleine halletje ging een trap steil naar boven. Hij hing zijn jas op aan een van de haken naast de deur en liep vervolgens achter haar aan naar het enige grote vertrek beneden. Een bar met kasten eronder scheidde de keuken van de zithoek: twee donkergroene oorfauteuils, aan weerszijden van de Victoriaanse haard waar een klein kolenvuur in brandde, en een eiken hangoortafel, die bij het raam stond dat uitkeek op zee.

Deze meubelstukken – evenals wat schilderijen en ornamenten – waren van haar moeder geweest en toen Bruno aan de lange deftige tante Julia dacht, vroeg hij zich af hoe Mousie had gereageerd op Mutts niet erg geflatteerde beschrijvingen van haar: ... *die me aan een statige wijfjespauw doet denken – een boezem als een filterzak en een heel lange hals met een klein hoofd erop...*

Het was een nogal trieste gedachte dat slechts weinig mensen de vrolijke, malle vrouw achter de ingetogener persoon van Honor Trevannion hadden gekend.

'Sorry dat ik eerder niets kon zeggen.' Hij zette de tas met Mutts brieven op tafel. 'Je hebt gezien wat het probleem was. Ik hoop dat jij een tijdje op deze spullen wilt passen. Ik zeg niet dat Zoë gewetenloos is, maar het is waarschijnlijk beter haar niet in verleiding te brengen.'

'Dat zal hier dan ook wel voor gelden.' Mousie stak hem de lange bruine envelop toe. 'Dit lag in de la van de kaptafel.'

Bruno slaakte een zucht van verlichting. 'Ik dacht al dat je het testament had gevonden toen je zei dat je iets met me wilde bespreken. Ik hoopte althans dat je dit bedoelde. Je keek als iemand die net een sluwe streek had uitgehaald. Je hebt het boek zeker niet gevonden?'

Ze schudde spijtig haar hoofd en keek toe terwijl hij het document uit de envelop haalde.

'De la is niet diep genoeg voor een boek. Ik heb geen idee waar het kan zijn. Ik ben bang dat Emma het vindt. Je kunt je voorstellen wat een schok het zal zijn als ze het boek vindt en de overlijdensaktes nog steeds op dezelfde plek zitten waar Honor...' – ze schudde geïrriteerd haar hoofd omdat ze zichzelf eraan moest herinneren – 'sorry, waar Mutt ze had verstopt.'

'Hm.' Hij luisterde maar half naar haar, terwijl hij vluchtig het document las. 'Het is beter dan ik had gedacht. Ze heeft The Lookout en de werf aan mij nagelaten en Paradise aan Emma. De dominee en zijn vrouw waren de getuigen. Ik vraag me af waarom ze niet een echt testament door Richard Prior heeft laten opmaken.'

'Ze miste de oude Michael Veryan ontzettend na zijn overlijden,' zei Mousie. 'Ze heeft het nooit goed kunnen vinden met de jongere partners. Misschien was ze zenuwachtig, bang dat ze zich zou verspreken als ze naar hen toe ging.'

'Het is duidelijk dat ze nooit aan successierechten heeft gedacht. Of misschien hoopte ze dat zwager Fox en ik dat bedrag samen zouden ophoesten door onze spaartegoeden aan te spreken, zodat het landgoed niet verkocht zou hoeven te worden.'

Mousie snoof. 'Zelfs Honor zou niet denken dat Raymond zo filantropisch kon zijn. Zie je hem al zijn portemonnee trekken terwijl de werf niet wordt ontwikkeld? Hij zal van alles proberen om je onder druk te zetten.' Ze haalde even triest haar schouders op. 'Als je de waarheid niet weet, is het ontwikkelen van de werf een logische oplossing.'

'Ik zal er alles aan doen om dat te voorkomen.' Bruno vouwde het testament op en stopte het terug in de envelop. 'Ik denk dat we dit moeten laten rusten tot na de begrafenis.'

Mousie keek hem aan. 'Je bent het toch wel met me eens dat Emma het moet weten?'

Hij aarzelde en stopte het testament in de tas met brieven.

'Ja,' zei hij uiteindelijk, bijna met tegenzin. 'Al was het alleen maar omwille van Joss. Ik ben het met je eens dat ze anders nooit meer openhartig en spontaan met de familie zal kunnen omgaan en ik hoop dat je gelijk hebt dat we Emma's reactie onderschatten.'

'Ze moet de brieven lezen,' zei Mousie resoluut. 'Dan komt het wel goed.'

Bruno's ogen vernauwden zich tot spleetjes en hij glimlachte. 'Hebben ze echt zo'n indruk op je gemaakt, Mousie?'

Ze knikte en glimlachte een beetje spijtig toen ze terugdacht aan haar tegenstrijdige emoties. 'Uiteindelijk wel,' bekende ze. 'De brieven raakten me diep. Ik kon me namelijk nog veel herinneren. Ze was erg aardig en tegenover mij toch altijd wat gereserveerd. Ze hield me op een afstand. Ik zag wat voor effect ze had op Simon – en op Rafe – hoewel ik boos op Rafe was omdat hij eraan toegaf. Het was precies zoals ze het beschreef.' Een korte stilte. 'Kun je je voorstellen hoeveel moeite het moet hebben gekost om Simon af te wijzen en de band met haar zus definitief te verbreken? Gelukkig had ze jou, Bruno. Wat zou ze eenzaam zijn geweest als ze het allemaal alleen had moeten dragen.'

'Ik heb minder onthouden dan jij. Ik herinner me de picknicks en het bramen plukken en Pipsqueak en Wilfred. En ik moest aan Jessie Poltrue denken toen ik daarnet binnenkwam. Ik had in geen jaren aan haar gedacht.' Bruno ging aan tafel zitten op een van de Windsor-stoelen. 'Wat gaat er nu gebeuren, Mousie?'

'Als de waarheid bewezen kan worden, zou ik niet weten waarom het niet goed zou aflopen.' Ze keek hem scherp aan. 'Wat wil Zoë eigenlijk op dit moment?'

'Ze wil onderdak totdat ze volgende week in een ander appartement kan trekken... Hoezo? Wat dacht jij dan?'

Mousie haalde haar schouders op. 'Het is wel erg toevallig dat ze uitgerekend nu komt, vind je niet?'

'Kom nou.' Bruno keek haar vol ongeloof aan. 'Je denkt toch niet dat ze het al wist van Mutt? Lieve help! Waar? Hoe?'

'Ik heb geen idee. Ik wijs er alleen op dat haar bezoek precies samenvalt met het feit dat je er volgende week rond deze tijd financieel beter voor zult staan dan nu.'

'Nee.' Bruno schudde zijn hoofd. 'Ik denk echt niet dat ze daarom bij mij is. Waarom zou ze helemaal hierheen komen? Ik mag dan straks misschien veel grond bezitten, maar ze zal wel doorhebben dat er weinig geld is waar ik aan kan komen.' Hij grinnikte. 'Vooral omdat ik haar eerder haarfijn uit de doeken heb gedaan dat er problemen zijn. Zoë weet dat ik haar niet aan haar lot zal overlaten zolang ze zich redelijk gedraagt. Ze is niet achterbaks of inhalig, hoor. Ik weet zeker dat het puur toeval is dat ze nu is opgedoken.'

Op Mousies gezicht stond weifelende acceptatie te lezen. 'Goed. Laat we het niet meer over Zoë hebben en ons op Raymond concentreren. Je moet er rekening mee houden dat hij die brieven niet zal geloven. Hij zal in ieder geval proberen hun rechtsgeldigheid in twijfel te trekken.'

'Maar hoe denkt hij dat te doen? Ik kan tegen iedereen zeggen dat het de waarheid is.'

Mousie lachte. 'Je kunt wel horen dat je geen detectives schrijft,' merkte ze op. 'Wie wordt er beter van die brieven? Jij. Logisch dat je bevestigt wat erin staat. Ik weet niet of je ze als bewijsstukken kunt gebruiken bij een rechtszaak, maar je zit met een probleem. Je hebt die overlijdensaktes nodig.'

'Verdraaid,' zei hij zacht. 'Zo had ik het nog niet bekeken. Mijn conclusie was dat Emma het moest weten en dat het oorspronkelijke testament van mijn grootvader opnieuw moest worden geverifieerd of hoe dat in juridische termen ook heet. Ik dacht dat die brieven voldoende bewijs zouden zijn. Lieve hemel, Mousie, is het aannemelijk dat ik al die brieven heb zitten schrijven – los van het feit dat we allemaal weten dat het Mutts handschrift is – in een poging het landgoed zelf in handen te krijgen?'

Mousie legde haar hand op zijn schouder. 'Geloof me nou maar,' zei ze onverbiddelijk. 'Zo gemakkelijk geeft Raymond zich niet gewonnen en het kan een heel smerig zaakje worden waar Emma en Joss overstuur van zullen raken. Dit is iets wat tussen ons allemaal in kan komen te staan en simpelweg veel meer schade kan aanrichten dan de waarheid. We moeten het boek en de overlijdensaktes vinden om de brieven te kunnen bevestigen.'

'Dat zal allemaal wel,' antwoordde hij ongeduldig, 'maar waar wil je beginnen met zoeken zolang Emma en zwager Fox op Paradise logeren? Je hebt geluk gehad dat je het testament zo gemakkelijk te pakken hebt gekregen, Mousie. Het kan dagen duren om het hele huis te doorzoeken in een poging het boek te vinden. Wat moeten we zeggen als ze vragen wat we zoeken en hoe voorkomen we dat ze mee gaan zoeken?'

'Rustig maar, dat weet ik.' Mousie stak sussend haar hand op. 'Joss zal haar ogen natuurlijk goed openhouden.' Ze zweeg even. 'Als alles volgens plan verloopt, wat ga je dan met Paradise doen?'

'Bedoel je of Joss er gaat wonen?' Hij glimlachte om haar gedachtesprong. 'Daar heb ik al over nagedacht. Het ware obstakel zal Joss waarschijnlijk zelf zijn. Ze zal er moeite mee hebben het als haar thuis te beschouwen, terwijl de kinderen van Rafe er wettelijk gezien meer recht op hebben.'

'Tenzij ze er natuurlijk met een van die kinderen gaat wonen.'

Hij keek haar vlug aan. 'Weet je het van Joss en George?'

Ze grinnikte. 'Lieverd, vanaf dat ze klein waren, heb ik al geweten dat Joss en George bij elkaar horen. Het is jammer dat hij ooit met Penny is getrouwd, maar nu, dat heb ik althans van Rafe en Pamela gehoord, zijn ze uit elkaar. Penny is teruggegaan naar Nieuw-Zeeland. Ik denk dat het niet lang zal duren voordat Joss en George doen wat ze vijf jaar geleden hadden moeten doen. Waarom zouden ze niet op Paradise gaan wonen? Als de oude oprijlaan aan de achterkant weer in gebruik wordt genomen, kunnen haar patiënten hiernaartoe rijden zonder de rust in de vallei te verstoren. Er is immers ruimte genoeg om haar praktijk vanuit Paradise te runnen.'

'Zelfs als Joss het goed zou vinden, hoe vereffen ik dan de rekening met Olivia en Joe? Als niemand de waarheid weet, zou het op bevoorrechting lijken. Ik zou Paradise natuurlijk aan hen kunnen verhuren...' Hij dacht er even over na. 'Tjonge, Mousie, ik heb de afgelopen twee dagen veel nagedacht. Wat gaat er met het landgoed gebeuren als ik kom te overlijden? Ik begin te geloven dat Rafe en jij jullie huis moeten erven en dat ik de rest aan George en Joss moet nalaten. Wat vind jij?'

'Ik ben het met je eens dat Joss en George de natuurlijke erfgenamen zijn,' antwoordde ze. 'Zij zijn de kinderen die jij nooit hebt gehad. Je hebt altijd al het meest van hen gehouden en het is precies wat Mutt gewild zou hebben. Waarom niet? Als Rafe en Pamela vervolgens besluiten hun huis aan Olivia en Joe na te laten, kunnen die het verkopen als ze het later erven, maar ze kunnen het landgoed in ieder geval niet aantasten. Denk er goed over na en neem geen overhaaste beslissingen. Er is geen enkele reden waarom George en Joss Paradise voorlopig niet eerst kunnen huren. Ik weet in ieder geval zeker dat dat de juiste oplossing is.'

'Als we Joss ervan kunnen overtuigen dat ze nog steeds hier thuishoort.'

'Dat zal George wel voor ons doen,' zei Mousie. 'Als ze met hem trouwt, wordt ze toch familie?'

Bruno stond op en schoof het pakje naar haar toe.

'Wil je dit voor me bewaren?' vroeg hij. 'Stop het veilig weg totdat we het nodig hebben.'

Als antwoord draaide ze de grote kast onder de boekenkast met glazen deuren van het slot, die in de nis naast de haard was gebouwd. Ze legde het pakje erin.

'Daar ligt het veilig,' zei ze, en ze draaide de kast weer op slot. 'We hebben nu alleen nog *Goblin Market* nodig en de rest van de puzzel. Waar zou het boek kunnen zijn?'

'Ik ben bang dat Emma het vindt en dan naar me toe komt en een verklaring eist,' bekende Bruno. 'Dat zou op dit moment met Zoë in huis moeilijk zijn. Ik denk echt niet dat Zoë het van iemand heeft gehoord over Mutt, maar ik heb mogelijke aanspraken ontzenuwd door te laten doorschemeren dat Paradise misschien verkocht moet worden vanwege de successierechten en dat zwager Fox er zijn zinnen op heeft gezet de werf te ontwikkelen.'

'En hoe reageerde ze daarop?'

Bruno grinnikte. 'Voor haar doen was ze erg meelevend, maar ze was eigenlijk meer geïnteresseerd in haar eigen problemen dan in de mijne.'

'Ik sta versteld van je,' zei Mousie droog. 'Weet Emma dat ze hier is?'

Hij knikte. 'Ik belde om te zeggen dat ik vanmiddag niet zou komen. Ik had sowieso een smoes nodig. Ik heb nog geen zin om zwager Fox tegen het lijf te lopen, dus dat probeer ik te vermijden. Morgen gaat hij blijkbaar terug naar Londen voor een vergadering, dus ik heb gezegd dat ik kom als hij weg is. Emma vond het prima – als ze in haar gewone doen is, kan ze al niet tegen confrontaties – maar ik moet toegeven dat ze niet stond te juichen toen ze hoorde dat Zoë hier is.'

'Ze heeft haar nooit gemogen,' zei Mousie. 'En daar had ze alle reden toe. Je hebt toch ook weinig aan Zoë gehad?'

'We wilden niet hetzelfde,' antwoordde hij snel. 'En ik ben nu eenmaal niet de gemakkelijkste om mee te leven.'

'Maak je geen zorgen.' Haar glimlach was hartelijk. 'Ik ga me er nu heus niet alsnog mee bemoeien, maar je zult moeten accepteren dat niet iedereen even tolerant is als jij.'

Hij glimlachte terug, maar keek afwezig. 'Met Emma komt het toch wel goed, hè, Mousie?'

Ze moest opeens denken aan de kleine jongen die zo vaak naar haar toe was gekomen om gerustgesteld te worden.

'Emma zal beseffen dat we niet meer van haar hadden kunnen houden als ze wel Huberts kind was geweest. Dat weet ik heel zeker. We kennen Emma al vijftig jaar en onze gevoelens voor haar zullen niet veranderen. Waarom ook? Ze hoort hier net zozeer thuis als ieder van ons en ze zal hier blijven komen zoals ze altijd heeft gedaan en dan zal ze bij Joss of bij jou logeren. Als ze de brieven heeft gelezen zal ze de waarheid accepteren en het zelfs wel romantisch vinden. Geloof me nou maar, Bruno. Met Emma komt het wel goed.'

Hij knikte en accepteerde haar wijze woorden. 'Het komt gewoon… Ze is me erg dierbaar,' zei hij.

'Mij ook,' zei Mousie. 'Zij en Joss en Mutt.'

'Ik ben bang dat ze niet zal snappen hoe ik haar al die jaren heb kunnen misleiden.' Hij zat er nog steeds over in. 'Dat ik zo'n geheim voor haar verborgen heb gehouden terwijl we een hechte band hebben.'

'Je had geen keus,' antwoordde Mousie vlug. 'Dat zal ze beseffen als ze de brieven heeft gelezen. Haar moeder dwong je het geheim te bewaren en je kon haar niet verraden. Aanvankelijk was je te jong om het te snappen en tegen de tijd dat je wel begreep wat er was gebeurd, was het te laat.' Ze maakte opeens een ongeduldig gebaar. 'Ik wou dat Joss en jij zouden besluiten om Emma nu al de waarheid te vertellen. Ik ben bang dat we er straks opeens toe gedwongen zullen worden. Het is beter om zelf het tijdstip te bepalen. Wat mij betreft hoe eerder, hoe beter.'

Bruno keek haar aan en verbaasde zich over deze onverwachte vlaag van irritatie. 'Denk je dat ze *Goblin Market* en de overlijdensaktes zal vinden?'

'Ik weet het niet. Zoiets.'

'Ik heb Joss beloofd dat Mutt in alle rust begraven zal worden, maar ik zal nog eens met haar gaan praten,' zei hij. 'Bedankt, Mousie.'

Ze omhelsden elkaar liefdevol, maar toen Mousie hem uitliet en Bruno de invallende schemering in stapte, spookte bij allebei dezelfde vraag door hun hoofd: waar had Mutt *Goblin Market* verstopt?

36

Raymond reed de volgende ochtend vroeg weg, vlak nadat Joss naar haar praktijk in Wadebridge was vertrokken. Emma zwaaide de auto na op de oprijlaan, slenterde vervolgens over de mossige paden en bleef verrukt staan bij de camelia's die al bloeiden in de beschutting van de tuinmuur. Hier groeiden de mooie roze Lady Clare en de donkerrode Adolphe Audusson, terwijl aan hun voeten witte en paarse krokussen stonden. De storm was 's nachts gaan liggen en het was rustig en fris; een lichtgrijs wolkendek verduisterde de zon en hulde de tuin in een vredige stilte die alleen werd verstoord door vogelgezang. Een roodborstje vergezelde haar: de vogel fladderde boven de hoge stenen muur en ze fleurde op door zijn vrolijke noten.

Emma rechtte haar schouders en voelde de bekende opluchting nu Raymond weg was. Ze trok een stuk kruipende klimop los van de muur en glimlachte blij toen ze wat primula's ontdekte, die bijna niet te zien waren in het hoge gras. Haar zelfverzekerdheid groeide en ze hield zich voor dat het goed was het pakje verborgen te houden. Ze was bij haar theorie gebleven dat Mousie het pakje had gezien en had meegenomen om aan Bruno te geven en ze had Raymond omgepraat, zodat hij nu haar standpunt deelde: het pakje was te lang geleden ingepakt om het testament te kunnen bevatten en het was veel waarschijnlijker dat er iets in zat wat van hun vader was geweest en waarvan Mutt had besloten dat Huberts zoon het na haar overlijden moest krijgen. Raymond had deze redenering met grote tegenzin geaccepteerd, maar had er vervolgens op gestaan verder te zoeken – ook in Mutts slaapkamer, wat Emma een nogal onbehaaglijk gevoel bezorgde – maar dat had niets opgeleverd. Toen ze een ansichtkaart vond die ze kort geleden naar Mutt had gestuurd, raakte ze zo overstuur dat ze van Raymond bij de haard moest gaan zitten, terwijl hij een pot thee zette.

Emma hurkte neer, trok wat langere grasprieten weg zodat de primula's meer licht kregen en bedacht dat hij erg lief was geweest. Hij kon ook best aardig zijn, die beste Raymond, en dat wisten de meeste mensen niet: ze zagen niet de kant die hij alleen aan haar en soms aan Joss toonde. Hij was inderdaad irritant, deed gewichtig en was zelfzuchtig. Aanvankelijk had ze er een hekel aan gehad als hij zich zo gedroeg tegenover haar familie en vrienden. Dan schaamde ze zich, identificeerde ze zich met zijn gedrag en probeerde het goed te praten, terwijl ze haar verontschuldigingen aanbood en het luchtig opvatte. Toch had ze geleerd profijt te hebben van bepaalde aspecten ervan, wat waarschijnlijk niet erg nobel was. Emma trok berouwvol een lelijk gezicht toen ze het lange gras op een hoop op het pad gooide en vervolgens haar natte handen afveegde aan een papieren zakdoekje. Er waren veel momenten in hun huwelijk geweest waarop ze in alle rust gelukkig met elkaar waren geweest. Gistermiddag bijvoorbeeld. Hij had haar thee gebracht, precies zoals ze het lekker vond, en had haar op zijn eigen vriendelijke manier getroost toen ze bij de haard zaten. En toen was Joss teruggekomen.

Emma liep het pad weer op, haar handen gevouwen in een soort onbewust dankgebed, en dacht aan het gezicht van haar kind. Joss was naar de salon gekomen, was aarzelend in de deuropening blijven staan en straalde zo'n uitbundige vrolijkheid uit dat Emma automatisch was opgestaan.

'Lieverd,' had ze geroepen. 'Daar ben je.'

Ze was naar haar toe gelopen, wist niet wat ze verder nog moest zeggen en werd bijna verblind door die gelukzalige blik. Joss had van de een naar de ander gekeken, alsof ze niet goed wist waar ze was.

'Hallo,' had ze onzeker gezegd.

Raymond, die niets vreemds bemerkte, had iets gebromd en had zijn krant gepakt, maar Emma had Joss bij de arm genomen en haar – alsof ze aan het slaapwandelen was – meegevoerd naar de keuken waar ze haar op een stoel had geduwd.

'Vertel,' zei ze, terwijl ze de ketel opnieuw vulde. 'Je hebt een leuke middag gehad met George en de ezels…'

'Ja,' beaamde Joss blij. 'O, mama, dat klopt.' Ze had om zich heen gekeken alsof ze de keuken nooit eerder had gezien. 'Ik hou van hem. Ik heb altijd van hem gehouden en nu mag het.'

Terugdenkend aan die woorden snapte Emma hoe erg het geweest moest zijn voor iemand met het openhartige, eerlijke karakter van Joss om verliefd te zijn op een getrouwde man, hoe moeilijk het was om haar liefde verborgen en in bedwang te houden, terwijl ze tegelijkertijd de vriendschap onderhield die vanaf hun kinderjaren erg belangrijk voor hen was geweest. Nu hoefde het geen geheim meer te zijn. Ze mocht haar liefde openlijk tonen en die nieuwe vrijheid had een verbijsterende uitwerking op haar. Steeds weer werden Emma's ogen naar dat glanzende gezicht getrokken om de vreugde te delen die uit de ogen van haar kind straalde. Toen was het licht opeens gedoofd.

'Had Mutt het maar geweten,' had Emma gezegd. 'Ze zou erg blij voor je zijn geweest, lieverd. Ze hield heel veel van George...' Ze had de gelaatsuitdrukking van Joss zien veranderen, alsof ze zich iets herinnerde, en de bekende, wat behoedzame blik was als een masker over haar gezicht gegleden.

Toen ze bij de voordeur de modder van haar schoenen stampte, vermoedde Emma dat dit kwam doordat Joss aan het verdriet had gedacht. De rest van de avond had het geluk af en toe achter de droefheid vandaan gestraald, alsof het om een slechte elektrische verbinding ging of alsof de zon even tussen de wolken door scheen.

In de gang bleef Emma staan. Ze was van plan geweest naar The Lookout te gaan en had zelfs overwogen Bruno's pakje mee te nemen, vooropgesteld dat hij – wat er ook in zat – beloofde er niet met Raymond over te praten. Toen ze echter hoorde dat Zoë bij hem was, had ze de gebruikelijke irritatie gevoeld. Ze was niet plan Bruno het pakje te laten openen terwijl Zoë met haar ironische, donkere blik toekeek. Nee, het kon blijven liggen waar het was. Ze zou naar The Lookout gaan, koffie met hen drinken en zo beleefd mogelijk doen. Opeens dacht ze weer aan het geluk van Joss en zelfs het vooruitzicht Zoë te ontmoeten kon haar geluksgevoel niet wegnemen.

Glimlachend ging ze haar jas pakken.

Door ervaring wijs geworden observeerde Bruno hun ontmoeting met sardonische oplettendheid. Hij liet zich niet om de tuin leiden door hun stralende glimlach, hun vriendelijke begroeting of de omhelzing die zo werd geregisseerd dat de vrouwen in de lucht kusten.

'Zoë.' Emma keek zorgzaam en meelevend. 'Wat een verrassing! Gaat het wel goed met je?'

Ze slaagde erin te laten doorschemeren dat ze, op basis van haar vlugge inschatting, vond dat Zoë er niet al te best uitzag. Ze klopte zelfs bemoedigend op haar arm. Zoë kromp automatisch ineen bij het gebaar en sloeg haar dunne armen om zich heen alsof ze het koud had. Ze had echter een vergeldingsmiddel bij de hand in de vorm van Emma's omslagdoek. Ze pakte hem, sloeg hem even uit – alsof Emma een stier was en zij de stierenvechter – waarna ze hem over haar smalle schouders trok.

'Het gaat prima, schat,' zei ze, met een gemaakte glimlach. 'Ik vergeet altijd hoe koud het hier is. Bruno heeft me deze prachtige shawl gegeven. Lief van hem, hè?'

Ook zonder de beschuldigende blik in Emma's ogen en de triomfantelijke in die van Zoë te zien, wist hij dat hij een blunder had gemaakt.

'Niet gegeven,' zei hij kalm. 'Geleend. Ik snap niet waarom je nooit genoeg kleren aantrekt, Zoë.'

Emma ging meteen op deze opmerking in, hoewel ze inwendig nog steeds woedend was over Bruno's ongevoeligheid.

'Mutt zei altijd dat als een vrouw een bepaalde leeftijd had bereikt, ze beter zo veel mogelijk aan de verbeelding kon overlaten,' merkte ze op, waarbij ze haar blik nadrukkelijk op Zoë's korte rok en blote hals liet rusten.

'Je hebt volkomen gelijk dat je dat advies ter harte neemt,' zei Zoë, terwijl ze een sigaret pakte en naar Bruno toe boog voor een vuurtje. Ze zag zijn waarschuwende blik en beheerste zich: ze kon het zich niet veroorloven te ver te gaan. 'Over Mutt gesproken, gecondoleerd, ik vind het heel erg.'

Het klonk zo gemeend dat Emma slikte. Aan de ene kant wilde ze wraak nemen, maar aan de andere kant wilde ze haar verdriet waardig dragen. Ze kreeg koffie van Bruno en hij gaf haar even een knipoog, daarmee suggererend dat Emma en hij aan dezelfde kant stonden, terwijl Zoë vooral een irritant mens was wier gezelschap men nu en dan moest tolereren. Emma ontspande zich, dacht aan haar yogalessen en haalde diep adem. Bruno gaf Zoë koffie en wenste dat hij niet gestopt was met roken. Hij vroeg zich af waarom ze altijd minder bits en kwetsbaarder was als ze alleen waren en hij betwijfelde of andere mensen die kant van haar wel eens zagen.

Hij was erachter gekomen dat er wat financiële problemen waren met het nieuwe appartement – ze had nieuwe meubels nodig en moest een borgsom betalen, hoewel ze had kunnen voorkomen dat ze de gebruikelijke drie maanden huur vooraf moest betalen – en hij had beloofd haar te helpen. Hij besefte dat dit onderwerp haar eraan kon helpen herinneren zich te gedragen. Hij schonk koffie voor zichzelf in en voelde zich enigszins opgelucht vanwege deze mogelijkheid.

'Zoë gaat volgende week verhuizen,' zei hij tegen Emma, terwijl hij aan het eind van de lange tafel ging zitten. 'Het klinkt heel leuk. Ze komt in hetzelfde huis te wonen als Evelyn Bose, de kunstenares. Zondag trekt ze in haar benedenappartement.'

Toen ze hoorde dat Zoë vertrokken zou zijn voordat de begrafenis plaatsvond, fleurde Emma zichtbaar op en ging ze rechts van Bruno zitten.

'Wat leuk,' zei ze. Ze besloot ruimhartig te zijn. 'Dat betekent vast veel feesten.'

Zoë nam de olijftak aan, ging op de stoel tegenover Emma zitten en blies de rook opzij.

'Het is weer eens iets anders,' gaf ze toe. 'Je zult het niet geloven, maar haar werk wordt nog steeds tentoongesteld. Vorig jaar had ze een expositie...'

Bruno leunde achterover in zijn stoel en slaakte een zucht van verlichting. Terwijl hij naar Zoë luisterde, was hij zich bewust van Emma naast hem. Hij dacht aan Mousies waarschuwing, maar wist gewoon niet hoe hij het onderwerp ter sprake moest brengen: hij dacht erover na en verwierp iedere mogelijke openingszin vol afschuw. Op een bepaald moment stond hij op om Nellie binnen te laten, die terugkwam van haar ochtendwandeling door de vallei, en hij bleef even bij haar in de keuken, werd zoals altijd getroost door haar onvoorwaardelijke genegenheid. Plotseling had hij zin om te werken, om in die andere, veel bevredigender wereld van zijn verbeelding te zijn en zijn eigen taferelen en drama's te scheppen.

'Het punt is,' zei hij tegen Nellie, 'dat ik gewoon niet zo goed ben in het echte leven.'

Ze toonde haar genegenheid, kwispelstaartte en liet haar tong vrolijk uit haar bek hangen. Hij lachte, voelde zich opnieuw getroost en ging terug naar de vrouwen.

37

Dan Crosby parkeerde zijn auto in de oude steengroeve, pakte zijn kleine aktetas en stapte uit. Hij keek naar de andere drie auto's en probeerde zich te herinneren of het dezelfde auto's waren die hij vorige week had gezien. Hij hoopte dat de jonge vrouw er was. Hij hield zich voor dat dit onwaarschijnlijk was op een donderdagmiddag omdat ze vast moest werken, maar hij had de verleiding nogmaals naar Paradise te gaan niet kunnen weerstaan.

Hij glimlachte: Paradise. Toen hij bij de auto vandaan liep en de smalle brug overstak, vond hij de naam erg toepasselijk. Hij had niet rechtstreeks naar de rij huizen gekeken, omdat het anders misschien zou lijken alsof hij door de ramen naar binnen gluurde, maar hij nam wel even de tijd om naar het vreemde huis te kijken dat hoog op het klif stond en een vooruitstekend raam had. Het moest daar behoorlijk onstuimig en indrukwekkend zijn als er een Atlantische storm was opgestoken.

Hij liep verder en bleef bij het hek staan. De ezels keken hem even nadenkend aan, terwijl hij hen zacht riep en hen probeerde te lokken door met zijn vingers te knippen. Ze kwamen op hem af met hun kenmerkende tred, waarbij ze hun kop op en neer bewogen. Hij trok aan hun lange oren en wreef over hun zachte snuit, herinnerde zich dat de jonge vrouw tegen hen had gepraat en hen had gevoerd en dat hij zich nauw met haar verbonden had gevoeld, zelfs vanaf een grote afstand.

'Ik heb niets voor jullie,' zei hij, maar ze bleven toch geduldig staan en waren blij met zijn gezelschap.

Even later liet hij hen achter, liep verder over de weg en passeerde het hek. Hij werd een beetje zenuwachtig toen hij zich voorbereidde op een nieuwe ontmoeting met de kleine vrouw met de pientere ogen en de vriendelijke glimlach. Hij had wat openingszetten geoefend – hij zou zeggen dat zijn vakantie bijna om was en dat hij voordat hij terugging nog één keer wilde langskomen – en hij klemde de kleine aktetas wat steviger onder zijn arm toen hij op de deur klopte en rekening hield met een nieuwe afwijzing.

Hij merkte dat er iemand anders opendeed: een knappe vriendelijke vrouw met blond haar dat achter haar oren was gestoken. Ze was wat aan de mollige kant en had een nieuwsgierige, maar niet onvriendelijke blik.

Ze spraken met elkaar en lachten allebei. Gek genoeg waren ze meteen vrienden.

'Ik hoop dat ik niet ongelegen kom,' zei Dan. 'U bent zeker niet... Nee.' Hij schudde zijn hoofd alsof hij niet snapte hoe hij dat nu kon denken. 'Wat een raar idee. Daar bent u veel te jong voor. Ik zou mevrouw Honor Trevannion graag spreken. Ik weet dat ze ziek is geweest...'

Bij het zien van de uitdrukking die op het gezicht van de vrouw verscheen, bleven de woorden in zijn keel steken. In haar ogen stonden tranen en zijn opgewekte stemming verdween.

'Mevrouw Trevannion is dinsdagochtend vroeg overleden,' zei ze verdrietig. 'Ze was mijn moeder.'

'O, mijn god,' zei hij zacht. 'Dat spijt me heel erg. Ik had er geen idee van. Sorry dat ik u stoor.'

'Nee, nee, het geeft niet.' Ze leek zich een beetje te herstellen. 'Kan ik iets voor u doen?'

'Ik vind het heel vervelend om u in dergelijke omstandigheden lastig te vallen.' Hij aarzelde en maakte vervolgens een machteloos gebaar. 'Goed dan. Ik heb mevrouw Trevannion een foto opgestuurd die gemaakt is op haar trouwdag en daar staat mijn oudtante ook op. Een dubbel huwelijk. Ze werkten blijkbaar samen in India en toen is mijn oudtante opeens gestopt met schrijven. Ik hoopte wat meer over haar te weten te komen. Het lijkt erop dat ze is verdwenen in de periode dat India onafhankelijk werd en tegen die tijd was mijn grootmoeder – haar zus – al getrouwd en in de Verenigde Staten gaan wonen. We vonden deze foto van een dubbel huwelijk. De namen staan op de achterkant...'

'O, die foto ken ik,' viel de vrouw hem bijna opgewonden in de rede. 'Mousie heeft hem laten zien. Ik herinner me nu dat ze heeft verteld dat u die had opgestuurd. Kom toch binnen, dan drinken we een kop thee. Ik wilde net gaan zetten.'

'O, dat is erg aardig van u.' Het verwarde hem een beetje dat hij nu heel anders werd onthaald dan de vorige keer en hij voelde zich nog steeds ongemakkelijk omdat zijn vragen onder de huidige omstandigheden waarschijnlijk ongepast waren. 'Ik moet komend weekend namelijk terug naar Londen...'

Ze heette hem welkom en stelde zich voor: Emma Fox. Ze gaven elkaar een hand en hij stak de aktetas op, terwijl hij zich onnozel en verlegen voelde.

'Hier zitten nog meer foto's in. Wilt u die misschien zien? Bent u in India geboren?'

'Ja, maar ik weet er helaas niet veel meer van.' Ze liep voor hem uit door de gang. 'Vindt u het goed als we in de keuken gaan zitten terwijl ik thee voor ons zet?'

'Prima.' Hij keek goedkeurend om zich heen. 'Wat een prachtig huis. Het hele landgoed is trouwens schitterend. Paradise. Je kunt het met recht een paradijs noemen.'

Ze glimlachte zo stralend naar hem dat hij met ware genegenheid teruglachte: hij had het vreemde gevoel dat hij haar altijd al had gekend.

'Mousie heeft me de foto laten zien,' zei ze. 'Ik zei nog dat die oude foto's me altijd een beetje triest maken. Het was een leuke foto van Mutt. Ze lijkt erg veel op Joss, zelfs met dat malle hoedje op.'

'Joss?' Hij ging aan tafel zitten en keek toe terwijl ze spullen klaarzette voor de thee. Ze haalde een taartvorm uit de voorraadkast en zette de gelaagde taart van biscuitdeeg op een fraai gebloemd bord.

'Tast toe. Neem maar een groot stuk.' Ze gaf hem een gebaksbordje en een vork. 'Joss is mijn dochter. Ze is orthopedist en heeft de afgelopen maanden hier bij haar grootmoeder gewoond. Ze is erg ontdaan door haar dood.'

'Ik denk dat ik haar heb gezien.' Hij sneed voor zichzelf een stuk taart af en begon zich op zijn gemak te voelen. 'Ik heb haar echter niet gesproken. Een jonge vrouw met donker haar, erg knap?'

'Ik vind haar in ieder geval heel bijzonder.'

De moeder van Joss sprak vol trots en Dan vond haar steeds sympathieker.

'Is ze er vandaag?' vroeg hij hoopvol.

Emma schudde haar hoofd. 'Ze is vandaag op haar praktijk in Wadebridge. Ze zal pas rond een uur of zes thuis zijn.'

Hij zag haar twijfelen of ze moest vragen of hij bleef, zodat hij Joss kon ontmoeten, en hij zag ook dat ze zich afvroeg of een dergelijke ontmoeting onder deze omstandigheden wel gepast was.

'Wilt u de foto's zien?' vroeg hij tactvol, in de hoop haar uit haar dilemma te verlossen. 'Ik heb helaas maar één trouwfoto, maar het zou kunnen dat u zich iets herinnert. Mijn oudtante Madeleine had een dochter van ongeveer uw leeftijd. Ze heette Lottie.'

Ze had de theepot inmiddels op tafel gezet en keek toe terwijl hij de aktetas opende.

'Wat gek,' zei ze langzaam. 'Lottie. Die naam komt me bekend voor.' Ze ging tegenover hem zitten en keek perplex. 'Weet u, Mutt noemde die naam een paar dagen geleden in haar slaap. Ze riep een paar keer: "Lottie, Lottie!" Ze leek onrustig... Lieve help. Denkt u dat ze misschien wist wat er met Lottie is gebeurd?'

Ze keken elkaar over tafel aan. De aktetas stond tussen hen in en er lagen al wat foto's naast zijn gebaksbordje.

'Als mijn oudtante en uw moeder zulke goede vriendinnen waren dat het een dubbel huwelijk was, zou dat best kunnen,' zei Dan peinzend.

'Ik weet dat het een afschuwelijke periode in India was vlak voordat we naar huis gingen,' zei Emma. 'Er waren rellen en moordpartijen. Waar wij zaten, in Multan, gold de noodklok vierentwintig uur per dag vlak voordat we vertrokken. Misschien is er... nou ja, iets vreselijks met Lottie gebeurd.'

'Bedoelt u dat ze misschien tijdens de rellen is omgekomen?'

'Het zou kunnen dat uw oudtante en Lottie per ongeluk in een oproer of zo terecht zijn gekomen.' Emma dacht erover na. 'Misschien dat Bruno – dat is mijn oudere broer – het nog weet, hoewel ik, nadat Mutt die naam in haar slaap had geroepen, aan hem heb gevraagd of hij iemand kende die Lottie heette en hij zei toen van niet.'

'Misschien dacht hij niet ver genoeg terug.' Dan was opgewonden. 'Het is lang geleden. Als hij echt diep nadenkt...'

Emma knikte en was duidelijk net zo gefascineerd als hij. 'Ik zal het hem nog eens vragen.' Ze pakte de foto. 'Dit is toch de foto die ik heb gezien?'

'Dat is de trouwfoto.' Hij pakte nog wat foto's en schoof ze over tafel naar haar toe. 'Dit is de originele foto. De namen staan achterop. Zo kwam ik jullie op het spoor. Trevannion is een ongebruikelijke naam en Madeleine had ergens geschreven dat jullie uit Cornwall kwamen. Dat herinnerde mijn grootmoeder zich.'

Ze glimlachte naar hem. 'Leeft uw grootmoeder nog?'

Er trok een schaduw over zijn gezicht. 'Ze is vorig jaar overleden. Het was een geweldige vrouw en ik had haar beloofd dat ik zou proberen te achterhalen wat er met haar zus was gebeurd. Ach, u weet hoe dat gaat. Je hebt het druk met je eigen leven en dan, als je oud wordt, lijken je gedachten terug te gaan naar het verleden. Ze werd heel emotioneel en raakte overstuur. Ik herinner me dat ze op een keer zei dat als ze ruimhartiger was geweest, Madeleine en Lottie na de oorlog naar haar toe waren gekomen en dat ze dan misschien nog hadden geleefd. Ze was er namelijk sterk van overtuigd dat ze dood waren. Dat kwam doordat er geen brieven meer kwamen.'

Emma liet haar medeleven duidelijk blijken. Ze stak haar hand uit en raakte de zijne even aan.

'Het spijt me ontzettend,' zei ze zacht. 'Vreselijk, hè? Te denken dat je een vriendelijke daad had moeten verrichten, maar dat hebt nagelaten en dat je dat pas beseft als het te laat is om de fout te herstellen.'

Hij knikte. 'Het is gek,' zei hij langzaam, 'maar ik heb het idee dat ik het voor haar probeer recht te zetten, voorzover dat kan althans.' Hij haalde zijn schouders op. 'Ik kan ze niet tot leven wekken, maar ik probeer wat geesten tot rust te brengen.'

'Ik wou dat ik u kon helpen.' Ze pakte de foto en hield die voor zich. 'De overeenkomst is echt verbazingwekkend. Als je de hoed wegdenkt,' – ze legde haar hand op dat gedeelte van de foto – 'is het sprekend Joss. Kijk maar. Ziet u het ook?'

Hij keek naar het gezicht dat hem toelachte. Hij had Joss niet zien glimlachen, maar ze leken inderdaad sprekend op elkaar.

'Ja,' zei hij langzaam. 'Ik zie een gelijkenis met de jonge vrouw die hier afgelopen zaterdag was. Maar dat is heel raar...'

Hij aarzelde en fronste zijn wenkbrauwen van ontsteltenis. Emma draaide de foto weer, zodat ze ernaar kon kijken.

'Nu snap ik waarom ik vorige keer zei dat het vreemd was,' riep ze. 'Wat raar! Ziet u dat? De bruid staat bij de verkeerde bruidegom. Mutt staat niet bij Hubert. Wat zou de reden daarvoor zijn? Denkt u dat ze het voor de grap hebben gedaan?'

Het bleef zo lang stil dat ze hem vragend aankeek.

'Het is wel een beetje vreemd,' zei hij langzaam, 'om dat te doen bij een trouwfoto die je naar je familie thuis opstuurt. Vindt u niet? Tenzij je er natuurlijk bij vermeldt dat het een grap is. Madeleine schreef achterop alleen: *Johnny en ik met Hubert en Honor Trevannion*. Ziet u wel?' Hij hapte naar adem. 'Kunt u het nog eens vertellen? Is dit de vrouw die u Mutt noemt?' Hij wees. 'Is dit uw moeder?'

Emma knikte en fronste nog steeds haar wenkbrauwen. 'Ja, dat is Mutt. Wat raar. Dan moet het toch wel een grap zijn?'

'Het punt is...' Hij beet op zijn lip en keek verontrust. 'Het punt is,' begon hij opnieuw, 'dat de vrouw die u Mutt noemt mijn oudtante Madeleine is.'

Ze keken elkaar verbluft aan en dachten niet meer aan de thee en de taart.

'Hoe kan dat nou?' vroeg Emma in alle redelijkheid. 'Er klopt iets niet. Waarom denkt u dat zij uw oudtante is en niet die andere vrouw? Ik denk nog steeds dat het een grap was en dat ze de verkeerde foto hebben opgestuurd naar uw familie.'

'Nee, nee.' Hij schudde heel stellig zijn hoofd. 'Kijk maar naar deze foto.'

Hij schoof een andere foto over tafel naar haar toe. De jonge vrouw was gezeten en keek recht in de camera. Ze hield voorzichtig een baby in haar armen en de lange jurk viel tot over haar knie. Achter haar stond een lange, blonde man die met een trotse glimlach op hen neerkeek.

'Maar dat is Mutt.' Emma klonk onthutst. Ze schudde verward haar hoofd. 'Wie is die man? En is dat Bruno?'

Ze draaide de foto om en las wat er op de achterkant stond: *Johnny en ik met Lottie. Lahore 1945*. Het was Mutts handschrift.

Zenuwachtig en zonder iets te zeggen schoof Dan nog een foto naar haar toe. Twee meisjes, duidelijk zussen, stonden gearmd en lachten stralend naar de onbekende fotograaf. Het haar van het jongere meisje was kortgeknipt en de gelijkenis met Joss was nog duidelijker. Langzaam draaide Emma de foto om: de verbleekte inkt was wat uitgelopen, maar de woorden waren nog duidelijk leesbaar: *Vivian en Madeleine in de tuin. 1936.*

Ze keek hem duidelijk bang aan en hij keek verontrust terug. Hier had hij geen rekening mee gehouden.

'Wat betekent het?' vroeg ze, waarbij haar stem een beetje trilde. 'Ik snap het niet.'

'Ik ook niet.' Hij probeerde zijn stem neutraal te houden. 'Hebt u foto's van uw moeder die in India zijn genomen toen ze jong was? Of uit haar kindertijd?'

Emma schudde haar hoofd. Er lag een rimpel op haar voorhoofd en ze pakte de foto's alsof het een kaartspel was en bestudeerde ze opnieuw.

'Ik snap het niet,' zei ze weer. 'Dit is Mutt. Maar wie is die man, die Johnny? En wie is Lottie? Is ze misschien eerder getrouwd geweest, voordat ze mijn vader ontmoette? Misschien was ze weduwe... Nee, dat kan niet.'

'Niet met de trouwfoto als bewijs,' beaamde hij. 'De man die hier bij haar staat, is Johnny. Dat klopt toch? Het is dezelfde man. En Hubert Trevannion staat op dezelfde foto met hen.'

Emma keek ernaar. 'Maar wie is deze vrouw dan?' vroeg ze.

Het bleef even stil. Dan hoorde de voordeur opengaan en zacht weer dichtgaan en hoorde iemand achter hem de keuken binnen komen.

Emma slaakte even een zucht van verlichting en Dan stond vlug op. Hij herkende de vrouw en voelde zich schuldig, alsof hij een dief was die onder valse voorwendselen was binnengedrongen.

'Mousie,' zei Emma, waarbij de woorden als een stortvloed uit haar mond rolden. 'Er is zoiets geks aan de hand.' Ze wees naar de foto's. 'We snappen het gewoon niet.'

Dan wist dat de vrouw die Mousie heette de paniek in Emma's stem hoorde en hij was opgelucht toen ze kalm glimlachte en hem een knikje van herkenning gaf, maar zich verder op Emma concentreerde.

'Ik kan me voorstellen dat het erg verwarrend is,' zei ze. 'Ik had al een vermoeden dat er zoiets kon gebeuren en daarom heb ik wat brieven meegebracht die je maar eens moet lezen. Ga je mee, Emma? Ik verzeker je dat ze de verwarring zullen ophelderen. We laten meneer Crosby even alleen met zijn thee en zijn taart, want dit is nogal persoonlijk.' Ze schonk hem vlug een geruststellende glimlach.

Emma stond op. Ze keek verward en nogal bang, maar liep gedwee mee. De deur ging achter hen dicht en Dan ging weer aan tafel zitten. Hij wilde zijn theekopje pakken, maar zijn hand trilde zo erg dat hij het kopje terugzette op het schoteltje en in de stilte bleef zitten wachten.

38

‘Wat had dat allemaal te betekenen?’ Pamela stond in de doorgang naar de keuken te luisteren, met een mok in haar ene hand en een theedoek in de andere, toen de voordeur met een klap achter Mousie dichtviel. ‘Wat is er aan de hand?’

‘Ik heb geen idee.’ Zo te horen was Rafe bij het raam gaan staan. ‘Ze is hiernaast naar binnen gerend. Aha, daar is ze weer. Ze heeft een pakje bij zich en steekt de brug over… Ze gaat naar Paradise.’ Hij draaide zich weer om naar de kamer. ‘Ik vraag me af wie die jonge man is dat hij zo veel consternatie veroorzaakt.’

‘Ze zei toch dat het een Amerikaan was?’ Pamela legde de theedoek neer en zette de mok op tafel. ‘Ik heb niet precies gehoord wat ze zei. Zodra je zei dat ze terug was uit Polzeath ben ik de ketel gaan opzetten.’

‘Nou, ze kwam binnen en zette onze boodschappen op de stoel en toen zei ze voor de grap dat de steengroeve wel een parkeerterrein leek. Dat zal wel zijn omdat de auto van Zoë er staat. Ze vroeg wie er op bezoek was. Ik zei dat ik de man niet had herkend, maar dat ik de auto het afgelopen weekend ook had zien staan. Ik zei dat het een lange jonge man was met heel donker haar en dat hij een aktetas bij zich had. Ik zal wel gedacht hebben dat hij van de begrafenisonderneming was.’

‘Maar toen gaf ze toch een gil?’ vroeg Pamela. ‘Op dat moment kwam ik binnen. Ik vroeg me af wat er aan de hand was.’

Rafe fronste zijn wenkbrauwen een beetje en probeerde zich precies te herinneren hoe het was gegaan.

‘Ze riep zoiets als: “O, mijn god, dat is de Amerikaan met de foto.” Toen zei ze: “En Emma is alleen op Paradise.” Ze werd lijkbleek en ze keek…’

‘Nou, hoe keek ze?’ vroeg ze na een tijdje.

'Toen ze een klein meisje was, zeiden we dan: "Mousie is helderziend." Zo noemde mijn moeder het in ieder geval. Het is een paar keer gebeurd dat Mousie iets wist over dingen of mensen. Niet dat ze in de toekomst kon kijken of zo, maar ze had gewoon een heel sterk voorgevoel. Toen ze ouder werd, hield ze die dingen voor zich, maar ik bleef de tekenen herkennen. Mijn moeder moedigde het niet aan. Ze beschouwde het als een hersenschim, maar ik vond het best een bruikbaar talent. Maar goed, zo keek ze dus net. Alsof ze een voorgevoel had dat er iets stond te gebeuren.'

'Denk je dat ze het weet van Joss en George?' vroeg Pamela, die Mousie nu in een nieuw licht zag.

'Dat zal wel.' Hij grinnikte met spottend zelfmedelijden. 'Waarschijnlijk zijn jij en ik de enigen die het niet wisten. Het gebeurde al die tijd vlak voor onze neus. We zijn stekeblind geweest... Sorry, lieverd.'

Ze grinnikte ook. 'Als ik niet blind was geweest, had ik misschien wel iets gemerkt. Het komt doordat ze hun hele leven al in en uit lopen. Daardoor hebben we er niets achter gezocht. Zijzelf waarschijnlijk ook niet. Het zal een hele schok geweest zijn.' Ze zuchtte tevreden. 'Hij klonk heel gelukkig, Rafe, toen hij het ons gisteravond vertelde.'

'Zo keek hij ook, heel anders dan toen hij wegging om haar te ontmoeten, maar ook min of meer geschokt.'

Ze haakte vlug in op zijn opmerking. 'Dat gevoel had ik ook, maar ik dacht dat het misschien door de opluchting kwam omdat het zo vlug goed was gekomen tussen hen. Ze had hem net zo goed op afstand kunnen houden totdat de echtscheiding was uitgesproken voor het geval Penny van gedachten zou veranderen of zo. Ik dacht dat hij nog steeds probeerde te verwerken dat het allemaal zo goed was afgelopen: de ene minuut wanhoop en het volgende moment blijdschap.' Ze lachte. 'Of ben ik nou gek?'

'Nee,' antwoordde Rafe langzaam. 'Je bent niet gek.'

'Maar je denkt niet dat het daardoor kwam?'

Hij hoorde de onrust in haar stem, ordende zijn gedachten en riep zijn indrukken weer op. Dat had hij geleerd te doen sinds ze dat zelf niet meer kon.

'Hij zag er heel gelukkig uit,' verzekerde hij haar, want dat was het belangrijkste, 'maar hij keek als iemand die aan een nieuw idee probeert te wennen dat hem nogal rauw op zijn dak is gevallen. Het was alsof hij ergens diep over nadacht en zich daarmee probeerde te verzoenen.'

'Maar niet met het feit dat Joss van hem houdt?'

Hij schudde zijn hoofd, bedacht dat ze dat niet kon zien en zei: 'Nee, dat zal geen schok zijn geweest. Eerder een opluchting omdat het zo vlug goed was gekomen tussen hen en ze het niet meer geheim willen houden. Dit was iets anders.' Hij lachte opeens. 'Zie je nou wat je met me hebt gedaan? Ik ben een psycholoog geworden; ik zoek verklaringen voor lichaamstaal en gelaatsuitdrukkingen alsof ik een wijs oud vrouwtje ben dat de toekomst voorspelt aan de hand van theeblaadjes.'

Ze lachte meelevend met hem mee. 'Maar het is belangrijk,' zei ze tegen hem, alsof ze hem wilde troosten. 'Als je dingen merkt, kunnen we ons voorbereiden.' Ze stak een hand naar hem uit. 'Maar wat kan het zijn?'

'Geen idee, maar als het een geruststelling is: ik denk niet dat het rechtstreeks met henzelf te maken heeft. Als dat wel het geval is geweest, hebben ze daar een oplossing voor gevonden en is het nu iets wat buiten hen staat.'

Pamela kreunde. 'Wat frustrerend allemaal. Ik wil gewoon dat ze gelukkig kunnen zijn na dit alles, al hoor ik dat natuurlijk niet te zeggen nu die arme Mutt...'

'George is terug.' Rafe stond bij het raam. 'Als het zo doorgaat, zal Joss haar auto vanavond bij Paradise moeten parkeren. Mousie heeft gelijk: het lijkt hier inderdaad wel een parkeerterrein.'

'Hoe ziet hij eruit?' vroeg Pamela.

Rafe grinnikte. 'Als een man die net is wezen lunchen met zijn liefje. Vol van zichzelf, met een glimlach van oor tot oor, stralend als een idioot, een stuk langer dan toen hij naar Wadebridge vertrok...'

Ze waren allebei aan het lachen toen George binnenkwam en hij lachte mee van pure blijdschap.

'Van wie is die auto?' vroeg hij. 'Is er bezoek?'

'Het is eigenlijk nogal raar,' antwoordde Rafe. 'Die auto stond hier vorig weekend ook. Er is een jonge man met een aktetas uit gestapt en die is naar Paradise gelopen. Later kwam Mousie binnen en toen ik beschreef hoe hij eruitzag, kreeg ze het op haar zenuwen en is hem gillend achternagerend.'

'Hoezo?' George ging naast zijn vader staan en keek naar de auto alsof hij zo het raadsel kon oplossen. 'Emma is er toch?'

'Rafe denkt dat Mousie een voorgevoel had dat er iets ging gebeuren. Toen ze hoorde dat die jonge man was gekomen, ging ze er als een speer vandoor,' zei Pamela gekscherend tegen George. 'Snap jij het?'

Toen hij geen antwoord gaf, draaide Pamela zich verbaasd naar hem om en Rafe zei scherp: 'Wat is er gaande?'

In de daaropvolgende stilte riep Pamela: 'Niet non-verbaal, George.' Ze hoorde hem heel diep ademhalen als iemand die op het punt staat in een bodemloos meer te duiken.

'Voor de draad ermee, George,' zei Rafe.

'Het is niet mijn geheim,' zei George snel, 'maar Joss heeft gezegd dat ik het jullie mag vertellen. We wilden er eigenlijk mee wachten tot na de begrafenis. Het gaat niet over ons, althans niet direct, hoewel het wel gevolgen heeft voor Joss. Het gaat over Mutt.'

'Over Mutt?' Pamela greep een stoel vast en ging zitten.

'Ik zal vertellen hoe het zit,' zei George, alsof hij een belangrijk besluit nam, 'maar tot de begrafenis heeft plaatsgevonden, mogen jullie er met niemand over praten.' George en Rafe gingen ook zitten. 'Ik kan nu al zeggen dat jullie het niet zullen geloven. Het begon allemaal toen Mutt en de kinderen terugkwamen uit India. Weet je dat nog, pa?'

'Nou en of.' Rafe ging gemakkelijker zitten en zette zijn ellebogen op tafel. 'Hoe oud was ik toen? Dertien? Veertien? We waren allemaal erg geschokt door het nieuws van Huberts overlijden. Ik herinner me nog het telegram uit Liverpool. Oom James kwam hierheen en had het bij zich. "Waarom vertellen ze ons dat nu pas?" herhaalde hij steeds en mijn moeder probeerde hem te kalmeren. "Het arme mens is natuurlijk ondersteboven van verdriet," zei ze, of woorden van die strekking. "Ze heeft twee kinderen om voor te zorgen en je moet bedenken dat ze ons niet kent." Het nieuws kwam hard aan bij die arme oom James, maar hij was erg stoïcijns. Wij hadden mijn vader in de oorlog verloren en mijn moeder had met Mutt te doen en toonde dat zoals die generatie dat deed: op een nogal bruuske, maar vriendelijke manier. Ik herinner me dat Bruno erg stil was. Hij leefde in zijn eigen wereld met denkbeeldige vrienden. Ik vraag me nu af of dat zijn manier was om met zijn verdriet om te gaan. Emma was te jong om het snappen. Het was een schatje en we waren allemaal gek op haar. Mutt...' Hij zweeg, dacht terug en slaakte verdrietig een lichte zucht. 'Ze was erg mooi. Ik aanbad haar op een romantische manier, zoals dat gaat tussen een jonge man en een oudere vrouw. Mousie heeft het haar nooit helemaal kunnen vergeven dat ze met Hubert was getrouwd. Mousie adoreerde Hubert en ik denk dat ze jaloers op haar was. Ik leerde haar zeilen. Ze was graag op het water, alsof het haar natuurlijke element was, en ze werd er erg goed in. Maar ach, dat weten jullie...'

'Waarom vraag je dat?' Pamela kon haar ongeduld niet bedwingen. 'Maakt het uit hoe Mutt jaren geleden was?'

'Ik vroeg me gewoon af hoe het voor haar moet zijn geweest.' Zo te horen probeerde George een opening te vinden om het nieuws zo voorzichtig mogelijk te brengen. 'Het punt is dat ze Honor Trevannion helemaal niet was. Honor overleed met Hubert en hun dochter Emma in Karachi.' Hij trok een gezicht toen er een geschokte stilte viel. 'Het klinkt ongelofelijk, hè? Ik zal proberen het te vertellen zoals ik het van Joss heb gehoord, maar vergeet niet dat ik het zelf nauwelijks kan bevatten.'

Hij begon haar verhaal zorgvuldig en getrouw na te vertellen, probeerde zich de woorden te herinneren die zij had gebruikt toen ze samen bij de Saint's Well zaten, terwijl Pamela en Rafe zwijgend en vol ongeloof luisterden.

39

Mousie belde Bruno vlak nadat Zoë naar boven was gegaan voor haar middagslaapje.

'Dat probeer ik meestal te doen, schat,' had ze tegen hem gezegd, en ze had er flink bij gegaapt. 'Dat houdt me op de been. Ik kan het echt aanraden, hoewel het niet noodzakelijkerwijs in je eentje hoeft.'

Ze had suggestief haar wenkbrauwen opgetrokken en hij had gegrinnikt om de uitnodiging die dat impliceerde: het zou niet de eerste keer zijn geweest, maar vandaag was hij gespannen en hij had zijn hoofd geschud.

'Leuk idee,' had hij gezegd, 'maar ik ben niet in de stemming.'

Ze had gelaten haar schouders opgehaald en was de smalle wenteltrap op gegaan. Ze was net uit het zicht toen de telefoon ging.

'Ik ben op Paradise.' Mousies stem klonk zacht en behoedzaam. 'Die jonge Amerikaan Dan Crosby is hier en Emma en hij hebben foto's zitten kijken.'

'O, mijn god,' zei hij onwillekeurig.

'Dat dacht ik ook,' zei ze droog. 'Ik hoop dat je niet boos zult worden, maar ik heb haar de brieven te lezen gegeven. Echt, Bruno, er zat niets anders op.'

'Ik geloof je,' zei hij na een tijdje. 'Hoe is het met haar?'

'Ik heb haar in de kleine salon aan Mutts bureau neergezet. Het leek op een of andere manier de juiste plek om ze daar te lezen, maar ik denk dat je beter hierheen kunt komen. Ik heb voorgesteld dat ze de brieven in één keer achter elkaar leest, maar misschien heeft ze opeens steun nodig. Zodra je hier bent, neem ik Dan mee naar mijn huis en dan zal ik hem precies vertellen hoe het zit. Dat vind ik niet meer dan billijk, maar het is beter als hij hier niet meer is als Emma uit de kleine salon komt.'

'Dat ben ik helemaal met je eens,' zei hij snel. 'Ik kom er meteen aan.'

Hij liet Nellie vredig slapend achter en liep vlug naar Paradise. Hij had buikpijn van angst, maar voelde zich ook opgelucht. Zonder lawaai te maken ging hij naar binnen en liep de keuken in. De jonge man kwam vlug overeind. Hij keek erg ontdaan, was geschrokken van het drama dat hij onbedoeld had ontketend. Bruno stak zijn hand uit en glimlachte naar hem.

'Het spijt me ontzettend.' Dan greep de hand dankbaar vast. 'U moet me geloven. Ik had hier geen idee van.'

'Dat kon u toch ook niet weten?' Bruno keek Mousie aan. 'Heb je hem het hele verhaal verteld?'

Ze schudde haar hoofd. 'Alleen de harde feiten. Ik vind dat hij met me mee moet gaan. Dan drinken we bij mij thuis thee en kan ik alles goed uitleggen. Hij is net zo erg geschrokken als wij.'

'Zeg dat wel. Ik voel me vreselijk.' Het was hem aan te zien. Zijn gezicht zag grauw alsof hij doodmoe was en zijn ogen keken uitdrukkingsloos. 'En nog wel op zo'n moment...'

'Het tijdstip was goed,' zei Bruno vriendelijk tegen hem. 'U hoeft zich niet schuldig te voelen. Ik weet zeker dat dit tot iets goeds zal leiden. Het betekent een nieuwe start voor ons. Ga maar met Mousie mee. We spreken elkaar later nog wel.'

'Dat is erg aardig van u.'

Hij liep struikelend achter Mousie aan de keuken uit, een toonbeeld van ellende. Bruno bleef alleen achter en concentreerde zich op Emma. Hij keek naar de foto's die op tafel verspreid lagen en met een steek van pijn in zijn hart zag hij dat zijn vader en moeder hem toelachten. Hij pakte de trouwfoto en bestudeerde hun gezichten, probeerde zich hen zo te herinneren: jong, lachend, gelukkig. Hij werd slechts beloond met korte flitsen uit het verleden: zijn vader die hem hoog boven zijn hoofd optilde, zijn moeders stem die een kinderliedje zong. Zijn vaders gezicht was bekend – Bruno had een portretfoto van hem uit ongeveer diezelfde periode – maar het gezicht van zijn moeder herkende hij nauwelijks. Hij keek naar haar mooie gezicht en voelde zich op een of andere manier schuldig, alsof hij oogluikend had toegestaan dat de herinnering aan haar en zijn kleine zusje zo gauw in de vergetelheid was geraakt. Hij kwelde zichzelf toen hij bedacht hoe vlug hij, na die afgrijselijke afloop in Karachi, had toegelaten dat de lagen van zijn nieuwe leven hem omhulden, de pijn van verdriet en verlies verborgen en hem ertegen beschermden. In die eerste maanden van zijn nieuwe leven, omgeven met geheimzinnigheid en vol verdovende nieuwe ervaringen, waren er slechts korte momenten geweest om te rouwen.

Bruno ging zitten, legde zijn armen voor zich op tafel en riep de herinneringen op aan die hotelkamer: zijn vader en zusje waren dood en zijn moeder lag in bed. Haar donkere haar was nat van het zweet en ze was te erg verzwakt om hem te kunnen troosten. Ze had geleden, was net een ziek dier dat met hen in die bedompte kamer was vastgeketend: ze leefde nog, had pijn en er was niets tegen te doen. Hij was machteloos geweest en had haar geen verlichting kunnen brengen. Hij had alleen beschermend naast haar kunnen neerhurken. Hij had haar hand vastgehouden en had van tijd tot tijd haar gezicht afgeveegd met het klamme, gekreukelde katoenen laken. Mutts plotselinge aanwezigheid had een sterk en helder contrast gevormd. Wat was het bemoedigend geweest haar arm om zich heen te voelen toen ze naast hem neerknielde aan het bed van zijn moeder. Honor was duidelijk opgelucht toen ze Mutt zag; er waren tranen over haar wangen gerold en ze had haar armen uitgestoken om Mutt te omhelzen.

'Doe precies wat Mutt zegt,' had ze tegen hem gezegd. 'Beloof je dat, schat?' En hij had het beloofd, met een brok in zijn keel, en al die tijd had Mutt hem stevig vastgehouden.

Later op weg naar huis en hier in St Meriadoc leerde hij om de herinneringen aan India te verweven met verhalen die hij verzon en naspeelde, zodat hij het verdriet kon verwerken, en daardoor maakte hij zich steeds verder los van de ondraaglijke realiteit.

Bruno legde zijn kin op zijn armen en bleef kijken naar de foto. Zo trof Emma hem aan.

Toen ze de laatste brief las, stroomden de tranen over haar wangen. Ze legde de brieven op een stapel en keek om zich heen in de bekende kamer zonder precies te weten wat ze deed. Ze zat aan het bureau. De woorden lagen nog vers in haar geheugen en ze had het beeld van de jonge, kwetsbare vrouw nog duidelijk voor zich.

'Mutt,' mompelde ze af en toe. 'O, Mutt.' En dan huilde ze weer uit wanhoop en liefde.

Ze stond op en liep door de kleine salon, raakte een onafgemaakt borduurwerk aan, stelde zich voor dat haar moeder aan het bureau zat en brieven schreef aan de zus die ze nooit meer zou zien, en daardoor bleven de tranen komen. Even later had ze er behoefte aan haar ervaring te delen, wilde ze de waarheid bevestigd zien op het gezicht van een ander, en ze liep bijna zonder iets te zien de gang in. De keukendeur stond een eindje open. Ze zag Bruno's schouder en gebogen hoofd en ging naar hem toe.

'O, Bruno,' zei ze snikkend. 'Die arme lieve Mutt. Ik wou dat ik dit had geweten voordat ze stierf.'

Hij stond op en sloeg zijn armen om haar heen, putte troost uit haar omhelzing en liet de schimmen uit het verleden rustig wegsluipen. Ze keek hem recht aan en zag medeleven en liefde.

'Ze heeft het zo gewild,' zei hij troostend. 'Niet huilen, Emma.'

'Wat een klap.' Ze pakte de zakdoek aan die hij haar voorhield en veegde er afwezig mee over haar wangen en ogen. 'Ik kan het nauwelijks bevatten. Toen ik de brieven las, leek ze zo levendig dat ik, toen ik klaar was, niet kon geloven dat ze niet zomaar binnen kon lopen. Ik moest weer helemaal tot me laten doordringen dat ze dood is. Ik wou dat ik tegen haar kon zeggen dat ik haar dapper vind en dat ik van haar hou. Al die jaren van geheimzinnigheid.' Ze kreeg haar emoties onder controle en probeerde zich te beheersen. 'En jij, Bruno. Hoe kon jij ermee omgaan? Ik weet dat het verkeerd van haar was om zo'n last op je schouders te leggen terwijl je nog zo klein was, maar toch heb ik met haar te doen.'

'Ik had ook medelijden met haar.' Hij pakte haar bij haar armen en schudde haar zacht door elkaar. 'Ik heb nergens spijt van. Ze deed wat op dat moment goed was. Het heeft geen zin om er achteraf over te oordelen. Ze heeft precies beschreven hoe het is gegaan en waarom ze het heeft gedaan. Mousie, Joss, jij en ik, we accepteren haar beweegredenen allemaal.'

Emma zuchtte beverig en hij hielp haar om op een stoel te gaan zitten.

'Joss weet het,' zei ze bijna verwonderd. 'En Mousie. Dat heeft ze gezegd voordat ik de brieven ging lezen. Ze zei ook dat jullie het pas na de begrafenis aan mij wilden vertellen.'

'Joss wilde het zo.' Hij ging tegenover haar zitten. 'Ze dacht dat je het niet aan zou kunnen.'

Er kwamen weer tranen in Emma's ogen. 'Ik dacht net aan haar. Dat ze alleen was toen ze de brieven die avond opende. Mousie zei dat ze erg dapper is geweest. Arme Joss. Wat een enorme schok voor haar en daarna ging ze naar boven en trof Mutt dood aan. Wat een geluk dat jij hier was, Bruno.'

'Zeg dat wel,' antwoordde Bruno. Hij aarzelde. 'Misschien hadden we het meteen moeten vertellen. Mousie wilde dat, maar Joss stond erop dat Mutt eerst in alle rust begraven zou worden en dat jij tijd zou krijgen om te rouwen.'

Emma wist een waterig lachje op te brengen. 'Arme schat. Wat lief van haar.' Ze bracht haar handen naar haar gezicht en masseerde met haar vingers haar ogen. 'Ik kan het nog steeds amper bevatten. Is het verkeerd om te zeggen dat ik trots op haar ben? Op Mutt, bedoel ik.'

'Je hoort ook trots op haar te zijn,' zei hij. 'Ze heeft mijn leven gered. Jullie allebei. Ik vraag me vaak af wat er gebeurd zou zijn als jullie niet waren gekomen. Kun je het je voorstellen? Een jongen van vier helemaal alleen in Karachi in die periode. Stel je de eenzaamheid eens voor, vooropgesteld dat het me gelukt was thuis te komen, terwijl alle andere gezinsleden dood waren. Mutt en jij zorgden voor continuïteit in mijn leven. We waren namelijk goed bevriend. Jullie wáren mijn familie.'

Ze keek hem aan. 'We zijn geen broer en zus,' zei ze langzaam. 'Dat dringt nu pas tot me door. Het is gek, maar ik kan het nog steeds niet helemaal accepteren. Je bent mijn broer niet.' Ze schudde haar hoofd. 'Het is ongelofelijk, hè? Ik ben niet Emma maar Lottie. Weet je nog dat ik naar Lottie vroeg?'

Hij haalde machteloos zijn schouders op. 'Wat kon ik doen? Ik had Mutt beloofd niets te zeggen.'

'Ik neem het je ook niet kwalijk,' zei ze snel. 'Maar aan het eind riep ze mijn naam. Een paar keer. Denk je dat ze aan die periode terugdacht?'

'Waarschijnlijk. Wie zal het zeggen? Ze dacht immers aan de brieven die ze al die jaren had verstopt.'

Een korte stilte.
'Als Joss ze niet had gelezen, zou je het me dan hebben verteld?'
Bruno zweeg even. 'Ik zou mijn belofte aan Mutt zijn nagekomen,' zei hij uiteindelijk.
Ze haalde haar schouders op en glimlachte een beetje. 'Ach, het doet er niet meer toe,' zei ze. 'En als er problemen waren gekomen over het testament? Stel dat Raymond had geprobeerd zijn plan om de werf te ontwikkelen door te drukken. Zou je Mutts geheim dan toch hebben bewaard?'
Hij maakte een raar snuivend geluid. 'Dat weet ik niet. Het zou erg lastig zijn geworden als de mogelijkheid bestond dat Pamela en Rafe uit hun huis gezet zouden worden. Maar dat probleem doet zich dus niet voor. Mutt heeft Paradise aan jou nagelaten, zoals we al dachten. The Lookout, The Row en de werf zijn voor mij. Ze had duidelijk niet aan successierechten gedacht.'
'Raymond maakt zich druk over de successierechten,' zei Emma. 'Hij hoopt het testament te vinden om te zien wie wat krijgt en hoe de successierechten betaald kunnen worden.' Ze fronste verbaasd haar wenkbrauwen. 'Ik denk dat ze door de komst van Dan weer aan de brieven dacht. Arme man. Het is triest, hè, dat hij ondanks al zijn inspanningen Mutt niet heeft kunnen ontmoeten? Heel dichtbij en toch erg ver weg. Maar waarom heeft ze aan Joss gevraagd de brieven te zoeken? Waarom niet aan jou? Dat lag toch veel meer voor de hand?'
'Daar heb ik over nagedacht,' antwoordde Bruno. 'Ik heb tegen Joss gezegd dat Mutt wist dat het tijd was dat de waarheid aan het licht kwam, maar dat ze zich er niet toe kon zetten die zelf te vertellen. Ik denk dat ze, toen ze tegen Joss over de brieven begon, onbewust hoopte dat ze zouden worden gelezen.' Hij lachte ironisch toen hij eraan terugdacht. 'Tjonge, wat was ik boos toen Joss het me vertelde. Ik had het jarenlang geheimgehouden en al die tijd lagen die brieven hier en had iedereen ze kunnen vinden.' Hij zweeg even. 'Ik moet zeggen dat Joss het verbazingwekkend goed heeft opgevat.'
'George heeft haar geholpen,' mompelde Emma met een weemoedige glimlach. 'Ik heb altijd gehoopt dat Joss Paradise zou krijgen. Maar dat is nu helemaal van de baan, hè?'

'Ik hoop van harte dat Joss en George op Paradise willen komen wonen,' zei hij kalm. 'Wat mij betreft, Emma, heb je nog steeds rechten vanwege alles wat Mutt en jij voor ons hebben gedaan en dat wil ik graag eer aan doen. Je moet het zo zien. Als de rollen waren omgedraaid – als jij Huberts dochter was en ik Mutts zoon – zou je me dan nu uit The Lookout zetten? Zouden je gevoelens ten opzichte van mij veranderd zijn? Zou je, nu je de brieven hebt gelezen, van me verwachten dat ik ons gedeelde verleden niet zou laten meetellen? Nee, dat zou je niet doen, maar juridisch gezien zijn er inderdaad dingen veranderd.'

'Raymond zal een rolberoerte krijgen.' Ze slaagde erin even te lachen. 'Laat maar. Hij zal Mutts motieven vast wel snappen. Als hij in haar schoenen had gestaan, had hij waarschijnlijk hetzelfde gedaan. En nu?'

Hij legde uit dat het testament van zijn grootvader opnieuw geverifieerd kon worden om te voorkomen dat er twee keer successierechten betaald moesten worden en ze luisterde aandachtig toen hij vertelde dat hij van plan was Rafe en Mousie hun huis te geven om in de toekomst belastingproblemen te voorkomen en dat hij de rest van het landgoed aan Joss en George wilde nalaten.

'Ik beschouw hen als mijn kinderen,' zei hij. 'Bovendien heb ik Mutt beloofd voor Joss te zorgen en als Joss dat toestaat, zal ik dat ook doen.'

Emma keek hem dankbaar aan. 'Het gaat niet om mezelf,' zei ze. 'Ik heb Paradise altijd alleen voor Joss gewild. Je bent een schat, Bruno. Joss zal wel stekelig reageren en hoe moet het met Olivia en Joe? Zouden die niet vinden dat George wordt voorgetrokken als hij Paradise krijgt, ook al is het samen met Joss? Ze ging rechter op haar stoel zitten en de realiteit van haar nieuwe situatie drong nu in volle omvang tot haar door. 'Ze moeten het zeker allemaal weten?'

'Dat denk ik wel, Emma.' Hij keek haar meelevend aan. 'Al was het alleen maar omwille van Joss. Ik vind dat de familie het moet weten. Pamela en Rafe worden haar schoonouders en je weet dat ze een hekel heeft aan misleiding en leugens.'

'Ja, dat weet ik.' Ze dacht aan het gezicht van haar dochter toen ze terugkwam van haar wandeling met George en de ezels: die blik van blijde vrijheid nadat ze haar liefde voor hem zo lang verborgen had moeten houden. 'Ja, je hebt volkomen gelijk. Zou het daardoor niet nog moeilijker worden met de andere kinderen? Joss heeft nu juridisch gezien immers totaal geen rechten meer.'

Bruno schudde zijn hoofd. 'Dat denk ik niet,' zei hij. 'Ik heb erover nagedacht. Stel dat George Paradise koopt van het geld dat het huis in Meavy opbrengt, ongeacht hoeveel dat is. Niemand hoeft dat bedrag te weten, of wel soms? Dat is iets tussen George en mij. Het verschil krijgen ze van mij als huwelijkscadeau. Joe en Olivia willen Paradise toch niet om er zelf te gaan wonen. Wat vind je ervan?'

Haar ogen stonden vol tranen. 'Je bent een schat, Bruno,' zei ze. 'Wat moet ik zeggen?'

Voordat hij kon antwoorden, hoorden ze de voordeur opengaan en even later met een klap dichtvallen alsof iemand hem van de zenuwen uit zijn handen had laten glippen. Het was even stil en toen hoorden ze vlugge voetstappen in de gang.

40

Joss stormde de keuken binnen. Haar wangen waren rood en ze keek zorgelijk.

'Mama,' zei ze ongerust. 'Gaat het? Ik kwam Mousie onderweg tegen...'

Emma was gaan staan, hield haar armen wijd open en ze omhelsden elkaar stevig.

'O, lieverd,' zei ze, half lachend en half in tranen. 'Het was zo'n schok. We hebben er net over gepraat en ik sta nog steeds te trillen. Hoe is het je gelukt zo dapper te zijn?'

Joss hield haar op een afstandje en keek haar aandachtig aan. 'Gaat het echt?' Ze slaakte een diepe zucht van verlichting. 'Gelukkig maar. Dan had Mousie dus gelijk.'

'Mousie?' Emma keek perplex.

'Ik dacht dat je helemaal van de kaart zou zijn, maar Mousie zei dat ik je onderschatte, dat je Mutt zou bewonderen om haar kracht en moed en dat je het niet erg zou vinden.'

'En daar had ze gelijk in.' Nu haar dochter er was, hervond Emma vlug haar zelfbeheersing. 'Misschien heeft Bruno wel gelijk en hoopte Mutt onbewust dat je de brieven zou lezen, zodat er geen geheimzinnigheid meer hoefde te bestaan.

'Denk je dat echt?' Joss keek bijna geschrokken. 'Kon ik dat maar geloven. En vind je het echt niet erg...' Ze keek ongerust naar Bruno en vroeg zich af in hoeverre het echt tot haar moeder was doorgedrongen.

'We hebben het erover gehad het oorspronkelijke testament opnieuw te laten verifiëren,' zei hij tegen haar. 'En we zijn het erover eens hoe het verder moet.'

'Papa zal moeilijk gaan doen,' waarschuwde Joss. 'Dat weet je, mama.'

'Ik denk dat hij het zal accepteren,' antwoordde Emma beheerst. 'Hij is op de eerste plaats een zakenman en vanuit dat oogpunt heeft hij altijd naar St Meriadoc gekeken. Hij kan er ook niets aan doen, die beste Raymond. Hij ziet alles in het licht van financiële mogelijkheden. We mogen niet vergeten dat hij dat altijd heeft gedaan met het oog op ons welzijn, Joss. Ik weet dat hij er andere normen en waarden op na houdt. Hij snapt niet dat een mens behoefte kan hebben aan eenzaamheid of kan verlangen naar spirituele groei, maar ik denk dat je zult merken dat hij zich moeiteloos bij de nieuwe situatie zal neerleggen als hij eenmaal de waarheid weet.'

Emma zei het met waardigheid en ze spraken haar allebei niet tegen, maar zwegen, onder de indruk van haar kalme verdediging.

'Ik hoop dat het waar is,' zei Bruno uiteindelijk. 'Maar het zou enorm helpen als we *Goblin Market* en de overlijdensaktes vonden. We kunnen nu in ieder geval zoeken zonder dat iemand daar overstuur van raakt. Ik wou dat ik wist waar we moesten beginnen.'

'O.' Emma's ogen gingen wijd open toen het opeens tot haar doordrong. 'Dat zit er natuurlijk in het pakje. Dát moet het zijn.'

Terwijl ze verbijsterd toekeken, liep Emma naar de buffetkast, haalde het pakje eruit en schoof het over tafel naar Bruno toe. Hij had moeite het touwtje los te krijgen en probeerde het trillen van zijn vingers tegen te gaan. De papieren omslag was geïllustreerd met vreemde Arthur Rackham-achtige figuren, de kaft was net iets dikker dan dun karton en de pagina's waren gescheurd. Nadat hij de envelop, die met een paperclip aan de achterkant was bevestigd, had losgemaakt sloeg hij het boek voorzichtig open.

'Het is een eerste druk,' zei hij, terwijl hij de pagina eerbiedig bestudeerde. 'Het boek heeft vijf shilling gekost. Dat is veel geld voor een klein meisje om bij elkaar te sparen.' Hij reikte hun het boek aan, opengeslagen op de titelpagina, zodat ze de inscriptie konden lezen:

Voor mijn zus Madeleine
voor haar vijftiende verjaardag
Liefs, Vivian

Emma sloeg de pagina's voorzichtig om, terwijl Joss over haar schouder meekeek en Bruno de begeleidende brief las.

Paradise
juni 1947

Lieve Bruno,

Dit is voor jou als je later groot bent. Het is niet meer dan billijk dat jij de spullen krijgt die erin zitten. Misschien zul je ze in de toekomst in geval van nood nodig hebben. Ik had dit boek eigenlijk aan Emma willen geven, maar ik zou de inscriptie niet kunnen uitleggen en daardoor zou het boek problemen kunnen veroorzaken. Bewaar het goed voor me.

Vergeef me alsjeblieft als je door mijn toedoen hebt geleden, lieve jongen. Ik heb je slechts gelukkig willen maken, maar als je ouder wordt, zul je merken dat we allemaal fouten maken en anderen ongewild kunnen schaden.

Bedankt voor al je liefde; dat is heel belangrijk voor me geweest. Ik hoop dat je weet hoeveel ik van je hou.

Mutt

Diep ontroerd stond Bruno op, glimlachte moeizaam, en stopte de brief bij de andere documenten.

'Ik ga,' zei hij nogal abrupt. 'Ik wil graag op mijn gemak naar deze documenten kijken en jullie hebben tijd samen nodig. Ik kom morgenochtend weer. O, en het boek is voor jou, Emma. Dat schrijft Mutt in deze brief.'

Hij liep vlug de keuken uit en ze keken hem na.

'Het is voor hem net zo erg,' zei Joss na een tijdje. 'Arme Bruno. Al die herinneringen.'

Emma keek weer naar het boek, las nog een keer wat er op de titelpagina geschreven stond en pakte toen een foto van tafel. Ze keken samen naar Madeleine en Vivian, vrolijk lachend in de zonnige tuin, en keken elkaar vervolgens aan.

'O, lieverd,' zei Emma beverig, 'wat een dag.'

'Er is veel waar we aan moeten wennen,' zei Joss, maar ze keek blij, omdat ze nu niet meer hoefde te huichelen. 'Ik denk dat het ergste voorbij is, al moeten we het nog wel aan papa vertellen. Het is een wonder dat we allebei nog steeds hier op Paradise zijn.'

Mousie zat bij de hangoortafel rustig naar de zonsondergang te kijken. De wind was afgezwakt tot een zacht briesje en de lucht in het westen was verschroeid en gevlekt door een fel karmozijnrood vuur dat in vlammende, waterige tongen langs de horizon likte en de zee een schitterende kleur gaf. Mousie was onder de indruk van het tafereel en dacht min of meer tevreden terug aan de afgelopen paar uur. Het had even geduurd voordat Dan Madeleines geschiedenis begreep en Mousie had al haar tact en gezag nodig gehad om het verhaal zo te vertellen dat het waarheidsgetrouw en toch acceptabel voor hem was.

Hij was nog steeds geschokt door de loop der gebeurtenissen, maar probeerde dit nieuwe licht dat op zijn oudtante was geworpen te accepteren. Hij was weggegaan en had de hoop uitgesproken dat het resultaat van zijn zoektocht minder rampzalig was dan hij aanvankelijk had gedacht.

'Het werd tijd,' had ze tegen hem gezegd. 'Daar had Bruno gelijk in. Het spijt me dat u Madeleine niet hebt ontmoet, maar ze wilde het zo en ik denk dat het een juist besluit was. U moet de brieven lezen. Die kunnen u veel meer over haar vertellen dan ik.'

Ze hadden nog even gepraat en ze was erachter gekomen dat zijn zoektocht niet zomaar een gril was die voortkwam uit nieuwsgierigheid, maar dat er een oprecht verlangen uit sprak om zo veel mogelijk over zijn oudtante te weten te komen. Toen ze ouder werd, had zijn grootmoeder hem heel veel over Madeleine verteld. Ze had hun jeugd beschreven en had onthuld dat ze zich schuldig voelde omdat ze haar zus had teleurgesteld toen die haar hard nodig had, iets wat ze tot dan toe had verzwegen.

'Ik had er geen kwade bedoelingen mee hierheen te komen,' had hij berouwvol gezegd. 'Integendeel. Ik hoopte goed nieuws over oudtante Madeleine mee naar huis te kunnen nemen, ook al was het te laat voor mijn grootmoeder. Het was niet mijn bedoeling een knuppel in het hoenderhok te gooien.'

'Het was voor allebei te laat,' had ze geantwoord, 'maar niet voor ons. U hebt ons geen kwaad gedaan, echt niet.'

Hij had gemompeld dat Emma erg geschrokken moest zijn. Het was duidelijk dat hij, in die korte tijd dat ze bij elkaar waren geweest, Emma erg aardig was gaan vinden en Mousie vond het ontroerend dat hij zich zorgen om haar maakte.

'Ze is uw nicht,' had ze hem vrolijk in herinnering gebracht. 'En Joss is uw achternichtje. Dat is een prettige gedachte, nietwaar? U gaat dus niet met lege handen naar huis, maar met een heel nieuwe familie. Emma kennende zal ze alles over u en Mutts andere familieleden te weten willen komen. Dat wordt vast gezellig.'

Het pleitte voor hem, vond ze, dat hij niet bleef plakken, maar afscheid nam toen er van beide kanten genoeg was gezegd. Als hij langer was gebleven, zou het gênant zijn geworden. Hij had er blijkbaar geen behoefte aan om aanwezig te zijn voor het geval er een familielid zou arriveren die over deze buitengewone onthulling wilde praten. Mousie was blij toen ze hem zag vertrekken, omdat ze een sterk voorgevoel had dat Bruno elk moment kon arriveren.

Na lange tijd kwam hij. Hij klopte op de deur en riep haar naam toen hij het halletje in stapte. Ze bleef aan tafel op hem zitten wachten en even later legde hij de envelop voor haar neer.

'Emma had deze envelop al die tijd,' zei hij. 'Ze vond hem in de la waar Mutt de brieven in bewaarde. Dit zat allemaal in een pakje dat aan mij was geadresseerd. Ze wilde wachten tot na de begrafenis voor het geval er iets in zou zitten wat tot onenigheid tussen zwager Fox en mij kon leiden.'

'Zat *Goblin Market* erin?' Mousie raakte de envelop niet aan.

'Ja, het was precies zoals Mutt het had beschreven. Er zat een brief bij... Nou ja, lees zelf maar.'

Hij ging zitten. Mousie pakte de brief en tastte naar haar bril, zette haar ellebogen op tafel en keek naar de zee. Hij haalde de andere spullen niet uit de envelop, maar bleef stil zitten terwijl ze de brief las.

Even later zette Mousie haar bril af en vouwde de brief op, terwijl ze zich afvroeg hoe moeilijk het voor hem was om die officiële overlijdensaktes van zijn familieleden te zien, nadat hij hun dood jarenlang had ontkend. Er viel een lange stilte. Het schemerde. In de hoeken van de kamer werd het steeds donkerder en één schitterende ster hing laag boven de horizon. De zee stroomde binnen. De vloed zorgde ervoor dat het water over de rotsen spoelde, tegen de kademuur sloeg en tegen de kliffen die de inham omsloten.

'Het was verschrikkelijk,' begon Mousie kalm, 'dat je heel je familie in één klap kwijtraakte. Maar zelfs uit zo'n vreselijke tragedie kan iets goeds voortkomen. Ik denk dat je werk daar een goed voorbeeld van is, of niet soms? Je kinderlijke drang om feiten en fictie te vermengen, wat noodzakelijk voor je was om te overleven, maakte in jou de gave los om verhalen te vertellen. De manier waarop je aan de droge geschiedkundige feiten kleur en drama toevoegt, is een prachtig talent waar je duizenden mensen een plezier mee doet. Hubert zou erg trots op je zijn geweest.' Ze pakte de envelop, haalde de aktes eruit, bladerde erdoorheen en schoof ze opzij. 'Het is goed dat jij ze hebt, want dan kan het testament van je grootvader zonder problemen opnieuw worden geverifieerd,' zei ze, 'maar verder hebben ze geen nut. Jij hebt hier geen schuld aan. Je had geen keus. Laat het los, Bruno.'

Hij keek haar aan. 'Ik denk dat ik daar al mee ben begonnen. Toen ik op Paradise in de keuken was, terwijl Emma de brieven las, zag ik de trouwfoto en ik besefte dat ik me hen amper kon herinneren, ook mijn zusje niet. Ik had het gevoel dat ik hen doelbewust uit mijn leven had gebannen. Ik probeerde me, als vorm van schadeloosstelling, zo veel mogelijk te herinneren. Toen kwam Emma binnen en terwijl ik haar troostte, had ik het gevoel dat ik op een of andere manier bevrijd werd van het schuldgevoel. Het was vreemd, want hoewel ik háár troostte, troostte ze mij ook en ik moest denken aan Mutt die in die hotelkamer verscheen en hoe ik me toen voelde. Ik hoop dat ze wist hoeveel ik van haar hield.'

Hij pakte de overlijdensaktes, keek er nog steeds met mededogen naar, stopte ze terug in de envelop en dacht aan de woorden die Mutt aan haar zus had geschreven.

Bruno straalt een zekere wijsheid uit, een gratie waar hij eigenlijk te jong voor is... Als hij naar me lacht of me omhelst, heb ik het gevoel dat ik absolutie krijg...

Hij voelde zich helemaal niet wijs, maar was blij dat hij haar troost had kunnen bieden als tegenprestatie voor de stabiliteit en de liefde die ze hem altijd had geschonken, terwijl ze probeerde haar belofte aan zijn moeder na te komen. Hij herinnerde zich de laatste zin voordat ze voorgoed afscheid nam van Vivi.

Misschien ben ik al tante en heeft Emma een neef of nicht die ze niet zal kennen en die ik nooit zal ontmoeten.

Daar kon nu in ieder geval iets aan worden gedaan. Hij schoof de envelop opzij en glimlachte naar Mousie.

'Wat vind je van Dan Crosby?' vroeg hij.

Epiloog

Het was mei. De zon scheen fel, het briesje voerde de geur van meidoornbloesem mee en ergens hoog boven zijn hoofd zong een leeuwerik. De ezels stonden bij elkaar in de schaduw van de tamarisken, hun koppen naar elkaar toe gebogen alsof ze een geheim doorvertelden. Hij leunde met zijn armen op de warme ruwe houten balk van het hek en glimlachte.

Hij was in St Endellion geweest om het graf van zijn oudtante Madeleine te bezoeken en nu was hij op weg naar Paradise om thee te drinken met Emma en Joss.

'We zijn immers neef en nicht,' had Emma aan de telefoon tegen hem gezegd. 'We moeten elkaar beter leren kennen.'

Hij had zich niet willen opdringen, voelde zich nog steeds schuldig omdat hij voor zo'n shockerende verrassing had gezorgd. Toch was de hele familie erg aardig tegen hem geweest toen hij met Pasen een kort bezoek had gebracht. Emma had hem de brieven van zijn oudtante te lezen gegeven en had voorgesteld dat hij in de kleine salon aan het bureau zou gaan zitten waar zij ze had geschreven. Het lezen had hem diep ontroerd. Dat weekend had hij in hetzelfde hotel in Port Isaac gelogeerd als de vorige keer, want hij wilde absoluut geen misbruik van hen maken, maar ditmaal logeerde hij twee nachten bij Joss en haar moeder op Paradise. De auto stond in de steengroeve – hij had zich er niet toe kunnen zetten om nonchalant tot aan de voordeur te rijden – en zijn tassen lagen nog in de kofferbak.

Dan schudde zijn hoofd om zijn eigen behoedzaamheid. Het was net alsof hij op iets wachtte wat hem over de onzichtbare barrière heen zou helpen, die er voor zijn gevoel nog steeds tussen hem en deze mensen was, ook al hadden ze hem met open armen ontvangen. Terwijl hij uitkeek over de in het zonlicht badende wei, hoorde hij het gebogen smeedijzeren hek met een metalige klank opengaan. Hij zag de jonge vrouw het grasland op lopen. Ze deed het hek zorgvuldig achter zich dicht. Ze had een gebloemde blouse aan die in de lange spijkerrok was gestopt en ze had een strohoed met een slappe rand op, zodat haar ogen in de schaduw waren. De ezels bewogen hun oren en zwiepten met hun op klokkentouw lijkende staarten. Ze stak haar handen naar hen uit, zodat ze de wortels konden pakken die ze had meegebracht.

Hij rechtte zijn rug. Joss had opeens door dat er iets bewoog en keek over het grasland. Ze stak als groet haar hand op, liep over het gras naar hem toe en glimlachte opgetogen. De behoedzaamheid die hem eerder was opgevallen, was verdwenen en in plaats daarvan straalde ze zelfverzekerdheid en blijdschap uit.

'Bij mijn weten ben je nog niet echt aan de ezels voorgesteld,' zei ze, terwijl ze naar hem toe liep. 'Dit zijn Rumpelteazer en Mungojerrie. Ze zijn al wat ouder, maar ze vinden het leuk om nieuwe vrienden te ontmoeten.'

Hij lachte en liep het grasland op. 'De namen komen me bekend voor, maar dat zijn toch katten uit de musical *Cats*?'

Ze haalde haar schouders op. 'Wat kunnen wij daaraan doen? We nemen ze zoals ze uit het ezelasiel komen. Heb je trek in thee? Mama heeft zich de hele ochtend lopen uitsloven in de keuken dus ik hoop dat je honger hebt.'

'Hoe gaat het met Emma?' Hij was niet vergeten dat hij zich bij de eerste ontmoeting sterk tot haar aangetrokken had gevoeld en dat er een vreemd gevoel van herkenning en genegenheid was geweest. 'Kan ze... het een beetje verwerken?'

Ze glimlachte naar hem, nam hem op met iets van haar oude onverzettelijke blik en knikte. 'Ze begint aan de waarheid te wennen,' zei ze tegen hem. 'Wij allemaal. Het is eigenlijk best bevrijdend. Daar moeten we je voor bedanken. Er valt veel te bepraten, er zijn talloze herinneringen op te halen en we hebben de brieven al vele malen herlezen. Ze is er heel emotioneel over – en soms erg verdrietig – maar ik heb haar beloofd dat als George en ik een dochter krijgen, we haar Charlotte zullen noemen, met als roepnaam Lottie.' Ze wierp hem een ondeugende blik toe. 'Of misschien Charlotte Vivian, dan wordt jouw grootmoeder ook vernoemd. Hoe zou je dat vinden?'

'Ik vind het een prachtige naam.' Hij was weerloos tegen haar aanstekelijke vrolijkheid. 'Mijn oma zou het geweldig hebben gevonden.' Hij grinnikte en werd wat vrijpostiger. 'Mis ik iets? Ik dacht dat George en jij pas in de herfst konden trouwen?'

'Dat klopt en nee, je hebt niets gemist,' antwoordde Joss zogenaamd ernstig. 'Ik loop wat op de zaken vooruit. Zou je vrij kunnen krijgen om naar de bruiloft te komen? We zijn immers familie, achterneef Dan, ook al kennen we je nog niet zo goed als we zouden willen.'

'Dat valt vast wel te regelen, achternicht Joss.' Hij maakte een kleine buiging voor haar. 'Er zijn in Amerika veel mensen die Emma en jou willen ontmoeten. En George natuurlijk,' voegde hij er vlug aan toe.

'En Mousie en Bruno,' zei ze plagend. 'Vergeet Rafe, Pamela, Olivia en Joe niet. Het is alles of niets. Zo gaat dat bij ons in de familie.'

'Ik zal het een grote eer vinden,' antwoordde hij merkwaardig formeel, maar hij voelde zich vreemd blij omdat hij het idee had dat de barrière eindelijk was opgeheven. 'Dank je.'

Ze stonden bij elkaar in het zonlicht – Madeleines kleindochter en Vivians kleinzoon – en glimlachten even naar elkaar. Toen liep ze voor hem uit over het grasland en hij volgde haar door het hek en wandelde de tuinen van Paradise binnen.